ユーキャンの

福祉住環境コーディネーター 2級

○×一問一答ベスト800!

〈おことわり〉

本書の記載内容は，2022年２月に東京商工会議所から発行された『福祉住環境コーディネーター検定試験®２級公式テキスト 改訂６版』に基づき編集したもので，統計数値などは公式テキストによっています。

本書の執筆時点（2022年３月末日）以降に東京商工会議所より出された追補資料や，公式テキスト（改訂６版）に該当する知識が出題範囲となる試験の対象となるものについては，下記「ユーキャンの本」ウェブサイト内「追補（法改正・正誤）」にて適宜お知らせいたします。

https://www.u-can.co.jp/book/information

ユーキャンの○×一問一答ベスト800！ここがポイント

最終確認の強い味方！

本書は，試験直前にしっかり押さえておきたい事項を一問一答形式でコンパクトにまとめた問題集です。持ち運びに便利な新書サイズ＆赤シート付きなので，いつでもどこでも手軽に学習できます。

基本事項を網羅した800問！

過去の試験の出題内容を徹底分析。そのデータに基づいて，３段階の重要度を表示し，問われそうな重要事項を800問の○×問題にしました。解答解説は見開きで掲載しているので，知識の確認がスムーズに行えます。

視覚的に学習できる要点まとめページ

一問一答だけではフォローしきれない重要項目は，「重要ポイントまとめてCHECK!!」のページにまとめてあります。大事なポイントをイラスト・図表などで整理して解説しているので，一問一答とあわせて効率よく学習することができます。

本書の使い方

本書は，○×形式の一問一答ページと要点まとめページで構成されています。問題ページで知識を確認，要点まとめページで重要ポイントを整理することができます。

1 重要度をチェック
A，B，Cの3段階で重要度を確認しましょう。

A　B　C
高　重要度　低

2 一問一答で理解度を確認
右ページの解説を赤シートで隠しながら問題を解いてみましょう。

3 解説で知識を定着
解説をしっかり読み確実に理解し，プラスαの知識も吸収しましょう。

直前期に，これだけ！は押さえておきたい基本事項を問う問題です。

問題にも解説にも，チェックボックスが2回分。繰り返しが学習効果を高めます。

重要な事項を含む問題には★がついています。

1　福祉住環境の調整役　重要度 C

Q1 福祉住環境コーディネーターとして福祉住環境整備に携わるに当たり職業上の倫理が必要なのは，人にかかわる専門職であることまたは専門職であろうとしているからである。

Q2 福祉住環境整備には多くの専門職がかかわるが，福祉住環境コーディネーターはその専門性から，住環境ニーズの発見に特化した活動が求められる。

Q3 福祉住環境コーディネーターには，高齢者や障害者の生活上の不便・不自由に対して，どうしてなのか，どうすればよいのかを一緒に考え，改善策を提案し……が求められる。

Q4 専門職としての福祉住環境コーディネーター……と相談者との関係は，「契約関係」で成り立っている。双方の関係が，「相談の開始で始まり，終了をもって終わる」という契約関係であることは当然である。

★ Q5 福祉住環境コーディネーターは，設計者や施工者の視点を第一に，高齢者や障害者の住宅内での生活全般にわたって，問題点の抽出を行う。

Q6 福祉住環境コーディネーターは，明確かつ簡潔に必要な報告を行っていれば，記録を保持することは求められない。

……は，チームアプローチ……。チームメンバーは，……り得た情報をチームの……部のネットワークを活……行うことが望ましい。

解説ページは『穴埋め問題集』としても活用できます！
重要部分が赤字＋下線になっているので，赤シートを使い穴埋め形式でチェックすることも可能です。

4 要点まとめページで知識を整理

一問一答だけではフォローしきれない重要項目は，要点まとめページでしっかり確認し，知識を整理しましょう。

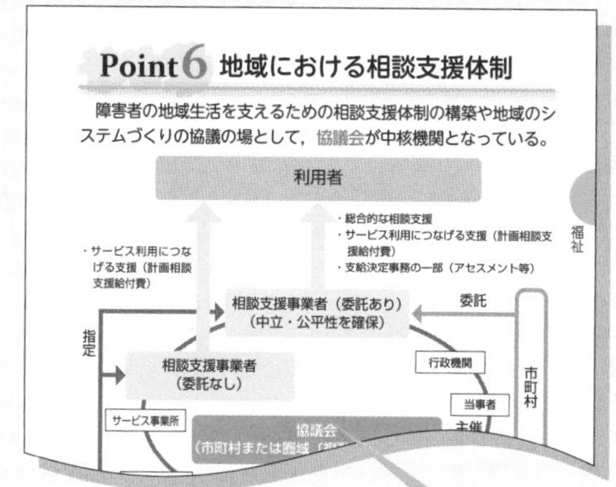

A1 医師や看護師をはじめ，…な倫理綱領のもとに規…同じように，福祉住環…理綱領を遵守すべき職種である。

A2 福祉住環境コーディネーターは，住環境ニーズの発見をはじめ，住環境整備にかかわるすべての人々の意見調整からフォローアップまで，一連の流れをコーディネートする役割を担う。 ×

A3 たとえば，在宅での生活時間が長くなってきた高齢者には，座式生活からいす式生活への変更，和式から洋式への便器の取り替えなど，生活様式の変更などを提案することも重要である。 ○

A4 福祉住環境コーディネーターと相談者との関係が「契約関係」で成り立っていることは，専門職としての福祉住環境コーディネーターに求められる職業倫理の1つである。 ○

A5 福祉住環境コーディネーターは，生活者の視点に立ち，高齢者や障害者の住宅内での生活全般にわたって，_____の抽出を行う。

A6 医療・福祉サービス全般に共通することとして，____と____が，文書によりしっかり行われていなければならない。

A7 福祉住環境コーディネーターは，____・____・____間の連携と協力によるチームアプローチの中で仕事をすることが多いが，チーム間での情報の共有で知り得た情報は，決して外部に漏らしてはならない。

福祉

15

イラスト&チャートで重要項目を整理。『得点UPのカギ』も併せて覚えましょう。

目次

ABC＝重要度

福祉編

医療編

建築編

福祉用具編

重要ポイントまとめてCHECK!! 一覧

福祉編

医療編

建築編

福祉用具編

出題傾向の分析と対策

福祉住環境コーディネーター検定試験®は，東京商工会議所が主催しています。学歴・年齢・性別・国籍による受験資格の制限はなく，所定の手続きを済ませればだれでも受験することができます。

試験はIBT（Internet Based Testing），CBT（Computer Based Testing）の２方式で実施されています。試験は90分で，択一問題または多肢選択式の問題が出題されます。合格基準は100点満点のうち70点以上をもって合格とされています。

２級試験合格率

	試験日	実受験者(人)	合格者(人)	合格率
第42回	R１．7.7	9,130	2,729	29.9%
第43回	R１.11.24	10,405	4,637	44.6%
第45回	R２.11.22	10,778	5,043	46.8%
第46回	R３第１シーズン	5,042	4,314	85.6%
第47回	R３第２シーズン	5,575	2,887	51.8%

※第44回試験は，新型コロナウイルス感染症の拡大防止と会場確保が困難等の理由により，中止となりました。
※第46回試験以降は，IBT試験またはCBT試験となりました。

試験画面

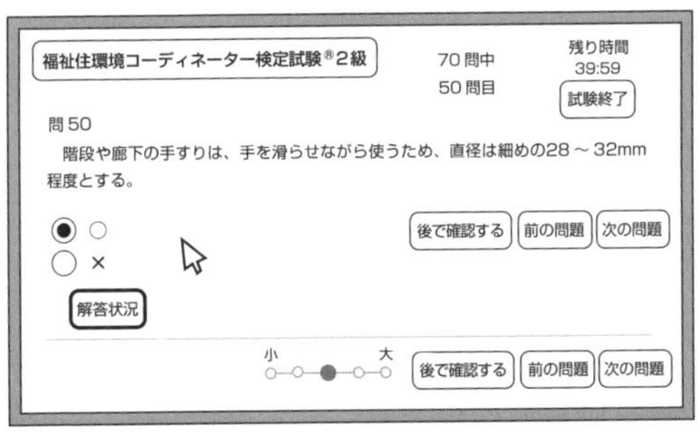

※図は CBT 試験画面のイメージです。

本書は，「福祉住環境コーディネーター検定試験® ２級公式テキスト 改訂６版」の内容に対応して，福祉編，医療編，建築編，福祉用具編の４つの分野で構成されています。

本試験に向けて効率的な学習ができるよう，以下に各カテゴリーの概要を見てみましょう。

◎ 福祉編

○ 高齢者・障害者と福祉住環境整備　（本書の学習項目１～４）

福祉住環境コーディネーターの役割と機能を確認し，「自立」をキーワードに介護・介助のあり方やリハビリテーションの意義などを学習します。とくに地域リハビリテーションや在宅介護，ケアマネジメントの意義と実践は近年注目すべきポイントです。

○ 高齢者・障害者を取り巻く社会状況　（本書の学習項目５～８）

少子高齢化が急速に進むわが国の現状を把握しつつ，介護保険制度について学びます。また，障害者の社会における立場と生活の状況，社会参加の可能性などについても学びます。

○ 日本の福祉住環境　（本書の学習項目９～11）

住宅施策の変遷，現在の体系から今後の課題までを学びます。従来のわが国の木造住宅に関する問題点，家庭内事故の原因やバリアフリー化の現状などについて理解を深めます。

○ 福祉住環境整備の進め方　（本書の学習項目12～14）

ケアマネジメントの観点から，福祉住環境整備をどのようにとらえ，改善案をどのように提案・計画していくか，関連専門職との協働も含めて実務的な進め方を学びます。相談援助の基本的視点や方法についての理解も必要です。

◎ 医療編

○ 高齢者・障害者の特性　（本書の学習項目15，16）

住宅改修に対するニーズを把握するために必要な高齢者・障害者の身体的・精神的特性を理解しましょう。

○ 高齢者に多い疾患　（本書の学習項目17～22）

脳血管障害や関節リウマチ，認知症など，それぞれの疾患ごとに原因・症状・治療法・リハビリテーション・必要な福祉住環境整備などを把握する必要があります。

○ 障害をもたらす疾患　（本書の学習項目23〜29）

進行性疾患や脊髄（せきずい）損傷について多く出題されています。障害の種類・程度によって，どのような不便・不自由が生じるかを理解し，必要となる福祉住環境整備を考えてみましょう。

建築編

○ 福祉住環境整備の基本技術　（本書の学習項目30〜35）

段差解消の具体的な方法や手すりを設置する際の留意点，生活に必要なスペース・有効幅員（ふくいん），建具の種類などについてよく問われています。

○ 生活行為別福祉住環境整備の方法　（本書の学習項目36〜44）

高齢者・障害者の生活動作や身体状況を考慮しつつ，生活行為別に必要とされる住環境整備をみていきます。

○ 福祉住環境整備の実践　（本書の学習項目45〜47）

住環境整備を行うに当たって必要な建築の制度や施工工程で必要とされる図面の見方などを学びます。図面の種類や記号の使い方，読み方なども出題されています。

福祉用具編

○ 福祉用具とは　（本書の学習項目48，49）

「福祉用具法」による福祉用具の定義や介護保険制度の対象種目について学習します。また，利用者の条件に合った福祉用具支援のプロセスや他職種との連携はとくに重要ですから，確実に理解することが必要です。

○ 福祉用具の使い方　（本書の学習項目50〜60）

車いすやリフト，段差解消機，排泄や入浴，就寝関連の福祉用具について，適用する人の状態や使用方法・環境などに関する内容が多く出題されています。また，福祉用具にはさまざまな種類があるので，それぞれどのような特徴があるのかを理解し，福祉用具の使用しやすい住環境を考えていく必要があります。

福祉編

まずは，高齢者と障害者を取り巻く状況，福祉施策，福祉住環境整備の意義，関連専門職などを学習します。

介護保険制度や障害者総合支援法など，範囲は広いけどとても重要だよ！

1 福祉住環境の調整役

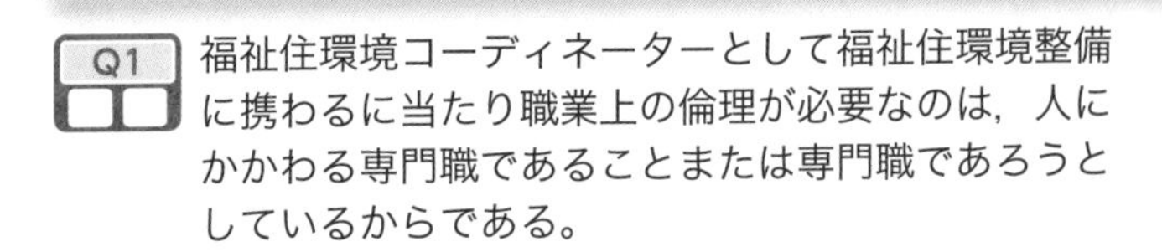

Q1 福祉住環境コーディネーターとして福祉住環境整備に携わるに当たり職業上の倫理が必要なのは，人にかかわる専門職であることまたは専門職であろうとしているからである。

Q2 福祉住環境整備には多くの専門職がかかわるが，福祉住環境コーディネーターはその専門性から，住環境ニーズの発見に特化した活動が求められる。

Q3 福祉住環境コーディネーターには，高齢者や障害者の生活上の不便・不自由に対して，どうしてなのか，どうすればよいのかを一緒に考え，改善策を提案していくことが求められる。

Q4 専門職としての福祉住環境コーディネーターと相談者との関係は，「契約関係」で成り立っている。双方の関係が，「相談の開始で始まり，終了をもって終わる」という契約関係であることは当然である。

★ **Q5** 福祉住環境コーディネーターは，設計者や施工者の視点を第一に，高齢者や障害者の住宅内での生活全般にわたって，問題点の抽出を行う。

Q6 福祉住環境コーディネーターは，明確かつ簡潔に必要な報告を行っていれば，記録を保持することは求められない。

★ **Q7** 福祉住環境コーディネーターは，チームアプローチの中で仕事をすることが多い。チームメンバーは，チーム間での情報の共有で知り得た情報をチームの内部にとどめることなく，外部のネットワークを活用して広く開示し，支援活動を行うことが望ましい。

医師や看護師をはじめ，職業に基づくさまざまな倫理綱領のもとに規定された多くの専門職と同じように，福祉住環境コーディネーターも倫理綱領を遵守すべき職種である。

○

福祉住環境コーディネーターは，住環境ニーズの発見をはじめ，住環境整備にかかわるすべての人々の意見調整からフォローアップまで，一連の流れをコーディネートする役割を担う。

×

たとえば，在宅での生活時間が長くなってきた高齢者には，座式生活からいす式生活への変更，和式から洋式への便器の取り替えなど，生活様式の変更などを提案することも重要である。

○

福祉住環境コーディネーターと相談者との関係が「契約関係」で成り立っていることは，専門職としての福祉住環境コーディネーターに求められる職業倫理の１つである。

○

福祉住環境コーディネーターは，生活者の視点に立ち，高齢者や障害者の住宅内での生活全般にわたって，問題点の抽出を行う。

×

医療・福祉サービス全般に共通することとして，記録と報告が，文書によりしっかり行われていなければならない。

福祉住環境コーディネーターは，保健・医療・福祉間の連携と協力によるチームアプローチの中で仕事をすることが多いが，チーム間での情報の共有で知り得た情報は，決して外部に漏らしてはならない。

2 高齢者や障害者の生活

★ Q8

健康な人生を送るための「予防」には，一次予防から三次予防まである。一次予防が最も重く，「障害残存後の活動制限や参加制約の防止」を意味する。さらに，二次予防は「早期発見・早期治療による疾患や障害への移行の防止」を，三次予防が最も日常的なもので「健康増進と疾患の予防」を意味する。

Q9

体力や耐久力などの身体機能低下に，認知機能の低下などが重なると，生活機能障害につながっていくおそれがある。

Q10

高齢者によくみられる「生活機能の低下・障害」は，疾患や心身の機能障害，加齢などが原因となって起こるものであり，介護者の身体的負担や住環境などが影響することはない。

★ Q11

わが国の高齢者のリハビリテーションは，歴史的に，脳卒中のような疾患の発症が生活機能の低下を引き起こすものを中心に展開されてきたが，それ以外のものへのアプローチも必要である。

Q12

これからのリハビリテーションでは，生活機能の維持・改善と向上，介護予防を目指す，地域や在宅での「回復期リハビリテーション」の実施が，とくに高齢者では重視されていくことが不可欠となる。

★ Q13

高齢者リハビリテーションの３つのモデルにおける脳卒中モデルでは，発症直後からリハビリテーション治療を開始する。

A8 予防医学では，「一次予防」は「健康増進と疾患の予防」を，「二次予防」は「早期発見・早期治療による疾患や障害への移行の防止」を，「三次予防」は「障害残存後の活動制限や参加制約の防止」を指す。 ×

A9 生活機能障害につながる問題にはほかに，心理的な問題，家族の問題，住環境の問題，障害に対する正しい知識と理解に乏しく将来への見通しを欠いている，疾患の管理が適切になされず悪化している，などがある。 ○

A10 高齢者によくみられる「生活機能の低下・障害」とは，疾患・心身の機能障害，加齢などの生活機能障害の「遠因」に，生活上の「問題」が重なって起こることであり，介護者の身体的・精神的負担や住環境などが大きく影響する。 ×

A11 厚生労働省「高齢者リハビリテーションのあるべき方向」等は，高齢者リハビリテーションの３つのモデルとして，脳卒中モデル，廃用症候群モデル，認知症高齢者モデルを示している。 ○

A12 これからは，生活機能の維持・改善と向上，介護予防を目指す，地域や在宅での「生活期リハビリテーション」の実施が，とくに高齢者では重視されていくことが不可欠となる。 ×

A13 発症直後の急性期からリハビリテーション治療を開始することが，脳卒中モデルには求められる。その後ADLを中心とした生活機能の回復に努め，地域リハビリテーションへと移行する。 ○

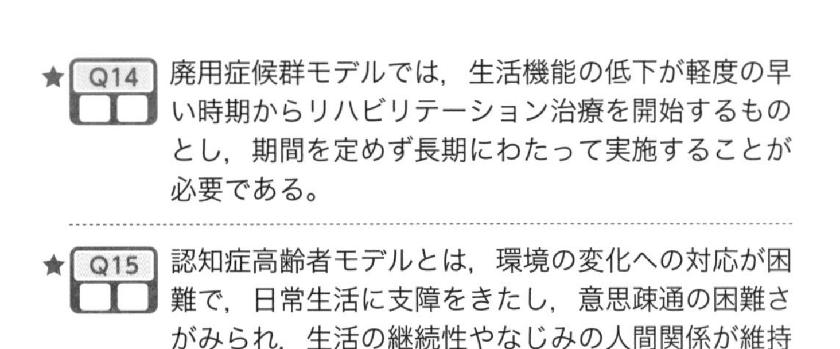

★ **Q14** 廃用症候群モデルでは，生活機能の低下が軽度の早い時期からリハビリテーション治療を開始するものとし，期間を定めず長期にわたって実施することが必要である。

★ **Q15** 認知症高齢者モデルとは，環境の変化への対応が困難で，日常生活に支障をきたし，意思疎通の困難さがみられ，生活の継続性やなじみの人間関係が維持される環境での介護を必要とするものを指す。

Q16 リハビリテーションは，特に高齢者の場合，若年者に比べて障害の原因は類型的であり，その症状は一様で，アプローチのあり方が確立しているので，廃用症候群の予防を重視した画一的なプログラムに基づくチームアプローチを実施する。

Q17 WHOは1973（昭和48）年に，高齢者リハビリテーションの目標として，①活動性の回復，②身体的自立，③社会への再統合の３つをあげている。その究極の目標とするところは，「ADLの向上」である。

Q18 高齢者のリハビリテーションは，「在宅・地域での生活を支える」という目標の下に実施することが必要である。

Q19 高齢者のリハビリテーションは，総合的包括的アプローチで行われるべきであり，チームアプローチによる評価と治療が不可欠である。

Q20 在宅生活者で骨関節疾患があるなどの廃用症候群モデルの場合，計画的なリハビリテーション治療を行うが，生活機能の回復には個人差があるので期間を定めるべきではない。

A14 廃用症候群モデルでは，生活機能の低下が軽度の早い時期から，期間を限定して計画的にリハビリテーション治療を提供していく。 ×

A15 認知症高齢者モデルは，環境の変化への対応が困難で，生活の継続性やなじみの人間関係が維持される環境での介護が必要なものを指す。

福祉

A16 高齢者の障害や生活機能低下の要因はさまざまであり，症状も多様であるため，画一的なプログラムで対応するのではなく，個々の生活機能低下・障害の原因を評価し，生活機能の維持・改善と向上を目指したチームアプローチを行う。

A17 世界保健機関（WHO）が高齢者リハビリテーションの目標としてあげているのは，①活動性の回復，②人との交流の回復，③社会への再統合の３つであり，その究極の目標がQOL（生活の質）の向上である。

A18 高齢者の場合は，その住み慣れた家庭や地域での生活を想定して，実生活にそのまま生かせるリハビリテーションプログラムを提供していくべきである。

A19 高齢者のリハビリテーションでは，総合的なリハビリテーションプログラムを提供するために，チームアプローチによる評価と治療が欠かせない。

A20 在宅生活者で骨関節疾患があるなどの廃用症候群モデルの場合，生活機能の低下が軽度のうちから，期間を定めて計画的にリハビリテーション治療を行う必要がある。

★ Q21 病気や障害と付き合いながら生活していくために必要な治療という観点から，近年では「care（ケア）からcure（キュア）へ」といわれるようになっている。

Q22 地域ケアの対象は，高齢期から人生の終末期までであり，そのケア内容は，保健，医療，介護，リハビリテーション，住まいに限定される。支援する側は，家族，近隣，地域社会，ボランティア団体などのインフォーマル・セクターが中心となる。

★ Q23 地域ケアとは，「地域に暮らす人々のうち，健康生活・家庭生活・学校生活・職業生活等に何らかの不自由があるか，そのおそれのある人々に対して，その居住地域での生活の自立や自律，あるいはQOLの向上を目標に行う支援」と定義できる。

★ Q24 高齢化が進展しているわが国では，団塊の世代が75歳を超える2025年をめどに，地域包括ケアシステムを構築することが国の大きな課題と考えられている。

Q25 地域包括ケアシステムは，元来，高齢者に限定されるものではなく，障害者や子どもを含む地域のすべての住民のための仕組みであり，すべての住民のかかわりにより実施すべきものであるが，現在，障害者に対する施策は，整っていない。

平均寿命が延びた現代社会では，病気や障害と付き合いながら生活していくためのケアが重要視されるようになり，「cure（キュア）からcare（ケア）へ」といわれるようになっている。

×

地域ケアの対象は，乳児期から人生の終末期までのすべてであり，そのケア内容は，保健，医療，介護，リハビリテーション，保育・教育，就労，住まい，環境整備，まちづくり，防災の支援など多岐にわたる。支援する側も，家族，近隣，地域社会，専門職，行政など，支援の必要な人々のニーズに応じて多様である。

×

地域ケアには，地域福祉や地域保健，地域医療，地域リハビリテーション，在宅ケアなど，「地域」や「在宅」という語が付く支援内容がすべて含まれていると考えられる。

国では，2025年までに高齢社会の進展に備え，市区町村のほぼ中学校区ごとに医療・福祉・リハビリテーションなど住民に必要なさまざまなサービスを継続的に提供できる「地域包括ケア」を，地域包括支援センターを中心に実施するべく「地域包括ケアシステム」を整えている。

障害者の場合も「障害者総合支援法」において地域生活支援が強調され，障害者地域生活支援センターを中心に基幹型相談支援センターによる相談体制の強化など「地域包括ケアシステム」を整えている。

福祉

Q26
2017（平成29）年に改正された「介護保険法」は，「地域包括ケアシステム」について，地域の実情に応じて，高齢者が，可能な限り，住み慣れた地域でその有する能力に応じ自立した日常生活を営むことができるよう，医療，介護，介護予防，住まいおよび自立した日常生活の支援が包括的に確保される体制と定義している。

Q27
リハビリテーションというと，医療サービスに代表されがちであるが，老人福祉センターなどの福祉機関や特別支援学校などの教育機関が提供する諸サービスや活動も，リハビリテーションを意図して実施されれば，地域リハビリテーション活動に含まれる。

Q28
「地域リハビリテーション活動支援事業」は，地域における介護予防の取り組みを機能強化するために，通所，訪問，地域ケア会議，サービス担当者会議，住民運営の通いの場等へのリハビリテーション専門職等の関与を促進するものである。

★Q29
1960年代後半に主としてアメリカに端を発した「障害者の自立生活運動（IL運動）」は就労可能な軽度障害者を主体とし，家族や施設職員の依存から脱して，地域社会の中で充実して独立して生きられる条件を獲得することを目的に起こった。

Q30
「障害者の自立生活運動（IL運動）」で主張された「自立」の概念は，障害者のみならず高齢者にもあてはまるものである。すなわち，高齢者や障害者の自立は，単に経済的自立や身体的自立という観点だけでとらえるべきではない。

A26 設問の記述にあるのは，2014（平成26）年に改正された「医療介護総合確保法」における「地域包括ケアシステム」の定義である。なお，介護予防については，「要介護状態若しくは要支援状態となることの予防又は要介護状態若しくは要支援状態の軽減若しくは悪化の防止」としている。

×

A27 地域リハビリテーションとは，地域生活においてあらゆる人々が実践する総合的リハビリテーションサービスを意味しており，医療サービスに限定されるものではない。

○

A28 「地域リハビリテーション活動支援事業」は，介護保険に規定する介護予防・日常生活支援総合事業（新しい総合事業）における一般介護予防事業の１つとして，2015（平成27）年４月に新設された。

○

A29 「障害者の自立生活運動（IL運動）」は重度障害者を主体とし，就労に結び付かない重度障害者でも，家族や施設職員の依存から脱して，地域社会の中で充実して独立して生きられる条件を獲得することを目的に起こった。

×

A30 「どんなに高齢になっても，あるいは障害が重くとも，必要とするサービスを利用しながら，地域社会の中で主体的に自己実現していく」という観点でとらえることが，高齢者や障害者の自立には必要である。

○

3 在宅介護での自立支援

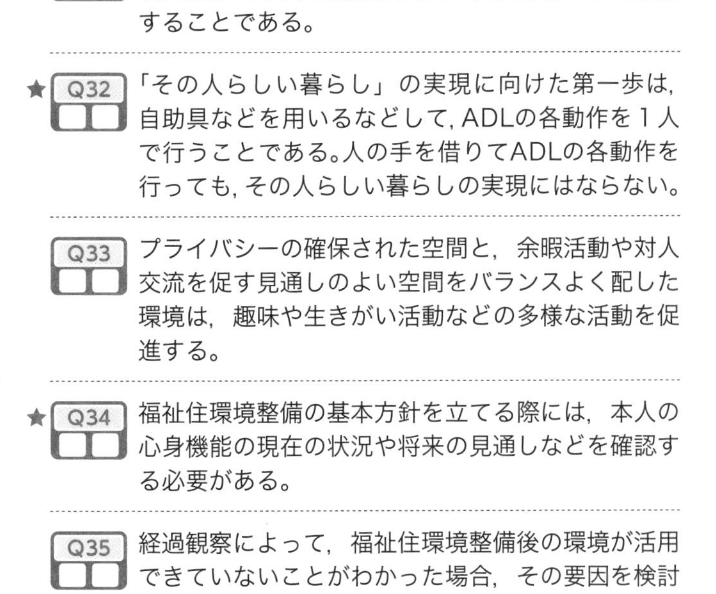

Q31 在宅介護において第一に優先されるべきことは，介護を受ける本人と家族が安全で快適な暮らしを確保することである。

★ Q32 「その人らしい暮らし」の実現に向けた第一歩は，自助具などを用いるなどして，ADLの各動作を１人で行うことである。人の手を借りてADLの各動作を行っても，その人らしい暮らしの実現にはならない。

Q33 プライバシーの確保された空間と，余暇活動や対人交流を促す見通しのよい空間をバランスよく配した環境は，趣味や生きがい活動などの多様な活動を促進する。

★ Q34 福祉住環境整備の基本方針を立てる際には，本人の心身機能の現在の状況や将来の見通しなどを確認する必要がある。

Q35 経過観察によって，福祉住環境整備後の環境が活用できていないことがわかった場合，その要因を検討し，再調整する必要がある。

★ Q36 在宅介護での自立支援の最終目標は，ADLの向上による自立した生活である。

Q37 福祉住環境整備では，生活拠点の整備と外出手段の確保こそが重要で，それによる社会貢献や自己実現の可能性という視点に立つ必要はない。

Q38 福祉住環境整備においては，本人の移動能力の把握が必要である。

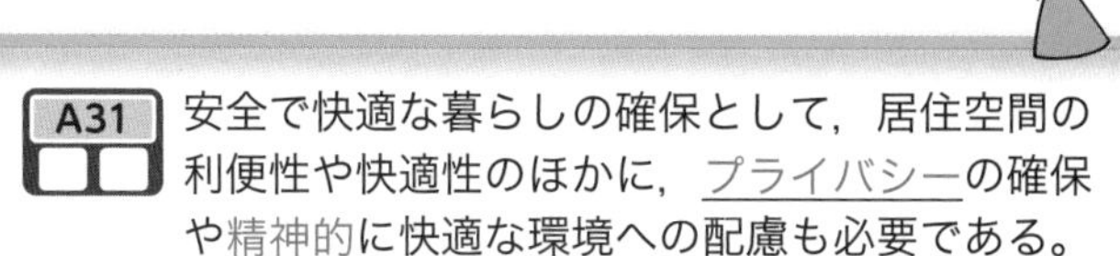

A31 安全で快適な暮らしの確保として，居住空間の利便性や快適性のほかに，プライバシーの確保や精神的に快適な環境への配慮も必要である。 ○

A32 ADL（日常生活動作）を１人で行うことにはこだわらず，それよりも，うまく人の手を借りたり道具を用いたりして「その人らしいADL」を実現させ，それを維持する能力が重要である。 ×

A33 さまざまなニーズに対応できる環境を整備することとあわせて，本人の個性を引き出し，その人らしい快適な生活の場を創造することも，在宅での介護においては大切である。 ○

A34 福祉住環境整備の基本方針立案の際は，本人の心身機能のほか，ADL場面での具体的な介護の内容や安全な動作方法も確認する。 ○

A35 整備後の環境が活用できていない要因を多角的に分析するには，本人や家族，多職種からのさまざまな情報の入手と統合が必要となる。 ○

A36 在宅介護での自立支援の最終目標は，社会参加と自己実現（社会貢献を可能とし，自己効力感を高めること）にある。 ×

A37 単なる生活拠点の整備と外出手段の確保ではなく，それによりどのような社会貢献や自己実現が可能かという視点に立つ必要がある。 ×

A38 福祉住環境整備では，本人の移動能力などを的確に把握することで移動手段を具体化し，それを可能にする方法を提示することが基本となる。 ○

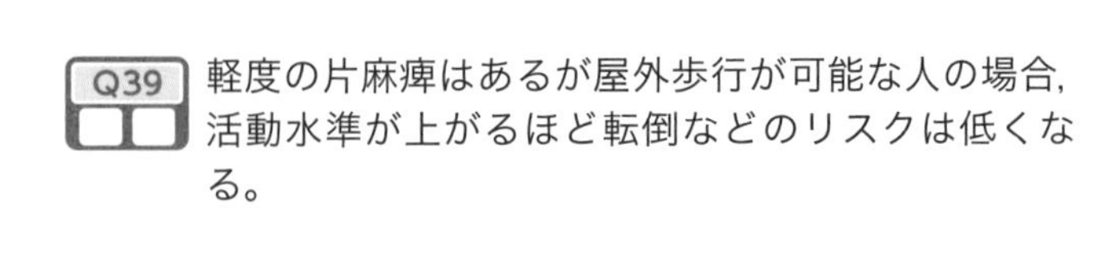

Q39 軽度の片麻痺はあるが屋外歩行が可能な人の場合，活動水準が上がるほど転倒などのリスクは低くなる。

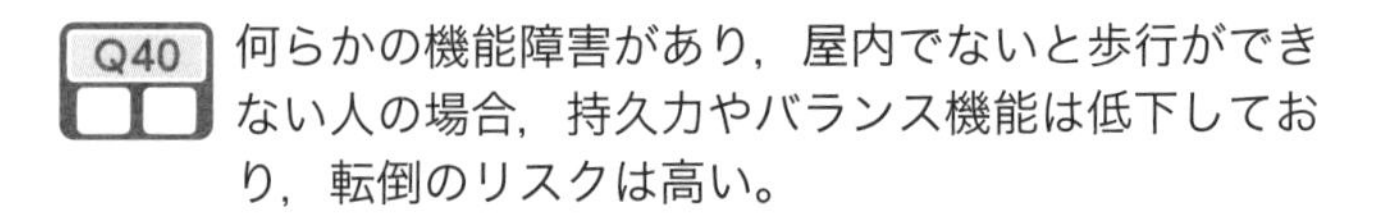

Q40 何らかの機能障害があり，屋内でないと歩行ができない人の場合，持久力やバランス機能は低下しており，転倒のリスクは高い。

Q41 屋内でないと歩行ができない人の場合，ベッドは立ち座りがしやすい高さに調整する必要があるが，ベッド用手すりを設置する必要はない。

Q42 運動麻痺などの機能障害により車いすを使用する人の福祉住環境整備では，トイレや浴室，寝室などは玄関と同一階に設置することが基本となる。

Q43 車いすを使用する人の福祉住環境整備では，浴槽の出入りの有無や方法，介護方法などを総合的に判断して浴室のスペースや配置を決定する必要があるが，入浴用リフトの導入は検討する必要がない。

Q44 運動機能障害により立ち上がり動作は困難だが，座位移動が可能な人の福祉住環境整備では，滑りやすい床材を選択する必要がある。

Q45 常時臥位の人の福祉住環境整備では，本人を長時間同一姿勢にしないよう，体位変換をしやすい福祉用具を整備することが必要である。

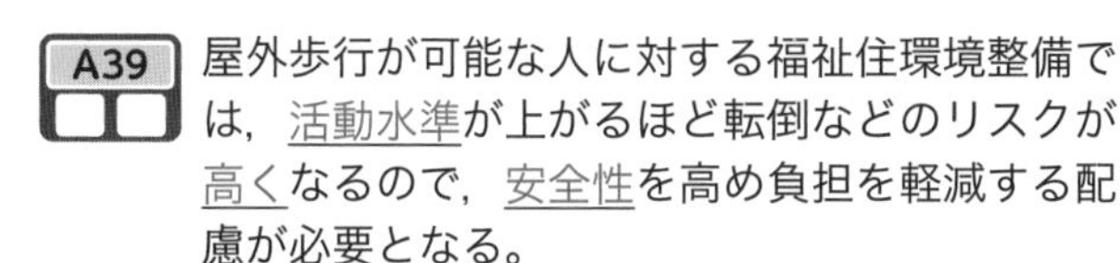

A39 屋外歩行が可能な人に対する福祉住環境整備では，活動水準が上がるほど転倒などのリスクが高くなるので，安全性を高め負担を軽減する配慮が必要となる。

×

A40 屋内でないと歩行ができない人の場合，段差解消や滑りにくい床材などへの変更を行い，安全かつ円滑に移動できるよう配慮する。 ○

A41 屋内でないと歩行ができない人の場合，バランス機能が低下しているので，ベッドは立ち座りがしやすい高さに調整し，上肢機能に合わせたベッド用手すりの設置も必要である。 ×

A42 車いすを使用する人が，上階への移動が必要となる場合は，ホームエレベーターなどの導入も検討する必要がある。 ○

A43 車いすを使用する人が，浴槽への出入りを行う場合は，介護負担を軽減するため，入浴用リフトなどの導入も検討する必要がある。 ×

A44 運動機能障害により立ち上がり動作は困難だが，床に座った姿勢で這ったり，手や膝で這うなどの座位移動ができる人の場合，滑りにくい適度な摩擦とクッション性のある床材を選ぶ必要がある。 ×

A45 常時臥位の人の福祉住環境整備では，利用者本人の苦痛の軽減だけでなく，介護者の負担の軽減にも配慮が必要となる。 ○

4 障害のある状態とは

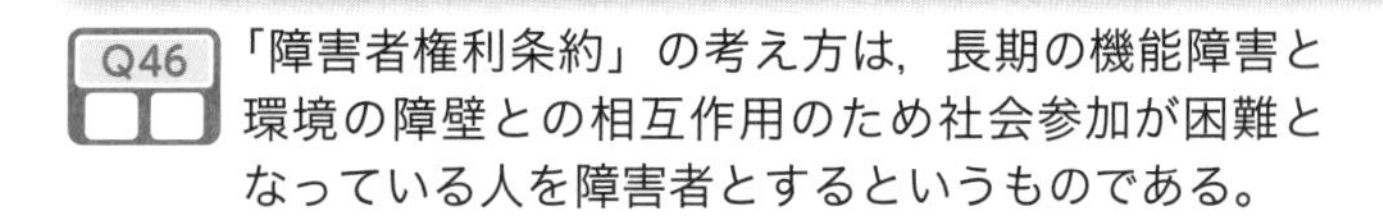

Q46 「障害者権利条約」の考え方は，長期の機能障害と環境の障壁との相互作用のため社会参加が困難となっている人を障害者とするというものである。

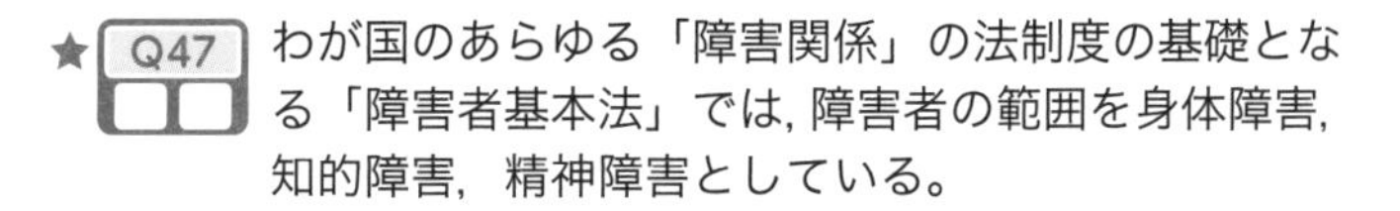

★ Q47 わが国のあらゆる「障害関係」の法制度の基礎となる「障害者基本法」では，障害者の範囲を身体障害，知的障害，精神障害としている。

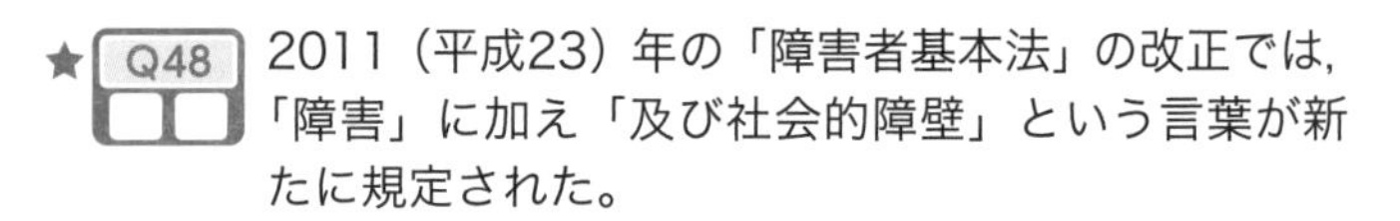

★ Q48 2011（平成23）年の「障害者基本法」の改正では，「障害」に加え「及び社会的障壁」という言葉が新たに規定された。

Q49 2012（平成24）年に「障害者自立支援法」が改正され，名称も「障害者総合支援法」となった。この改正では，すべての難病患者が対象として追加された。

Q50 1980（昭和55）年の国連による「国際障害者年行動計画」の63項には，ノーマライゼーション理念を基礎としたすべての人が理解すべき障害者観の基本的概念が記されている。

★ Q51 世界保健機関（WHO）は1980（昭和55）年に国際障害分類（ICIDH）を出版し，国際機関として初めて障害を分類し，世界共通の指標とした。

★ Q52 WHOは，ICIDHの改訂版として2001（平成13）年に「国際生活機能分類（ICF）」を承認･出版した。ICFでは，健康状態，活動，環境の総称を「生活機能」としている。

A46
「障害者権利条約」は，2006（平成18）年に国際連合が採択した。その第１条（目的）では，障害者について規定している。 ○

A47
2011（平成23）年に「障害者基本法」が改正され，「身体障害，知的障害，精神障害」の３障害に「その他の心身の機能の障害」が追加された。 ×

A48
「障害者基本法」の改正で，生活上の制限の要因の１つに環境が位置付けられた。働けない，スポーツに参加できないなどは本人の責任，本人の障害の結果とみなしてきた従来の障害者観の転換が，法的にも求められることとなった。 ○

A49
2012（平成24）年の「障害者自立支援法」から「障害者総合支援法」への改正に伴い，一部の難病患者が対象として追加された。 ×

A50
「国際障害者年行動計画」の63項には，「障害者は，その社会の他の者と異なったニーズを持つ特別な集団と考えられるべきではなく，その通常の人間的なニーズを充たすのに特別の困難を持つ普通の市民と考えられるべきなのである」と記されている。 ○

A51
国際障害分類（ICIDH）は，障害を機能・形態障害，能力障害，社会的不利の３つの次元に分類・定義している。 ○

A52
「国際生活機能分類（ICF）」では，心身機能・身体構造，活動，参加の総称を「生活機能」とし，それらに問題が起こった状態を総称して「障害」としている。 ×

Q53 ICFでは，障害の起こる一方向的な流れが重視されている。

★ **Q54** ICIDHでは環境を重視するあまり社会的な観点においてのみ障害をとらえていると批判されたため，ICFでは新たに「個人因子」が位置づけられた。

★ **Q55** 現象を総合的に見るには，性別，年齢などの「個人因子」も踏まえる必要がある。ICFでは，社会因子と個人因子を合わせたものを背景因子とする。

★ **Q56** ICFでは，障害を生活機能の中に位置付けており，生活機能上のマイナス面のみでなくプラス面を重視している点が特徴的である。

Q57 ICFの大分類（第１レベル）では，「心身機能・身体構造」が「心身機能」と「身体構造」の２つに分けられ，「活動」と「参加」は１つにまとめられている。

Q58 ICFが政策面で活用される場合には，「病気と障害の区別や関連が明確にわかる」「平等な扱い」「バリアフリーの視点」などが重視される。

Q59 各専門分野においてICFを活用する場合，分野によってICFの特徴のどの部分をとくに重視して活用するかは異なるが，どの分野においても基本的・最終的な目標は，心身機能の維持で共通している。

★ **Q60** 2000（平成12）年度からわが国の医療保険制度では，ICFの考えに基づいたリハビリテーション総合実施計画書，リハビリテーション実施計画書の作成が，診療報酬の算定要件とされている。

A53 ICIDHでは，ある病気があれば必ず機能・形態障害が起こり，次に能力障害が起こり，社会的不利が生じるという一方向に整理されている。 ×

A54 ICIDHは医学的な観点においてのみ障害をとらえている医学モデルであると批判されたため，ICFでは新たに「環境因子」が位置づけられた。 ×

A55 現象を総合的に見るには，個人因子も踏まえる必要がある。ICFでは，環境因子と個人因子を合わせたものを背景因子とする。 ×

A56 ICFは生活機能というプラス面に注目しており，障害の有無にかかわらずすべての人にかかわるものであることを示唆している。 ○

A57 ICFの大分類（第1レベル）では，「心身機能」はさらに8章に分かれ，「身体構造」もそれに対応して8章である。また，「活動と参加」は9章に，「環境因子」は5章に分かれている。 ○

A58 ICFが政策面で活用される場合には，「病気と障害の区別や関連が明確にわかる」「平等な扱い（原因別，障害別による差がない等）」「ユニバーサル（障害者だけでなく高齢者等も含まれる）」などが重視される。 ×

A59 各専門分野においてICFを活用する場合，どの部分をとくに重視するかは異なってくるが，どの分野でも基本的・最終的な目標は，QOLの向上で共通している。 ×

A60 2003（平成15）年度からは介護保険のリハビリテーション給付においても，ICFの考えに基づいた，リハビリテーション総合実施計画書などの作成が算定要件として導入されている。 ○

5 進行する日本の高齢化

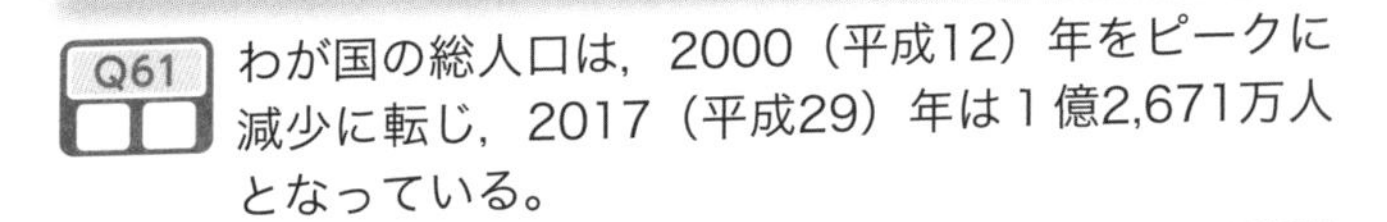

Q61 □□ わが国の総人口は，2000（平成12）年をピークに減少に転じ，2017（平成29）年は1億2,671万人となっている。

Q62 □□ わが国の年齢区分別人口をみると，とくに年少人口や生産年齢人口の減少が目立つ。

★ Q63 □□ わが国の65歳以上に占める75歳以上（後期高齢者）の比率は高まり，2028年には65～74歳（前期高齢者）を上回ると推計されている。

Q64 □□ わが国の2021（令和3）年の高齢者人口は3,618万人で，高齢化率は28.8%となった。高齢化率の上昇傾向は，今後も続くと推計されている。

★ Q65 □□ 総人口の減少局面に入ったわが国では，世帯数も減少が続いている。

Q66 □□ 65歳以上の高齢者世帯においては，高齢者の夫婦のみ世帯，単独世帯はともに増加傾向にある。

★ Q67 □□ 団塊ジュニア世代といわれる戦後のベビーブーム世代は，2007（平成19）年以降60歳を迎え始め，2025年にはすべて75歳以上に達するなど，急激な高齢者人口の増加が予測される。

Q68 □□ 「認知症施策推進総合戦略（新オレンジプラン）」(2015年）の推計によると，2025年には認知症の人が約470万人になる。

A61 わが国の総人口は，2008（平成20）年の1億2,808万人でピークを迎え，2017（平成29）年には1億2,671万人と減少している。 ×

A62 わが国の年齢区分別人口では，とくに年少人口（14歳以下）や生産年齢人口（15～64歳）の減少が目立つ。 ○

A63 わが国の後期高齢者の比率は高まり，2018（平成30）年には前期高齢者を上回り，今後も増加すると推計されている。 ×

A64 わが国の高齢化は進行し続け，高齢化率（総人口に占める65歳以上の割合）は，2035年には33%近くになると推計されている。 ○

A65 世帯数は，総人口の減少局面に入っても増加が続き，2023年に5,419万世帯でピークを迎えると推計されている。 ×

A66 国立社会保障・人口問題研究所の2018（平成30）年1月推計では，65歳以上の高齢者世帯での単独世帯割合は，2040年には40.0%まで上昇すると予想されている。 ○

A67 2007（平成19）年以降，団塊の世代が60歳を迎え始め，2015（平成27）年にはすべて65歳以上に，2025年にはすべて75歳以上に達する。 ×

A68 「認知症施策推進総合戦略(新オレンジプラン)」の推計によると，認知症の人は，2025年には約700万人前後に達する。 ×

Q69 □□ 認知症高齢者は，2010（平成22）年９月時点で140万人が在宅生活を送り，残りは介護老人福祉施設（特別養護老人ホーム），介護老人保健施設，介護療養型医療施設等に入院・入所している。

★ Q70 □□ 認知症高齢者に対し，近年，小規模な居住空間の中で家庭的な環境下でケアを提供する認知症高齢者グループホームが増加し，2019（令和元）年時点では，全国で約1,000か所となっている。

Q71 □□ 総務省「住宅・土地統計調査」（2015〔平成30〕年）によると，わが国における高齢単身世帯の持家率は82.1％である。

Q72 □□ 介護保険制度施行後，サービスの供給基盤が急速に整備され，2021（令和３）年４月におけるサービス利用者は，2000（平成12）年４月の制度施行当初の４倍に近い規模となった。

★ Q73 □□ 20歳以上の国民を対象とした「介護保険制度に関する世論調査」（内閣府，2010年）によると，介護を受けたい場所として，特別養護老人ホームや老人保健施設などの介護保険施設とする人が全体の４割を超えたのに対し，「自宅」とした人は約１割であった。

★ Q74 □□ 「住宅・土地統計調査」（総務省，2018年）によると，わが国の全世帯の持家率に対し，高齢者がいる世帯の持家率はかなり低い。その一方，過去の同データの調査結果によると，これら高齢者世帯の住宅では，建築後，比較的新しいものが多く，住みやすい。

★ Q75 □□ 「人口動態統計」（厚生労働省，2020年）によると，１年間で約１万２千人の高齢者が家庭内事故で死亡している。65歳以上の家庭内事故死の内容は，１位が「溺死・溺水」，次いで「不慮の窒息」である。

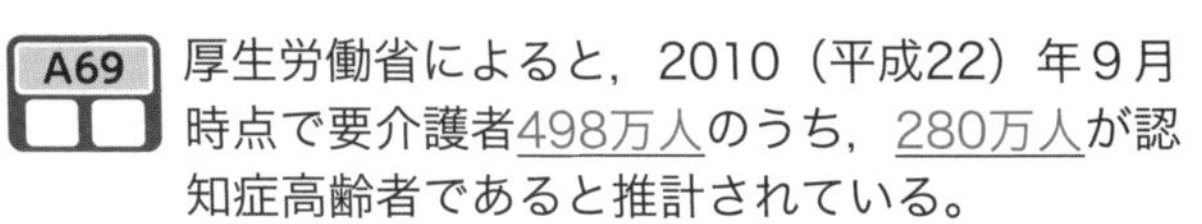

A69 厚生労働省によると，2010（平成22）年９月時点で要介護者498万人のうち，280万人が認知症高齢者であると推計されている。 ○

A70 近年小規模な居住空間（家庭的な環境下）でケアを提供する認知症高齢者グループホームは増加しており，2019（令和元）年時点では，全国で約１万3,760か所となっている。 ×

A71 「住宅・土地統計調査」（2015〔平成30〕年）によると，高齢単身世帯の持家率は66.2%で，高齢者がいる世帯の持家率は82.1%である。 ×

A72 介護保険サービスの利用者は，制度施行当初（2000〔平成12〕年４月）には149万人であったが，2021（令和３）年４月には581万人となり，４倍に近い規模となった。 ○

A73 介護を受けたい場所として，特別養護老人ホームや老人保健施設などの介護保険施設への入所を希望する人は全体の26.3%であり，自宅と回答した人は37.3%であった。 ×

A74 わが国の全世帯の持家率が61.2%なのに対し，高齢者がいる世帯のそれは82.1%でかなり高い。その一方で，これら高齢者世帯の住宅では，建築から年数がたっている住宅が多く，修理が必要な個所も多い。 ×

A75 2020（令和２）年の「人口動態統計」によると，65歳以上の者の家庭内事故死は１万1,966人，交通事故死は2,199人で，高齢者に限れば家庭内事故死のほうが５倍以上多い。 ○

6 介護保険制度の概要

★ Q76 介護保険制度創設の背景として，高齢化の進展があげられる。わが国では，1994（平成６）年に総人口に占める65歳以上の高齢者人口の割合（高齢化率）が７％を超え，「高齢化社会」となった。

Q77 従来の高齢者介護で中心的な役割を果たしてきた老人福祉制度は，行政機関である市町村が住民の申請に対してその必要性を判断し，サービス内容やサービスの提供機関を決定・提供する「措置制度」を基本としていた。

Q78 社会保障制度審議会が1995（平成７）年に「公的介護保険制度」の創設を勧告したことにより，1996（平成８）年に「介護保険法」が成立した。

★ Q79 高齢者の介護に関する制度は，それまで老人福祉と老人医療に分かれていたが，介護保険制度により再編された。

Q80 介護保険制度の導入に際して掲げられた基本的な考え方である「利用者本位」とは，行政機関である市町村が，住民の申請に対してその必要性を判断し，行政側が利用者に最もふさわしいサービス内容や提供機関を本人に代わって決定・提供することを表す。

Q81 介護保険制度の導入に際して掲げられた基本的な考え方である「ケアの総合化・パッケージ化」においては，利用者が自らケアプランを作成することはできない。

A76 わが国は，1970（昭和45）年に高齢化率が７％を超える高齢化社会に，1994（平成６）年に14％を超える高齢社会に，2007（平成19）年に21％を超える超高齢社会になった。 ×

A77 従来の老人福祉制度が措置制度を基本としていたのに対し，2000（平成12）年４月よりスタートした介護保険制度では，利用者が自ら事業者を選択してサービスを利用する仕組みへ転換された。 ○

A78 「介護保険法」は，1996（平成８）年に介護保険法案が提出され，翌1997（平成９）年に成立，2000（平成12）年から施行されることとなった。 ×

A79 介護保険制度により，老人福祉と老人医療に分かれていた従来の制度は再編され，さまざまな介護サービスが提供される仕組みが構築された。 ○

A80 「利用者本位」とは，必要なサービスの選択・利用について，利用者の意思と権利を尊重することをいう。 ×

A81 介護サービス計画（ケアプラン）は，利用者自ら作成することもできる。 ×

Q82 介護保険制度の運営主体となる保険者は，市町村である。

★Q83 第１号被保険者の場合，保険給付の介護サービスの利用は，加齢に起因する特定疾病により要介護者や要支援者になった場合に限られる。

★Q84 介護保険の財源は，50％ずつが公費（税金）と保険料とで賄われている。公費の内訳は，市町村12.5％，都道府県12.5％，国25％であるが，都道府県指定の介護保険４施設および特定施設は，市町村12.5％，都道府県17.5％，国20％とされている。

★Q85 介護保険料の内訳は人口比に基づき設定され，介護保険事業計画の第７期である2021～2023年度においては，第１号被保険者分相当27％，第２号被保険者分相当23％となっている。

★Q86 第１号被保険者の保険料は，所得状況に応じて市町村ごとに設定され，年金受給者が該当する年度の４月１日時点で年金の月額が３万円以上の人は，老齢退職年金・障害年金・遺族年金からの天引きで徴収されている。

Q87 第２号被保険者の保険料は，国民年金もしくは厚生年金保険の保険料と一括で日本年金機構が徴収する。

Q88 生活保護世帯については介護保険料の納付が免除されており，普通徴収の対象外となっている。

A82 □□ 利用者の生活現場に近い基礎自治体である市町村が，介護保険制度の保険者となる。 ○

A83 □□ 保険給付の介護サービスは，要介護者や要支援者となれば受けられるが，第２号被保険者については，がん（がん末期）や関節リウマチなど，加齢に起因する16種類の特定疾病が原因である場合に限られる。 ×

A84 □□ 介護保険財源の国庫負担25%のうちの５%は，各市町村間の介護保険財政のばらつきを調整するための調整交付金の財源に充てられており，人口が少なく高齢化率の高い市町村でも給付水準や保険料負担額に大きな差がでないようにするための調整弁の役割を担っている。 ○

A85 □□ 介護保険料の内訳は，介護保険事業計画の第７期である2021～2023年度においては，第１号被保険者分相当23%，第２号被保険者分相当27%となっている。 ×

A86 □□ 年金の月額が１万5,000円以上の第１号被保険者の保険料は，老齢退職年金・障害年金・遺族年金からの天引きで，１万5,000円未満の場合は普通徴収として個別に徴収される。 ×

A87 □□ 第２号被保険者の保険料は，被保険者が加入する医療保険者により，医療保険の保険料と一括で徴収される。 ×

A88 □□ 生活保護世帯は，生活扶助費から直接納付（代理納付）されており，普通徴収の対象となっている。 ×

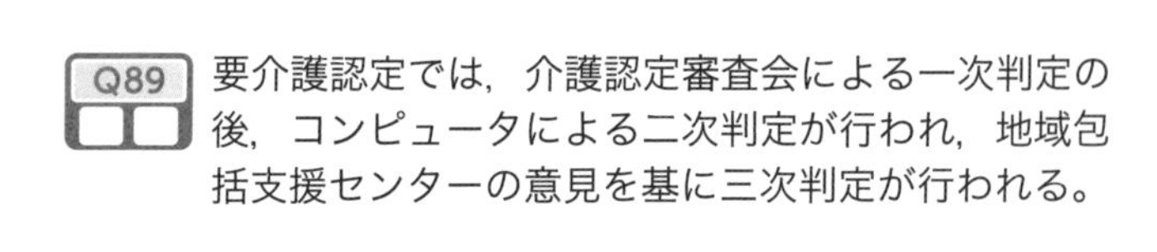

Q89 要介護認定では，介護認定審査会による一次判定の後，コンピュータによる二次判定が行われ，地域包括支援センターの意見を基に三次判定が行われる。

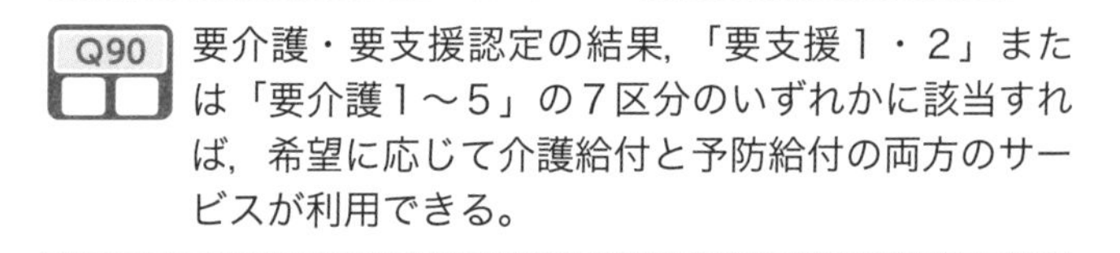

Q90 要介護・要支援認定の結果，「要支援１・２」または「要介護１～５」の７区分のいずれかに該当すれば，希望に応じて介護給付と予防給付の両方のサービスが利用できる。

★**Q91** 認定結果に異議がある場合は，60日以内に市町村に設置された介護認定委員会に不服申し立てができる。

★**Q92** 介護保険制度では，保険者である市町村は５年を１期とする介護保険事業計画を策定する。

Q93 介護給付と予防給付は，それぞれ都道府県･政令市･中核市が指定・監督を行う地域密着型サービスと，市町村が指定・監督を行う居宅・施設等サービスとに分かれている。

★**Q94** 介護保険の在宅（居宅）サービスの利用に当たっては，要介護のレベルごとに設定されている利用限度額の範囲内でのケアプランの作成が必要で，その計画に基づいてサービスを利用することができる。

Q95 要介護認定され，介護保険サービスを利用した場合，サービスの利用に際しては自己負担割合ごとにそれぞれ利用限度額が設定されている。

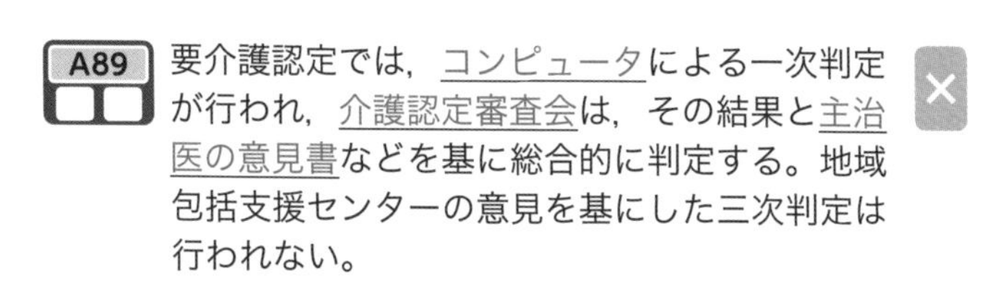

A89 要介護認定では，コンピュータによる一次判定が行われ，介護認定審査会は，その結果と主治医の意見書などを基に総合的に判定する。地域包括支援センターの意見を基にした三次判定は行われない。 ×

A90 介護給付は要介護者(「要介護１～５」の５区分)を対象とする介護サービスであり，予防給付は要支援者（「要支援１・２」の２区分）を対象とする介護サービスである。 ×

A91 認定結果に異議がある場合は，３か月以内に都道府県に設置された介護保険審査会に不服申し立てができる。 ×

A92 介護保険制度では，保険者である市町村は３年を１期（2005〔平成17〕年度までは５年を１期）とする介護保険事業計画を策定し，３年ごとに見直しを行う。 ×

A93 介護給付と予防給付は，それぞれ都道府県・政令市・中核市が指定・監督を行う居宅・施設等サービスと，市町村が指定・監督を行う地域密着型サービスとに分かれている。 ×

A94 ケアプランの作成は，介護支援専門員（要支援者の介護予防ケアプランについては地域包括支援センター）に依頼することも，自分で作成することも可能である。 ○

A95 自己負担割合ごとではなく，要介護・要支援の段階ごとにそれぞれ利用限度額が設定されている。 ×

★ Q96

2005（平成17）年介護保険制度改革では，利用者による介護サービスの選択を通じた質の向上を図るため，事業者は介護サービス情報の公表に努めるものとされた。

★ Q97

2005（平成17）年の介護保険制度改革では，地域包括ケアシステムを構築する中核機関として，地域包括支援センターが設置された。

★ Q98

地域包括支援センターには保健師，主任介護支援専門員，社会福祉士が配置され，具体的な業務は，これら３者のチームアプローチで行うこととされている。

Q99

2011（平成23）年の介護保険制度改正では，在宅の単身・重度の要介護者等に対応できるように，24時間対応の定期巡回・随時対応サービスや複合型サービスが創設された。

Q100

2011（平成23）年の介護保険制度改正では，保険者による主体的な取り組みの推進の一環として，介護保険におけるすべてのサービスについて，公募・選考による指定を可能とする制度が導入された。

★ Q101

2014（平成26）年の介護保険制度改正では，全国一律の予防給付（訪問介護・通所介護）を地域支援事業に移行し多様化するほか，特別養護老人ホームの新規入所者については，原則として，要介護３以上の中重度者に限定し，重点化・効率化が図られることとなった。

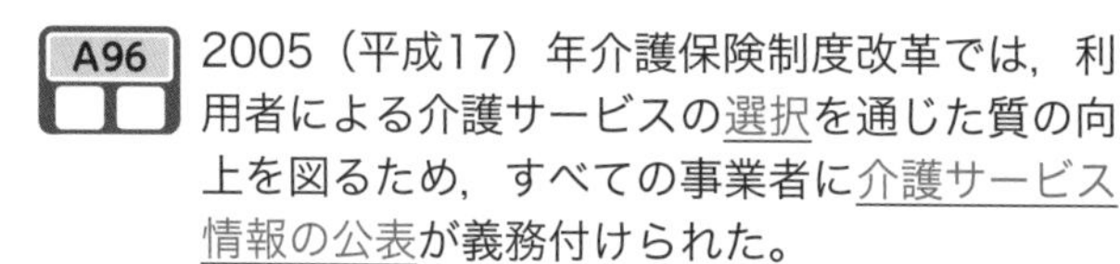

A96 2005（平成17）年介護保険制度改革では，利用者による介護サービスの選択を通じた質の向上を図るため，すべての事業者に介護サービス情報の公表が義務付けられた。 ×

A97 地域包括支援センターの運営主体は，市町村ないし老人介護支援センターの運営法人など市町村からの包括的支援事業実施の委託先などで，要介護認定等の申請の手続きを代行できる。 ○

A98 地域包括支援センターには保健師，主任介護支援専門員，社会福祉士が配置され，介護予防ケアマネジメント業務，包括的・継続的ケアマネジメント支援業務，総合相談支援業務，権利擁護業務といった具体的な業務は，３者のチームアプローチで行う。 ○

A99 定期巡回・随時対応サービスは，要介護高齢者の在宅生活を支えるため，日中・夜間を通じて，訪問介護と訪問看護が密接に連携しながら，定期巡回型訪問と随時の対応を行うものである。 ○

A100 保険者による主体的な取り組みの推進の一環として，地域密着型サービスについて，公募・選考による指定を可能とする制度が導入された。 ×

A101 2014（平成26）年の改正は，地域包括ケアシステムの構築のいっそうの促進と費用負担の公平化を主眼とした。前者は，全国一律の予防給付（訪問介護・通所介護）を市町村による地域支援事業に移行，多様化すること，原則として特別養護老人ホームの新規入所者を要介護３以上に限定することなどを内容とする。 ○

Q102 ☐☐ 2017（平成29）年の介護保険制度改正では，日常的な医学管理や看取り・ターミナル等の機能と，生活施設としての機能を兼ね備えた「介護療養型医療施設」が創設された。

Q103 ☐☐ 2017（平成29）年の介護保険制度改正では，高齢者と障害児者が同一事業所でサービスを受けやすくするため，介護保険と障害福祉制度において複合型サービスが位置付けられた。

Q104 ☐☐ 2020（令和２）年の介護保険制度改正では，「認知症に関する施策の総合的な推進等」が見直され，国および地方公共団体の権利が明確にされた。

Q105 ☐☐ 2019（令和元）年に，「新オレンジプラン」の後継となる「認知症施策推進大綱」がとりまとめられた。

★Q106 ☐☐ 介護保険制度における住宅改修費の支給額は，原則として，支給限度基準額の９割を上限とするが，65歳以上の一定以上所得者は８割，現役並み所得者は７割が上限となる。

★Q107 ☐☐ 介護保険制度における住宅改修は，原則として償還払いで支給されるが，条件によっては受領委任払いとなる。

旧来の介護療養型医療施設が持つ日常的な医学管理や看取り・ターミナル等の機能を引き継ぎつつ，生活施設としての機能も兼ね備えた「介護医療院」が創設された。

高齢者と障害児者が同一事業所でサービスを受けやすくするため，介護保険と障害福祉制度において共生型サービスが位置付けられた。

「認知症に関する施策の総合的な推進等」の見直しが図られ，「地域の認知症の人の支援体制を整備すること，認知症の人の介護者の支援，支援のための人材の確保と資質の向上を図るための必要な措置を講じることその他の認知症に関する施策を総合的に推進するよう努めなければならない」などの国および地方公共団体の責務が規定された。

認知症施策推進大綱では，「共生」と「予防」を車の両輪として据え，施策を推進していくことを基本的な考え方としている。

住宅改修費の支給額は，原則として，支給限度基準額（20万円）の９割（18万円）を上限とするが，65歳以上（第１号被保険者）の一定以上所得者は８割（16万円）で，現役並み所得者は７割（14万円）である。

受領委任払いの場合，申請時に，施工業者に給付費の受領を委任する手続きを行うことにより，利用者は工事費用の自己負担分である１割・２割または３割のみを施工業者に支払えばよく，残りの９割・８割または７割が施工業者に支給される。

重要ポイント まとめて CHECK!!

Point 1 介護保険制度の財源

介護保険制度は，50％を**保険料**，25％を国，12.5％ずつを都道府県と市町村の**公費**（税金）によってまかなう。

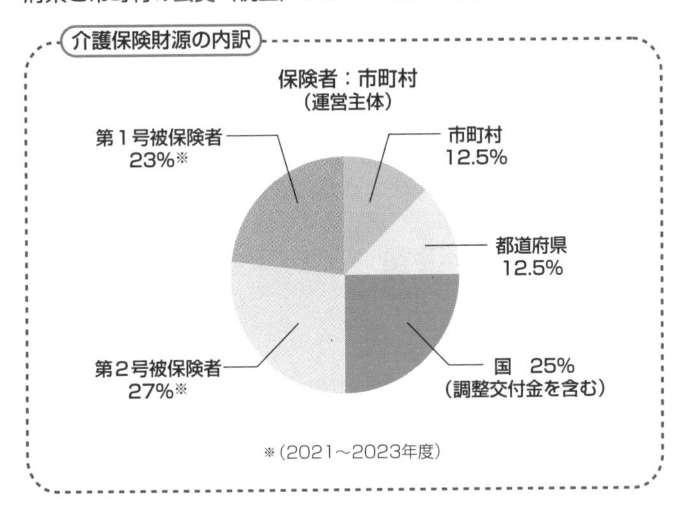

得点UPのカギ 介護保険料の徴収方法

①**第１号被保険者の保険料**は，年金受給者が該当する年度の４月１日時点で年金の月額が**１万5,000円**以上の場合は老齢退職年金・障害年金・遺族年金から天引きされ（特別徴収），それに満たない場合は個別に徴収される（普通徴収）。

②**第２号被保険者の保険料**は，各々の医療保険により設定された額を医療保険料と一括で徴収される。

Point 2 介護保険制度の利用方法

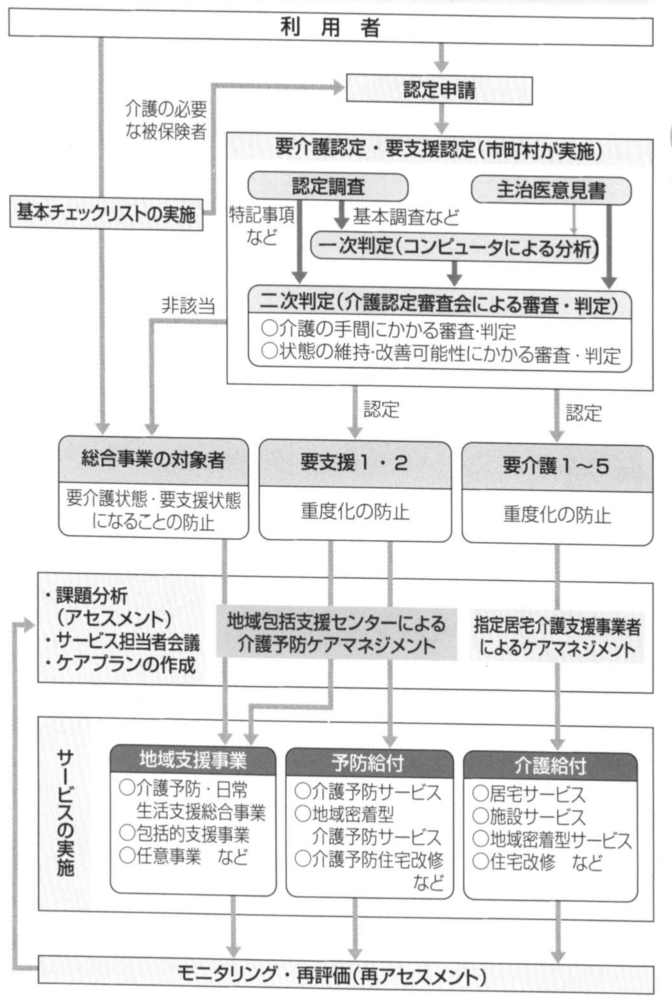

7 日本の障害者の現況

Q108

障害者が自立した生活や社会経済活動を獲得できるよう，多くの法律・制度がつくられているが，なかでも「身体障害者福祉法」は障害者福祉の憲法ともいわれ，障害者福祉の基本理念等を定めている。同法では，機能障害を原因とし，生活を営むのに継続的支障をきたしている人を「障害者」としている。

Q109

厚生労働省の実態調査などの推計によると，日本の障害者の総数は964.7万人で，そのうち身体障害児・者の数は500万人を超えている。

★Q110

内閣府「令和３年版 障害者白書」による障害の種類別にみると，身体障害者は，在宅で生活している人の割合がほかの障害に比べて高い。それに対して，知的障害者，精神障害者は施設や病院で生活している割合が身体障害者に比べて高い。

★Q111

「令和３年版 障害者白書」によると，障害者全体では，在宅で生活している人と施設で暮らしている人の割合は，ほぼ半数ずつとなっている。

Q112

厚生労働省の「平成28年生活のしづらさなどに関する調査」による在宅の障害者を年齢別にみると，手帳を所持する身体障害者の65歳以上の増加が顕著で，およそ40％である。

A108

「障害者基本法」は障害者福祉の憲法ともいわれ，障害者福祉の基本理念等を定めている。同法では，機能障害を原因とし，生活を営むのに継続的支障をきたしている人を「障害者」と定義し，障害者の住環境整備の推進も盛り込まれた。今後の推進に当たっては，そうした障害者の高齢化や障害特性に対し，いかにきめ細かく対処していくかが課題とされている。

×

A109

厚生労働省の実態調査などの推計によると，身体障害児・者の数は436.0万人，知的障害児・者が109.4万人，精神障害者が419.3万人である。

×

A110

身体障害者は，在宅生活者の割合がほかの障害に比べて高く，98.3％を占めている。それに対して，知的障害者は87.9％，精神障害者は92.8％が在宅で生活しており，施設や病院で生活している割合が身体障害者に比べて高い。

○

A111

「令和３年版 障害者白書」によると，障害者全体では，在宅で生活している人が914.0万人（94.7％），施設で生活している人が50.7万人（5.3％）である。したがって，障害者の多くは在宅で暮らしている。

×

A112

手帳を所持する在宅の身体障害者では65歳以上の増加が顕著で，72.6％である。これは，2016（平成28）年時点の高齢化率（27.3％）の約2.7倍で，身体障害者の高齢化が進んでいる。

×

Q113 「平成28年生活のしづらさなどに関する調査」によると，在宅の65歳未満の障害者のうち，５割近くは家族の持ち家に住んでいる。また，在宅の障害者のうち８割程度が同居している。

Q114 「平成28年生活のしづらさなどに関する調査」によると，在宅で生活している身体障害者のうち，重度身体障害者（障害等級１・２級）は全体の１割以下にとどまり，在宅の障害者のほとんどが軽度であることがわかる。

Q115 「平成28年生活のしづらさなどに関する調査」によると，在宅の知的障害者で，重度の療育手帳を所持する人は，約２割程度となっている。

Q116 「平成28年生活のしづらさなどに関する調査」によると，在宅の精神障害者で，精神障害者保健福祉手帳１級を所持する人は，１割に満たない。

Q117 厚生労働省の「身体障害児･者実態調査」（2006〔平成18〕年）によると，18歳以上70歳未満の身体障害者において，住宅改修を行った人の割合が最も高い障害種別は，視覚障害である。

★ Q118 「身体障害児・者実態調査」（2006〔平成18〕年）によると，住宅改修を行った身体障害者の改修場所では，「トイレ」が最も多く，次に「風呂（浴室）」が続いている。

Q119 総務省の「平成30年住宅・土地統計調査結果」によると，高齢者等に配慮した住宅設備として，「廊下などの幅が車いすで通行可能」と「道路から玄関まで車いすで通行可能」がそれぞれ６割を超えるなど，車いす生活への対応は十分といえる。

在宅の65歳未満の障害者のうち，自分の持ち家に住む者は2割程度で，家族の持ち家に住む者が5割近くとなっている。65歳以上では，6割近くが自分の持ち家に住んでいる。 ○

身体障害者の障害等級1・2級の人は在宅者全体の47.7%を占めており，在宅の障害者の多くが重度である。

「平成28年生活のしづらさなどに関する調査」によると，在宅の知的障害者で，重度の療育手帳を所持する人は，38.8%と4割近くを占めている。

「平成28年生活のしづらさなどに関する調査」によると，在宅の精神障害者で，精神障害者保健福祉手帳1級を所持する人は，16.3%を占めている。

18歳以上70歳未満の身体障害者全体で，住宅改修を行った人の割合は17.3%である。最も割合の高い障害種別は肢体不自由で，21.2%に達している。

トイレと風呂（浴室）の住環境整備は，自立した生活の実現と介護者の負担軽減のためにも重要である。

バリアフリー設備のある住宅は，「廊下などの幅が車いすで通行可能」が15.5%，「段差のない屋内となっている」が20.9%，「道路から玄関まで車いすで通行可能」が12.0%で，車いす生活への対応は十分とはいえない。

重要ポイント まとめて CHECK!!

Point 3 障害者の現況とICFの考え方

障害者の現況

多くは在宅で生活しているが，住環境整備は十分とはいえない。

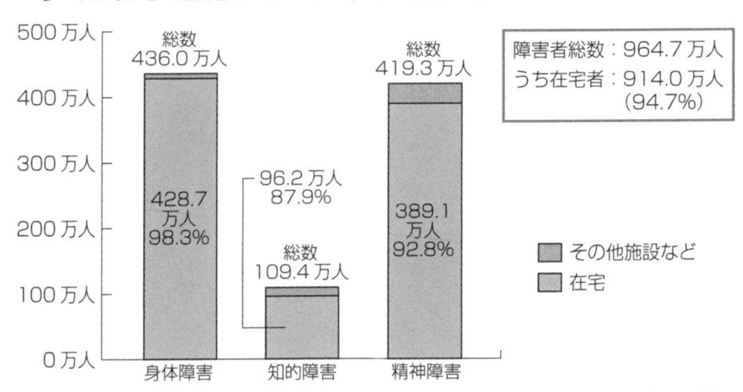

＊内閣府「令和３年版 障害者白書」(2021年)

国際生活機能分類（ICF）

国際障害分類（ICIDH）は，障害というマイナス面にだけ注目した分類であったが，2001年に改正され，生活機能というプラス面に着目し，**国際生活機能分類**（ICF）としてまとめられた。

◎ ICFの概念モデル図

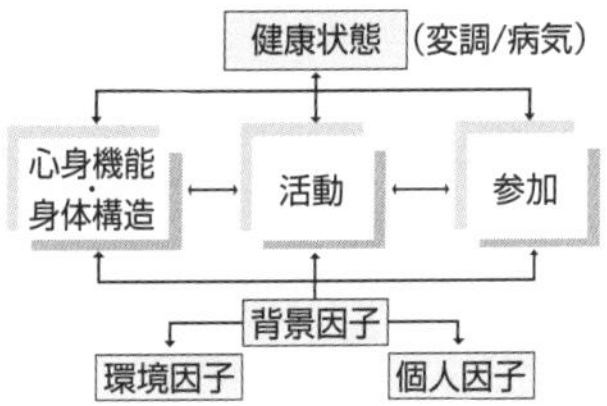

得点UPのカギ ICIDHからICFへの主な改正点

①障害の原因を疾病だけに限定しない。
②ICIDHのそれぞれのレベルの名称が，中立的・肯定的な表現に置き換えられた。
③各要素の関係性を示す矢印が双方向（**相互関係**）になっている。
④背景因子（環境因子，個人因子）の重要性が示されている。

Point 4 障害者向けバリアフリー住宅

●住宅改修を行った人の改修場所

住宅改修を行った身体障害者では「**トイレ**」「**風呂（浴室）**」が多い。

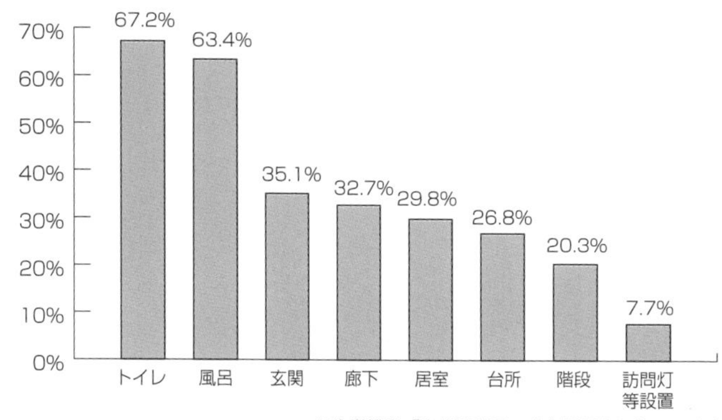

＊厚生労働省「身体障害児・者実態調査」(2006年)

●バリアフリー設備のある住宅割合

高齢者や障害者に配慮したバリアフリー設備のある住宅は**増加**しつつあるが，**車いす生活**への対応や**入浴設備**は十分とはいえない。

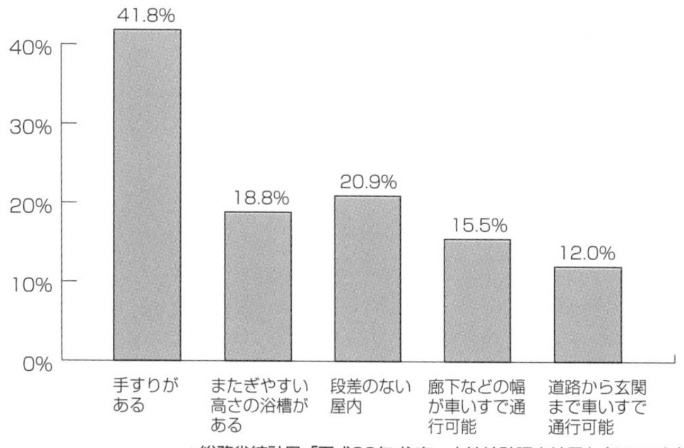

＊総務省統計局「平成30年 住宅・土地統計調査結果」(2018年)

福祉

8 障害者福祉施策の概要

Q120 国連は，1993（平成5）年から2002（平成14）年までの10年間を「国連・障害者の十年」とし，世界各国の障害者施策の発展に寄与した。

★Q121 アメリカでは，1990（平成2）年に「障害をもつアメリカ人法（ADA）」が制定され，障害者に対する包括的な差別禁止などが国民に義務付けられた。

★Q122 わが国においてはノーマライゼーションの思想に基づき，1993（平成5）年に「障害者基本法」が制定された。

Q123 「障害者基本法」は，障害者にとって「日常生活又は社会生活を営む上で障壁となるような物理的障壁」を「社会的障壁」と定義している。

Q124 「障害者基本法」の規定により，国は障害者基本計画，都道府県は都道府県障害者計画，市町村は市町村障害者計画を策定するよう努めることとされている。

Q125 障害者基本計画は，「障害者基本法」第3条から第5条に規定されている基本原則にのっとり，障害者の自立および社会参加の支援等のための施策を総合的かつ計画的に実施する。

Q126 障害者基本計画（第4次）には，「安全・安心な生活環境の整備」「情報アクセシビリティの向上及び意思疎通支援の充実」「防災，防犯等の推進」「差別の解消，権利擁護の推進及び虐待の防止」「雇用・就業，経済的自立の支援」など11分野における障害者施策の基本的な方向が記載されている。

A120

1981（昭和56）年の国際障害者年のあとに，国連が1983（昭和58）年から1992（平成４）年までの10年間を「国連・障害者の十年」と定め，世界各国の障害者施策の発展に寄与した。

×

A121

「障害をもつアメリカ人法（ADA）」の制定で，アメリカ国民は障害者に対する包括的な差別禁止，アクセス権の保障などが義務付けられた。

○

A122

わが国では，「国連・障害者の十年」に積極的に取り組み，「心身障害者対策基本法」の全面的な改正を行い，ノーマライゼーションの思想に基づいた「障害者基本法」が制定された。

○

A123

「日常生活又は社会生活を営む上で障壁となるような社会における事物，制度，慣行，観念その他一切のもの」と定義している。

×

A124

国による障害者基本計画，都道府県による都道府県障害者計画，市町村による市町村障害者計画のいずれも策定は義務で，努力義務ではない。

×

A125

「障害者基本法」に規定する基本原則とは，①地域社会における共生等，②差別の禁止，③国際的協調である。

○

A126

障害者基本計画（第４次）は，住宅の確保については，民間賃貸住宅の空き室や空き家を活用した，障害者等の住宅確保要配慮者の入居を拒まない賃貸住宅の登録制度等を内容とする新たな住宅セーフティネット制度の創設などをあげている。

○

Q127 「障害者総合支援法」の対象となる難病患者等とは，「治療方法が確立していない疾病その他の特殊の疾病であって条例で定めるものによる障害の程度が都道府県知事が定める程度である者であって40歳以上であるもの」をいう。

Q128 「障害者総合支援法」の対象者として，「身体障害者福祉法」や「知的障害者福祉法」，「精神保健及び精神障害者福祉に関する法律」に規定する18歳以上の障害者が定められているが，「児童福祉法」に規定する障害児は含まれていない。

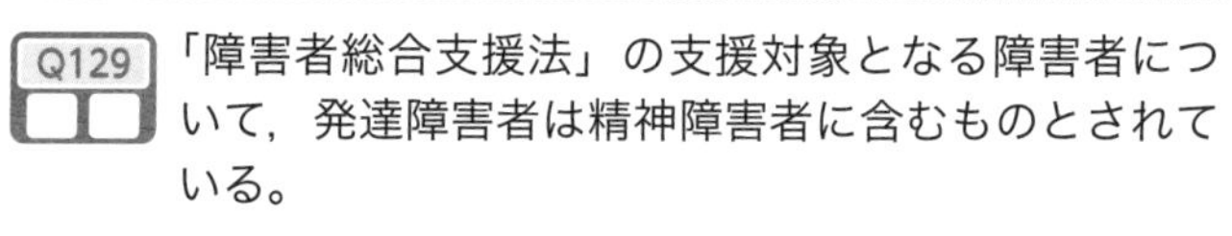

Q129 「障害者総合支援法」の支援対象となる障害者について，発達障害者は精神障害者に含むものとされている。

Q130 「障害者総合支援法」の目的における特徴は，従来の自立した生活を営むことができるという規定から基本的人権を享有する個人としての尊厳が明記されていることである。

Q131 「障害者総合支援法」における相談支援事業は，市町村の地域生活支援事業の必須事業に位置付けられている。

★ Q132 「障害者総合支援法」に規定される協議会は，福祉サービス利用に係る相談支援事業の中立・公平性の確保，困難事例への対応のあり方に関する協議・調整，地域の関係機関によるネットワーク構築等に向けた協議などを行う。

A127 「障害者総合支援法」の対象となる難病患者等とは，「治療方法が確立していない疾病その他の特殊の疾病であって政令で定めるものによる障害の程度が厚生労働大臣が定める程度である者であって18歳以上であるもの」をいう。

A128 「児童福祉法」に規定する障害児は，「障害者総合支援法」の対象者に含まれる。

A129 「障害者総合支援法」の支援対象となる発達障害者とは，自閉症，アスペルガー症候群その他の広汎性発達障害，学習障害，注意欠陥多動性障害などの障害による症状が通常低年齢で発現するものとして政令で定められている発達障害があり，その障害および社会的障壁により日常生活または社会生活に制限を受ける人のうち18歳以上である者をいう。

○

A130 「障害者総合支援法」の目的は，「障害者基本法」の基本的な理念にのっとっており，基本的人権を享有する個人としての尊厳が明記されている。

○

A131 相談支援事業は，市町村の地域生活支援事業の必須事業に位置付けられ，これを相談支援事業者に委託できるようにしている。

○

A132 協議会は，地域全体の支援体制を発展させる役割を担っている。その実施主体は市町村であるが，複数の市町村による共同実施や，障害保健福祉圏域単位で実施する場合もある。

★ Q133 □□ 協議会の構成メンバーは，相談支援事業者や福祉サービス事業者，地域ケアに関する学識経験者などのため，福祉住環境コーディネーターが参加する必要はない。

Q134 □□ 都道府県相談支援体制整備事業では，広域的な支援を行うアドバイザーが配置され，都道府県協議会において社会資源の開発などの協議を行う。

★ Q135 □□ 居住地が明らかでない障害者等（障害者または障害児の保護者）は，障害福祉サービスを受けることができない。

★ Q136 □□ 「障害者総合支援法」による自立支援給付について，介護給付費，訓練等給付費，補装具費，地域相談支援給付費等の支給を受けようとする障害者等が障害者支援施設に入所している場合には，入所前の居住地の市町村ではなく施設が立地する市町村が支給決定を行う。

Q137 □□ 市町村は，障害支援区分の認定および支給の要否決定を行うための調査を，指定一般相談支援事業者等に委託することができる。

★ Q138 □□ 自立支援給付に関し，市町村は，その支給決定においては，障害福祉サービスの種類ごとに年を単位として支給量を定める。

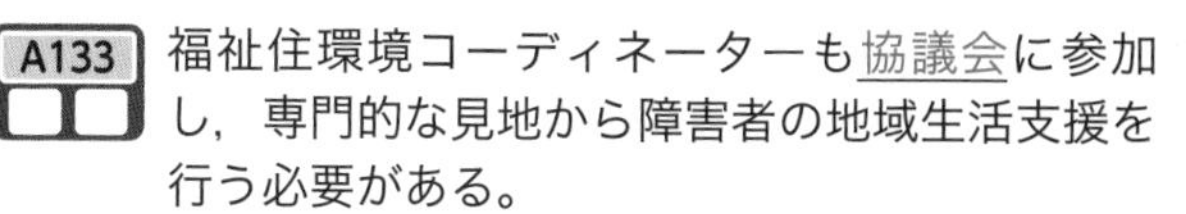

A133 福祉住環境コーディネーターも協議会に参加し，専門的な見地から障害者の地域生活支援を行う必要がある。

×

A134 アドバイザーは，地域のネットワーク構築に向けた指導・調整や，地域で対応困難な事例にかかる助言，地域における専門支援システムの立ち上げ援助，相談支援事業者のスキルアップに向けた指導などを行う。 ○

福祉

A135 居住地が明らかでない障害者等でも障害福祉サービスを受けることができる。その場合は，障害者等の現在地の市町村が支給決定を行う。 ×

A136 介護給付費，訓練等給付費，補装具費，地域相談支援給付費等の支給を受けようとする障害者等が障害者支援施設に入所している場合には，入所前の居住地の市町村が支給決定を行う。 ×

A137 障害支援区分の認定および支給の要否決定を行うため，市町村職員は，面接により心身の状況，置かれている環境等を調査する。市町村は，この調査を指定一般相談支援事業者等に委託することができる。 ○

A138 市町村は，自立支援給付の支給決定においては，障害福祉サービスの種類ごとに月を単位として支給量を定め，障害福祉サービス受給者証を障害者等に交付する。 ×

Q139 市町村地域生活支援事業の必須事業である相談支援事業には,住宅入居等支援事業(居宅サポート事業)がある。

Q140 「障害者総合支援法」において,市町村は,介護給付費等の支給決定に関する審査判定業務を行う市町村審査会を設置することになっている。

★Q141 市町村が行った障害支援区分の認定や支給決定に不服がある場合,厚生労働大臣に審査請求することができる。

Q142 2016(平成28)年の「障害者総合支援法」改正により,障害者の地域生活を支援する新たなサービスとして「自立生活援助」が創設された。

Q143 2016(平成28)年の「障害者総合支援法」改正により,障害者の就労定着に向けた支援を行う新たなサービスとして「就労移行支援」が創設された。

Q144 利用者個々がニーズに応じて良質なサービスを選択できることや事業者によるサービスの質の向上が重要課題とされていたことから,2016(平成28)年の「障害者総合支援法」改正では,サービスの質の確保・向上に向けた環境整備の一環として,障害福祉サービス等の情報公表制度が創設された。

A139 住宅入居等支援事業（居宅サポート事業）は，2012（平成24）年４月に創設された地域相談支援の実施体制が整備されるまでの間，経過的に実施できる事業である。この事業は，賃貸契約による一般住宅への入居を希望するが，保証人がいないなどの理由で入居困難な障害者等に対して，入居に必要な調整等の支援をする。 ○

A140 市町村審査会は，学識経験者等から構成される合議体の機関であり，障害支援区分の設定，支給決定に関する審査判定を行う。 ○

A141 市町村が行った障害支援区分の認定や支給決定に不服がある場合，都道府県知事に審査請求することができる。都道府県知事は，障害者介護給付費等不服審査会を置くことができる。 ×

A142 自立生活援助では，定期的に居宅を訪問し，食事や洗濯，掃除などの課題，公共料金や家賃の滞納，体調変化や通院の有無，地域住民との関係の良好さなどについて確認を行い，必要な助言や医療機関等との連絡調整を行う。 ○

A143 就労移行支援等の利用を経て一般就労へ移行後，就労に伴う環境変化で生活面の課題が生じている障害者を対象に，その課題に対応できるよう，事業所・家族との連絡調整等の支援を一定期間行う就労定着支援が創設された。 ×

A144 障害福祉サービス等の情報公表制度は，施設・事業者に対してサービスの内容等を都道府県知事に報告することとし，都道府県知事が報告された内容を公表するものである。利用者は，インターネットなどを通じて，公表された事業所の情報を閲覧することができる。 ○

9 住宅施策の変遷

Q145

第二次世界大戦後の日本の住宅政策は，一貫して高齢者世帯への住宅供給を中心に推進されてきた。若い勤労者世帯向けの住宅施策は，戦後かなり後になってから実施されることになる。

★ Q146

1987(昭和62)年に制度化されたシルバーハウジング・プロジェクトは，バリアフリー仕様の住宅と介護福祉士による日常生活支援サービスの提供を併せて行う高齢者向け公的賃貸住宅の供給事業である。

★ Q147

1999（平成11）年に「高齢者の居住の安定確保に関する法律（高齢者住まい法）」が制定され，翌2000（平成12）年には，同法に基づく「住宅性能表示制度」が始まった。

Q148

1980（昭和55）年の「公営住宅法」の改正により，身体障害者の公営住宅への単身入居が認められるようになった。

Q149

2006（平成18）年に制定，施行された「住生活基本法」の基本理念の１つとして，障害者など住宅の確保にとくに配慮を要する人（住宅確保要配慮者）の居住の安定を確保することがある。

Q150

2017（平成29）年に改正「住宅セーフティネット法」が施行され，国や地方公共団体が改修費や家賃などを補助する福祉ホームの登録制度などが始まった。この新たな住宅セーフティネット制度により，要介護高齢者の民間賃貸住宅等への入居の円滑化の促進が期待されている。

A145

第二次世界大戦後の日本の住宅政策は，一貫して若い勤労者世帯への住宅供給を中心に推進されてきた。高齢者向けの住宅施策は，戦後かなり後になってから実施されることになる。

×

A146

シルバーハウジング・プロジェクトでは，バリアフリー仕様の住宅と生活援助員（LSA）による日常生活支援サービスの提供を行う。

×

A147

1999（平成11）年に「住宅の品質確保の促進等に関する法律（住宅品確法）」が制定され，翌年から同法に基づく「住宅性能表示制度」が始まった。

×

A148

さらに，2006(平成18)年には，知的障害者，精神障害者の公営住宅への単身入居も認められた(なお，2012〔平成24〕年の公営住宅法改正により，同居親族要件が廃止されたが，廃止するか否かは各地方公共団体の判断に任せている)。

○

A149

「住生活基本法」の基本理念にのっとり賃貸住宅の供給促進に関する基本事項などを定めた「住宅セーフティネット法」が制定された。

○

A150

改正「住宅セーフティネット法」が施行され，国や地方公共団体が改修費や家賃などを補助する住宅確保要配慮者向け賃貸住宅の登録制度などが始まった。この新たな住宅セーフティネット制度により，高齢者や障害者などを含む住宅確保要配慮者の民間賃貸住宅等への入居の円滑化の促進が期待されている。

×

10 住宅施策の体系

Q151 「高齢者が居住する住宅の設計に係る指針」は，2001（平成13）年に制定された「高齢者住まい法」による基本方針に基づき定められた。

Q152 「高齢者住宅整備資金貸付制度」は，都道府県または市町村等が，70歳以上の高齢者世帯や高齢者と同居する世帯に対し，高齢者の専用居室，浴室，階段などの増改築や日常生活上の安全確保のための改修工事について必要な資金を低利で貸し付ける制度である。

★Q153 「高齢者住まい法」の施行に伴い，2001（平成13）年より，高齢者が自ら居住する住宅をバリアフリー化するための改修工事，耐震改修工事（2007〔平成19〕年より対象）を実施する場合，住宅金融支援機構が行う特例制度による融資を利用できる。

★Q154 地域優良賃貸住宅制度では，建設する民間事業者などに対して整備費の補助，また入居者に対して家賃減額のための助成を行い，高齢者世帯を対象とした良質な賃貸住宅の供給を促進している。

Q155 マイホーム借上げ制度は，50歳以上の人が所有し，耐震性など一定の基準を満たす住宅を，住宅金融支援機構が賃料を保証しながら最長で20年間借り上げ，子育て世帯などへ賃貸する制度である。

Q156 一部地域を除く全国のUR賃貸住宅では，住戸内の壁や天井に設置したセンサーにより，居住者の動きが一定時間確認できない場合にコールセンターが電話確認し，必要に応じ緊急連絡先に連絡を入れる見守りサービスを希望者に紹介している。

A151 「高齢者が居住する住宅の設計に係る指針」は，バリアフリー化の設計指針となっており，一般的な住宅の設計上の配慮事項が示されている。 ○

A152 「高齢者住宅整備資金貸付制度」は，60歳以上の高齢者世帯や高齢者と同居する世帯を対象とする。なお，資金の償還期間はおおむね10年以内で，貸付限度額や貸付利率は実施主体で異なる。 ×

A153 高齢者向け返済特例制度は，融資開始後，生存中は利息のみを毎月返済し，借入金の元金は本人死亡後に，相続人が融資住宅および敷地の売却または自己資金などにより一括返済する，リバースモーゲージの仕組みを用いたものである。 ○

A154 地域優良賃貸住宅は，高齢者世帯など地域における居住の安定にとくに配慮が必要な世帯向けの賃貸住宅で，民間の土地所有者等により建設され，都道府県知事または政令市および中核市の長が認定する。 ○

A155 マイホーム借上げ制度は，一般社団法人移住・住みかえ支援機構が実施している。また，借り上げは，最長で所有者の終身にわたって行われる。 ×

A156 UR都市機構では，定期的に相談員が団地を巡回する高齢者等巡回相談業務も実施し，高齢者向けの制度に関する案内や住まいに関する多様な相談に応じている。 ○

Q157 シルバーハウジングは，高齢者向けの公的賃貸住宅で，供給主体は地方公共団体，UR都市機構，地方住宅供給公社である。

Q158 ケアハウスは，60歳以上（夫婦の場合はどちらかが60歳以上）で，自炊ができない程度の身体機能の低下が認められるか，高齢のため独立して生活するには不安があり，家族の援助を受けることが難しい高齢者が利用する老人福祉施設である。

★ Q159 有料老人ホームは，厚生労働省の定めた「有料老人ホーム設置運営標準指導指針」により,「介護付（一般型特定施設入居者生活介護）」「介護付（外部サービス利用型特定施設入居者生活介護）」「生活支援型」「健康型」に分けられる。

Q160 サービス付き高齢者向け住宅は，単身や夫婦などの高齢者世帯が安心して住まえる賃貸借方式や利用権方式の住宅のことで，住宅面ではバリアフリー構造で一定の住戸面積と設備を有するなど，高齢者が安全に生活できるよう配慮されている。

Q161 認知症高齢者グループホームは，５～９人で１つのユニット（生活単位）を構成し，家庭的で小規模な生活の場において，入浴・排泄・食事の介護など日常生活上の世話と機能訓練を受けながら，個々人が能力に応じて自立した生活を営めるようにする高齢者施設である。

A157 シルバーハウジングでは，高齢者等の生活特性に配慮した設備・仕様の住宅と附帯施設の供給に加えて，居住している利用者に対し生活援助員（LSA）による日常生活支援サービス（安否の確認，緊急時の対応，一時的な家事援助など）を提供する。 ○

A158 ケアハウスは1989（平成元）年度に「ゴールドプラン」が策定されたのに合わせて，軽費老人ホームの一形態として創設された。軽費老人ホームＡ型・Ｂ型のような所得制限や自炊の原則といった制約がケアハウスにはない。なお，2010（平成22）年４月に「都市型軽費老人ホーム」が創設された。 ○

A159 有料老人ホームは，１人以上の高齢者を入居させ，食事の提供，介護の提供，洗濯・掃除などの家事，健康管理のいずれかのサービスを提供する高齢者施設で，「介護付（一般型特定施設入居者生活介護）」「介護付（外部サービス利用型特定施設入居者生活介護）」「住宅型」「健康型」の４種類に分けられる。 ×

A160 サービス付き高齢者向け住宅とは，高齢者のためにバリアフリーの構造や設備などを備え，介護や医療と連携して高齢者を支援するサービスを提供する住宅のことである。サービス面ではケアの専門家による状況把握（安否確認）や生活相談などの見守りサービスが付いている。 ○

A161 認知症高齢者グループホームの運営は，日常的な生活の場の創出，日常生活の継続に重点が置かれており，入居者が介護職員と共同で，食事の支度などの家事作業を行うこともある。 ○

★ Q162 □□

住宅改修に要する一定費用を市町村が助成する「在宅重度障害者住宅改造費助成事業」の対象となるのは，おおむね身体障害者手帳１～３級または療育手帳Ｂの交付を受けている障害者で，所得制限はない。

★ Q163 □□

「障害者住宅整備資金貸付制度」は，おおむね身体障害者手帳１～４級または療育手帳Ａの交付を受けている障害者または同居世帯を対象としており，実施主体は都道府県または市町村である。

Q164 □□

「障害者総合支援法」に基づく地域生活支援事業の相談支援事業として，「住宅入居等支援事業」が位置づけられている。

Q165 □□

「障害者総合支援法」では，2014（平成26）年にケアホームとグループホームを一元化した。一元化後は，障害支援区分にかかわらず利用が可能となり，日常生活上の支援が行われる。

Q166 □□

地域生活への移行をめざしている障害者や，一人で暮らしたいというニーズをもつ障害者もいることから，「障害者総合支援法」では2014（平成26）年，一人暮らしに近い形態の「サテライト型住居」を創設した。

A162
「在宅重度障害者住宅改造費助成事業」の条件は実施する市町村により異なるが，おおむね身体障害者手帳1～2級または療育手帳A（最重度～重度）の交付を受けている障害者を対象とし，一定の所得制限がある。

×

A163
「障害者住宅整備資金貸付制度」は，障害者または同居世帯に対し，障害者の専用居室などを増改築または改修するために必要な資金を低利で貸し付ける制度であり所得制限はない。貸付限度額，償還期間，貸付利率は実施主体によって異なる。

○

A164
住宅入居等支援事業では，公的賃貸住宅や民間賃貸住宅への入居を希望しているが保証人がいないなどの理由により入居が困難な障害者に対して，不動産業者への物件のあっせん依頼，家主などとの入居契約手続きに関する支援，保証人が必要となる場合の調整などを行うほか，居住後の利用者の生活上の課題に応じ，関係機関から必要な支援を受けられるよう調整を行う。

○

A165
グループホームには，介護サービス包括型（指定共同生活援助），外部サービス利用型（外部サービス利用型指定共同生活援助），日中サービス支援型（日中サービス支援型指定共同生活援助）の３つの類型がある。

○

A166
サテライト型住居は，本体住居との密接な連携を条件として，一定の設備基準を緩和しており，民間賃貸集合住宅の一室なども利用することができる。定員は１人で，居室面積は7.43m²以上とする。

○

福祉

11 日本の住環境の問題

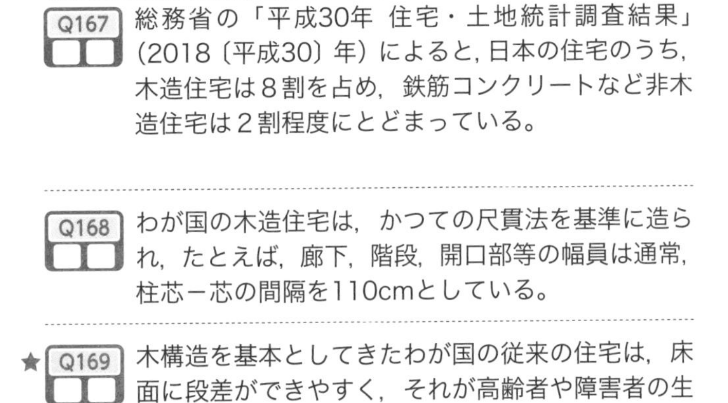

★ Q167

総務省の「平成30年 住宅・土地統計調査結果」(2018〔平成30〕年）によると，日本の住宅のうち，木造住宅は８割を占め，鉄筋コンクリートなど非木造住宅は２割程度にとどまっている。

Q168

わが国の木造住宅は，かつての尺貫法を基準に造られ，たとえば，廊下，階段，開口部等の幅員は通常，柱芯－芯の間隔を110cmとしている。

★ Q169

木構造を基本としてきたわが国の従来の住宅は，床面に段差ができやすく，それが高齢者や障害者の生活動作に大きく影響している。

★ Q170

わが国では，従来，畳などの床面に座ってさまざまな生活動作を行ってきたが，床からの立ち座り動作は高齢者には向いていない。

Q171

生活の洋式化による家具類の増加が，介護を必要とし，福祉用具を使用する高齢者や障害者の室内移動を困難にしている。

★ Q172

日本の住宅は夏に合わせてつくられてきたため，冬季の寒さには向いていない。高齢者や障害者，とくに循環器系の疾患がある高齢者には，室内の温度差が不適切な環境となる。

★ Q173

「人口動態統計」（厚生労働省，2020年）によると，１年間で１万３千人以上の高齢者（65歳以上）が家庭内事故で死亡している。こうした家庭内事故は，「建築基準法」を守ってさえいれば発生を防げるため，同法の遵守を徹底する必要がある。

A167

「平成30年 住宅・土地統計調査結果」によると，日本の住宅のうち，木造住宅の割合は56.9％，鉄筋コンクリートなどの非木造住宅は43.1％である。非木造住宅は年々上昇傾向にあり，木造住宅は減少傾向にある。

A168

尺貫法では３尺（910mm）となっており，廊下，階段，開口部等の幅員も通常，柱芯ー芯の間隔を910mmとしている。

A169

わが国の従来の住宅は，玄関の敷居，上がりがまち，廊下と和室，和室と洋室，洗面・脱衣室と浴室など，段差のみられる場所が多い。

A170

現在では生活の多くが洋式化されたが，床座や立ち座りを伴う和式の生活を好む人も少なくない。

A171

日本の住宅面積は小さく，さらに生活の洋式化で増えた家具類が多くの床面積を占め，高齢者や障害者の室内移動を困難にしている。

A172

高温多湿な夏に合わせた日本の住宅は，冬季の寒さには向いていない。冬季に顕著な室内の温度差は，高齢者や障害者，とくに循環器系の疾患がある高齢者には影響が大きい。

A173

2020（令和２）年には，１万1,966人の高齢者が家庭内事故で死亡した。「建築基準法」を守っても発生する家庭内事故を減らすには，高齢者の身体的特性や行動特性に配慮した住宅の設計や施工が必要である。

重要ポイント まとめて CHECK!!

Point 5 木造住宅の問題点と家庭内事故

● わが国の木造住宅の問題点

段差の問題	木でつくられてきたわが国の住宅は段差が生じやすく，段差につまずき転倒する障害者や高齢者は多い。家庭内事故の原因にもなっている。
尺貫法の問題	3尺（910mm）の幅を基準とする尺貫法によりつくられた住宅は，廊下や開口部などの幅が狭く，**介助**や**車いす**を要する障害者や高齢者の生活には適さないことが多い。
洋式化の問題	生活の洋式化に伴い**生活用品**は多様化し家具類も増えたが，それらが床面積の多くを占めると，**室内移動**などで弊害を生じることがある。
床座の問題	**床面**をベースとした**床座**の生活様式は，床からの立ち座り動作を伴うため，障害者や高齢者には不向きである。
気候の問題	わが国の住宅は，**高温多湿**な夏に合わせてつくられており，冬の寒さには向いていない。とくに循環器系の疾患がある高齢者には不適切な環境である。

● 家庭内事故

家庭内事故には，落下型，接触型，危険物型の３つの種類がある。高齢者では，**家庭内事故**による死亡者数が**交通事故**による死亡者数を大きく上回っている。

◎ 家庭内事故による死亡者数とその原因（65歳以上）

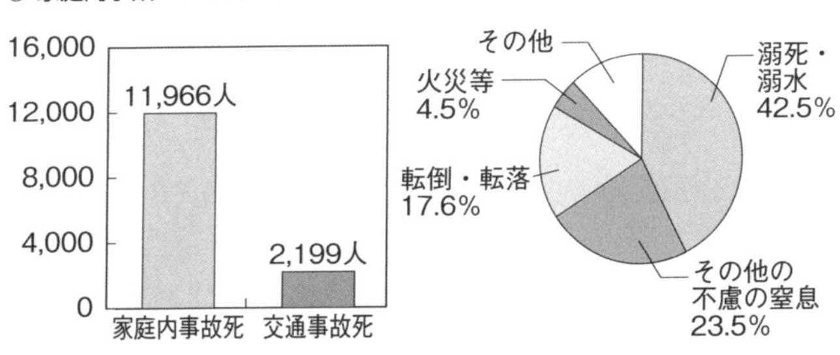

＊厚生労働省「人口動態統計」（2020〔令和2〕年）をもとに作成

Point 6 地域における相談支援体制

障害者の地域生活を支えるための相談支援体制の構築や地域のシステムづくりの協議の場として，協議会が中核機関となっている。

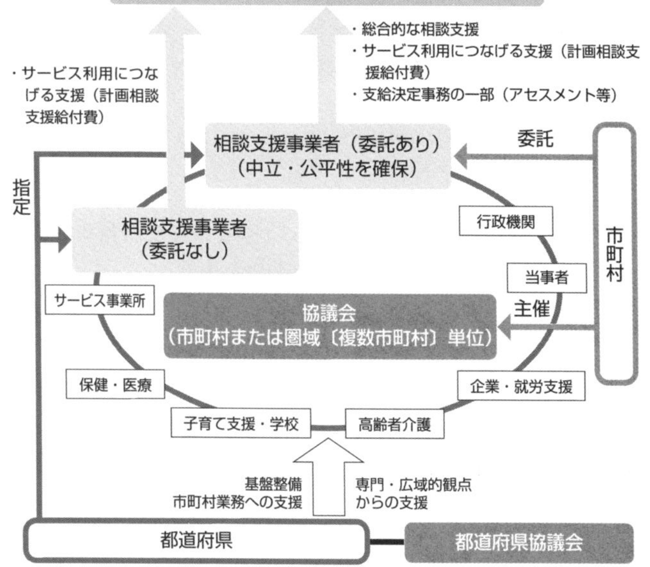

＊厚生労働省資料より

得点UPのカギ 自立支援給付（介護給付）の申請からサービス利用までの流れ

①**障害者**または障害児の**保護者**（障害者等）が，居住地の**市町村**に支給の申請を行う（**障害者支援施設**に入所している場合は**入所前**に居住していた**市町村**）。
②認定調査の結果等に基づき**一次判定**（コンピュータ判定）。
③**一次判定の結果**と**医師**の意見書などにより，**市町村審査会**において**障害支援区分**が判定される（**二次判定**）。
④支給が決定した障害者等には**障害福祉サービス受給者証**が交付される。
⑤指定事業者等と**サービス利用契約**を結び，原則，１割の自己負担を支払ってサービスを受ける。

12 相談援助の流れ

Q174 「個別化の原則」の視点に立つと，たとえ同じ障害のある人の事例でも，対象者自身をめぐる課題に対する考え方や感じ方が違えば援助の仕方も異なってくる。

★Q175 住環境の整備は，対象者が「できないこと」の側面にのみ着目し，それらを全体として補完するというものでなければならない。

★Q176 被援助者（対象者）と援助者の関係を「援助される側」と「援助する側」という構図に置くのではなく，対象者の自己決定を促し，対象者との協働作業に取り組むことが求められる。

Q177 本人のありのままを受け止めることは，傾聴と呼ばれ，対人援助の基本原則である。傾聴は，本人がなぜそのように考えたり，感じたり，行動するのかを本人の側に立って理解することにつながる。

★Q178 「デマンド（要求）」とは，対象者（本人）が意識しないものまでを含む「客観的に見て本人が必要な事項」であり，これに対して「ニーズ」とは，本人が意識する「やってほしいこと」である。

Q179 業務上知り得た情報をほかに漏らさないという専門職に求められる業務上の義務を守秘義務といい，対人援助の観点からは「秘密保持の原則」という。

Q180 主に医療分野で重視されてきた「説明と同意」（インフォームド・コンセント）は，住環境整備においても遵守すべきものである。

A174 対象者を個人としてとらえる「個別化の原則」は，援助関係の形成においても不可欠な相談援助の基本原則である。 ○

A175 住環境の整備は，障害や機能低下のマイナス面に目を向けるだけでなく，対象者の「できること」や長所に目を向けるストレングスの視点が必要である。 ×

A176 援助する側が「援助してあげる人」，援助される側が「援助してもらう人」という関係（パターナリズム）ではなく，ニーズや問題を抱えた対象者本人の自己決定が重視される必要がある。 ○

A177 本人のありのままを受け止める受容は，対人援助の基本原則で，本人の存在そのものを価値あるものとして認めることを意味する。本人がなぜそのように考え，感じ，行動するのかを本人の側に立って理解することにつながる。 ×

A178 「デマンド（要求）」とは，本人が意識する「やってほしいこと」である。これに対して，「ニーズ」は，本人が認識していない場合も含めて，「客観的に見て本人が必要な事項」である。 ×

A179 「秘密保持の原則」は専門的援助活動における非常に重要な実践原則で，対象者のプライバシー保護の観点からも重視されてきた。 ○

A180 住環境整備における「説明と同意」（インフォームド・コンセント）では，本人が自己決定し納得するというプロセスが重視される。 ○

★ Q181

本人の意向がはっきりとせず，自分の意思を他者に伝える能力も十分でない場合に，援助する側が本人の意向を把握し，「代弁する」機能をストレングスといい，最近では広く「自立支援」と訳されている。

Q182

相談面接の形態のうち来所相談は，面接相談専用の場所で時間を設定して行うため，相談内容を人に聞かれたり，声が外に漏れたりする心配がなく，来談者が集中して話ができるというメリットがある。

Q183

相談面接においては，相談者の目をしっかり見て話すことが相手に安心感と信頼を与えることになるため，互いが真正面から視線を合わせられる位置にいすを置いて座るなどの配慮が必要となる。

★ Q184

相談面接では，対象者自身が自分の言葉で話せるように促すため，「はい／いいえ」で答えられる閉じられた質問を用いる。

Q185

相談面接の場面では，「傾聴」の姿勢が求められる。「傾聴」とは，相談者の訴えに心を傾けて聴くことであり，受け身に徹して相談者の話を聴くことである。そのため，援助者は，決して相談者の話を要約したり，話題を変えたりするようなことはせず，真摯な態度で相手の話に耳を傾け続けることが大切である。

★ Q186

しぐさやジェスチャーなどの身体動作，身長や服装といった身体の外見的特徴，スキンシップによる接触行動は，一種の言語として感情を伝える重要な要素であり，バーバルコミュニケーションに含まれる。

A181 本人の意向が不明瞭で，その意思を他者に伝える能力も不十分な場合に，援助者が本人の意向を把握し，「代弁する」機能をアドボカシーといい，最近では広く「権利擁護」と訳されている。 ×

A182 相談面接の形態のうち訪問相談は，実際に対象者が生活している場所で行うため，本人がリラックスして話ができるというメリットがある。 ○

A183 互いが真正面から視線を合わせるような位置関係では，相談者が圧迫感を感じてしまうことが多いため，左右のどちらかにいすをずらして座るといった配慮が大切である。 ×

A184 対象者自身が自分の言葉で話せるように促すため，「はい／いいえ」では答えられない開かれた質問を用いる。閉じられた質問は，必要な情報を的確に収集するとともに，対象者が自分の言葉で話すきっかけを提供するために用いる。 ×

A185 「傾聴」とは，相談者の話を積極的に聴くことであり，単に話を受け身で聴くことではない。援助者は，内容を理解するために真摯な態度で話を聴き，重要な点を引き出しつつ，相談者が自身で課題を整理し，解決方法を発見できるよう，強制ではなく，自然な形で導いていく必要がある。 ×

A186 コミュニケーションにはバーバルコミュニケーションとノンバーバルコミュニケーションがある。しぐさなどの身体動作，身長や服装といった身体の外見的特徴，スキンシップによる接触行動は，非言語による感情を伝える重要な要素で，ノンバーバルコミュニケーションである。 ×

★ Q187 ケアマネジメントの概念と手法は，わが国では高齢者に対する介護保険制度で導入されたが，障害者に対するケアにおいてはいまだ取り入れられておらず，「障害者総合支援法」の改正による障害者分野での活用が急務となっている。

Q188 福祉住環境整備のアセスメントにおける「課題分析標準項目」には，調理，掃除，買物，金銭管理，服薬状況などのADLに関する項目や，寝返り，起きあがり，移乗，歩行，着衣，入浴，排泄などのIADLに関する項目も含まれる。

Q189 アセスメントの視点として重要なのは，利用者がどう感じているかなどの主観的な事実に影響されることなく，移動動作ができているかどうかという客観的な見た目を評価する姿勢である。

Q190 介護支援専門員（ケアマネジャー）はケアマネジメントを通して，利用者の身体機能やADL能力，社会参加状況などを把握したうえで，さまざまなサービスを複合的に組み合わせてケアプランを作成する。

★ Q191 ケアマネジメントの援助過程は，相談，アセスメント，ケアプランの作成，モニタリング，ケアプランの実施の順に進められる。

★ Q192 ケアマネジメントにおける相談は，利用者の状態を把握し，要望を阻害している問題点を探す過程であり，ケアプランの作成は，利用者の状況を総合的に判断して，困難の解消方法を考える過程である。

A187 ケアマネジメントの概念と手法は，わが国では高齢者に対する介護保険制度で導入され，障害者に対するケアにおいても，すでに取り入れられている。なお，ケアマネジメントとは，ケアを必要としている人に対して，適切なサービスを受けることができるように支援する活動をいう。

×

A188 ADLは寝返り，起きあがり，移乗，歩行，着衣，入浴，排泄などの能力をいい，IADLは，調理，掃除，買物，金銭管理，服薬状況などの能力をいう。

A189 アセスメントの視点として，移動動作ができているかどうかという客観的な評価だけでなく，移動する際の利用者の主観的な事実（不安を感じているか，など）も把握しておくことが重要である。

A190 福祉住環境コーディネーターは介護支援専門員（ケアマネジャー）が利用者とどのような生活を構築しようとしているのか，その目的やねらいを把握するうえで，ケアマネジメントについて理解しておく必要がある。

○

A191 ケアマネジメントの援助過程は，相談，アセスメント，ケアプランの作成，ケアプランの実施，モニタリングの順に進められる。

A192 ケアマネジメントにおける相談は，利用者の希望・要望を聞き出す過程である。利用者の状態を把握し，要望を阻害している問題点を探す過程は，アセスメントである。

Q193 閉じこもりを予防するためには，外出に配慮した福祉住環境整備が必要であり，つえ歩行の場合，段差のあるところでの手すりの設置，歩行車の場合は，できれば段差の解消と歩行車の保管スペースの確保などを確認する必要がある。

★ Q194 介護保険制度の利用前に，利用者から福祉住環境コーディネーターに住宅改修の相談があった場合は，制度の利用について，住宅改修事業者に話をつなげるようにする。

Q195 福祉住環境整備は総合的な計画の中で存在するものであり，全体のサービスを視野に入れなければその有効性は低くなる。

Q196 ケアマネジメントでは，利用者の生活のなかの困難な事柄を多角的に把握することが要求される。そのため，ケアプラン作成の際には，介護支援専門員はサービス提供者とともに事例検討会（ケースカンファレンス）を開催し，最も効果的なプランを立案する。

Q197 福祉用具・住宅改修支援事業は都道府県が行う事業で，福祉用具や住宅改修に関する相談・情報提供・連絡調整および助言を行うとともに，住宅改修費の支給申請に係る理由書の作成や作成した場合の経費助成を行う。

★ Q198 地域リハビリテーション支援体制整備推進事業は，市町村単位の一次医療圏域ごとに地域リハビリテーション広域支援センターを医療機関などに設置し，専門職の相談や指導を受けられるようにする事業である。

A193 閉じこもりの予防をするために最も重要なのは，利用者がよく活用する出入り口と道路までの動線上の確認を行うことである。また，専門職や本人に確認し，上がりがまちへの式台の設置や腰かけ用のいすスペースの確保が必要かどうかを適切に判断する。 ○

A194 介護保険制度の利用前に，利用者から福祉住環境コーディネーターに住宅改修の相談があった場合は，制度の利用について，介護支援専門員に話をつなげるようにする。 ×

A195 住環境を改善することですべての問題が解決するとは限らない。利用者の生活目標が達成されるよう関連職と連携し，福祉住環境整備を進めることが重要である。 ○

A196 ケアプラン作成の際に介護支援専門員が開催するのは，サービス担当者会議である。

A197 福祉用具・住宅改修支援事業は，市町村の任意事業である。そのため，事業を実施しているかどうかについては，市町村に問い合わせる必要がある。

A198 地域リハビリテーション支援体制整備推進事業は，一次医療圏域よりも少し広範囲である二次医療圏域ごとに地域リハビリテーション広域支援センターを医療機関などに設置し，理学療法士や作業療法士などの専門職の技術的相談や指導等を受けられるようにする事業である。

13　福祉住環境整備に関連する職業

Q199　かかりつけ医（主治医）は，介護保険制度では，要介護認定に必要な主治医意見書の記載や，居宅療養管理指導での訪問診療，訪問看護あるいは訪問リハビリテーションなどへの指示を行う。

★Q200　看護師は，集団健診や健康相談を行ったり，地域住民に疾病の予防や健康に関するアドバイスや指導，家庭を訪問して健康指導をしたりするなど，人々の健康生活を保障，増進する仕事に従事する。

Q201　保健師は，「保健師助産師看護師法」に定められた国家資格である。社会福祉士，主任介護支援専門員などとともに市町村の社会福祉協議会に配置され，介護予防ケアマネジメントを担っている。

Q202　作業療法士は，医師の指示の下，身体または精神に障害のある人に対して，手芸，工作その他の作業訓練や，食事，入浴，排泄などの生活動作訓練を行い，その応用的動作能力や社会適応能力の回復を図る。

★Q203　ソーシャルワーカーは，日常生活を営むのに支障がある人の福祉に関する相談に応じ，助言・指導その他の援助を行う国家資格である。主任介護支援専門員，保健師とともに地域包括支援センターに配置されることになっている。

★Q204　福祉住環境整備では，コミュニケーションにかかわる福祉用具について作業療法士（OT）から助言を受けることができる。

A199

かかりつけ医（主治医）は，患者や家族を日頃からよく知り，患者の健康状態を把握している地域の医院や診療所の医師である。福祉住環境整備では，かかりつけ医の役割を担っている医師との連携が必要である。

○

A200

看護師は，「保健師助産師看護師法」に定められた資格であり，医療・保健福祉の現場で，医師の指示のもとに診療・治療の補助，看護を行う。設問の記述は保健師についてである。

×

A201

保健師は地域包括支援センターで，社会福祉士，主任介護支援専門員などの保健福祉・介護の専門職とともに，介護予防ケアマネジメントをはじめとした保健・医療・福祉・介護予防の向上と増進のために必要な援助・支援などを行う。

×

A202

作業療法士（OT）は，病院，診療所などの医療機関や高齢者・障害者施設などに勤務し，理学療法士（PT）や言語聴覚士（ST）とともにリハビリテーションの中心的役割を担う。

○

A203

ソーシャルワーカーは，資格の有無にかかわらず，社会福祉に従事している人の呼び名である。設問の記述は社会福祉士についてである。

×

A204

コミュニケーションにかかわる福祉用具については，言語聴覚士（ST）から助言を受けることができる。作業療法士（OT）からは福祉用具の使用方法や住宅改修の効果などについて助言や指導を受けることができる。

×

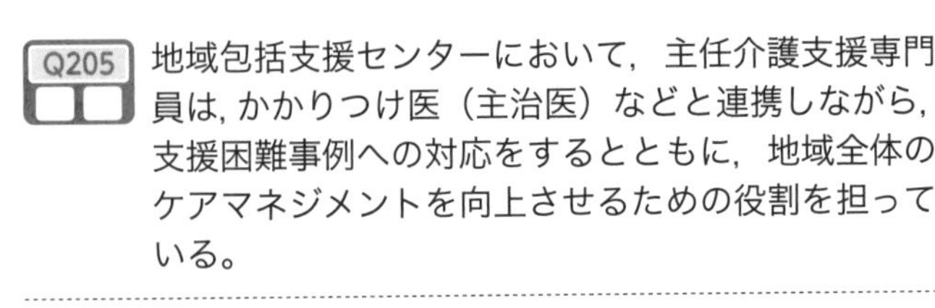

Q205

地域包括支援センターにおいて，主任介護支援専門員は，かかりつけ医（主治医）などと連携しながら，支援困難事例への対応をするとともに，地域全体のケアマネジメントを向上させるための役割を担っている。

★Q206

介護福祉士は，介護が必要な高齢者や障害者に，入浴，排泄，食事など心身の状況に応じた介護を行う専門職である。その役割は，要介護者本人に対する介護や支援，指導であり，介護を行う家族に対する指導を行うことはできない。

Q207

福祉用具専門相談員は，介護保険制度で福祉用具サービスを利用する場合，福祉用具の選定，調整，使用方法の指導，モニタリングなどを通じて，福祉用具が適切に使用されるように助言・指導する人である。

Q208

義肢装具士は，「義肢装具士法」に定められており，医師の指示のもと，義肢・装具の装用部位の採型・採寸や作製，身体への適合を行う専門職である。

★Q209

インテリアプランナーは，公益社団法人インテリア産業協会が実施している資格制度で，インテリアの企画設計と工事監理を行うことを主な業務とする。

Q210

建築士は，建築物の設計，工事監理のほか，建築工事契約に関する事務や建築工事の指導監督，建築物に関する調査または鑑定，建築に関する法令または条例に基づく手続きの代理等の業務を行える。

Q211

住宅を建築する際は，工務店，ハウスメーカー，建築設計事務所などに依頼する。工務店は，大規模な会社の例外を除けば，住宅建設会社のなかでも中・小規模で，地域に密着して営業しているものをいう。

A205 主任介護支援専門員になるには，介護支援専門員としての一定以上の実務経験と，所定の研修の受講が必要となる。

A206 介護福祉士は，介護が必要な高齢者や障害者に，入浴，排泄，食事など心身の状況に応じた介護を行うほか，要介護者本人や介護を行う家族に対して，介護に関する指導を行う専門職である。

福祉

A207 福祉用具専門相談員の資格要件は，介護福祉士，義肢装具士，保健師，（准）看護師，理学療法士，作業療法士，社会福祉士または厚生労働省令で定めた基準に適合し，都道府県知事が指定した講習を修了した者である。

A208 義肢装具士の多くは民間の義肢・装具製作所に属し，契約している病院や更生相談所などに出向いて業務を行う。

A209 インテリアプランナーは，公益財団法人建築技術教育普及センターが実施している資格制度で，インテリアの企画設計，工事監理を行うことを目的とした資格である。

A210 建築士の資格には一級建築士，二級建築士，木造建築士の３つがあり，建築物の規模，用途，構造に応じて各資格の業務範囲などが規定されている。

A211 一般的に，戸建住宅の新築や改築などは，地元の工務店に設計から施工までを一括発注することが多い。ハウスメーカーは，工場生産による規格化された部材で住宅を建てる大手住宅メーカーをいう。

○

14 福祉住環境整備の進め方

Q212 福祉住環境整備を進めるに当たっては，高齢者や障害者本人の身体機能を十分把握することが重要であるが，それに加え，本人の日々の生活のしかた，住まいに対するこだわりや思い，長年の生活歴での慣れなども考慮する必要がある。

★ Q213 具体的に福祉住環境整備を進めるとなると，必要書類の作成や工事の準備など，高齢者や障害者本人では対応が速やかにできなかったり，負担になったりする場合がある。そのため，かかりつけ医など，相談者の状態をよく知る人の中から相談者側のキーパーソンを決めておく必要性がある。

Q214 高齢者の加齢に伴う身体機能の低下は避けて通れないもので，とくに，進行性疾患の場合には，症状の進行に伴い身体機能の低下もみられ，身体状況の予測がつくため，福祉住環境整備の方針を決めやすい。

★ Q215 高齢者や障害者の収入は必ずしも多くないので，福祉住環境整備においては費用のかからない改善案が決定に際し最優先される。

★ Q216 現地調査での情報収集では，福祉住環境チェックシートの利用が有効である。福祉住環境チェックシートにはない事柄についても，話の内容は原則として記録にとどめるようにする。

Q217 福祉住環境チェックシートでは，ADLは移動動作や排泄動作，入浴動作など項目ごとに記入するが，福祉住環境整備では，原則として現に「しているADL」が重要となる。

A212 高齢者や障害者に同居家族がいれば，本人と家族との関係，家族一人ひとりの考え方を把握したうえで，常に生活全体を眺めながら考えていくことも重要で，それによりその人らしい福祉住環境整備が可能になる。 ○

A213 福祉住環境整備相談は，高齢者や障害者本人の医療，日常生活を支えるサービスや制度，建築の構造上の問題などの専門的な内容を理解してもらいつつ，相談を進める必要があるため，本人に身近な家族で常に連絡が取れる人などの中からキーパーソン（中心となる相談者）を決めておく。 ×

A214 進行性疾患の場合，症状の進行と加齢による身体機能低下が重なることで，予測がつかない状況になることがある。そのため，福祉住環境整備の方針は，慎重に検討しなくてはならない。 ×

A215 福祉住環境整備の決定に際し費用と効果の視点は大切であるが，決定をするのはあくまでも高齢者や障害者本人であり，費用がすべてに優先されるとは限らない。 ×

A216 福祉住環境チェックシートは記入漏れがないようにする。項目にはない事柄でも，福祉住環境整備において重要なポイントとなる場合があるので，話の内容は記録にとどめるようにする。 ○

A217 福祉住環境整備では，現に「しているADL」が重要となる。さらに，「できるADL」についてもあわせてチェックしておくことが望ましい。 ○

★ Q218 改修工事前の現地調査時には，依頼者本人や家族に改修後の生活をイメージしてもらいやすいよう，手すりのカットサンプルや改修事例写真，福祉用具カタログなどを，福祉住環境コーディネーターも持参したほうがよい。

Q219 設計・施工の業者を決める際には，複数の業者からプランと概算費用を提示してもらい，各プランの利点や欠点も含めて比較検討する必要がある。

Q220 介護保険制度の住宅改修においては，少額の工事が多く迅速な対応が求められるケースも多いので，見積書があれば契約書はとくに必要ない。

Q221 福祉住環境整備のための工事中，現場では本人や家族が工事内容にない修理等を職人に直接依頼することがある。後で費用の支払いでトラブルになることが多いため，福祉住環境コーディネーターが介入せず，本人や家族と施工者との話し合いに委ねる。

★ Q222 工事終了時には，図面や仕様書をもとに工事各部位の確認を行う。とくに，手すりなどは本人や家族に力いっぱい体重をかけて使用してもらい，安全性をチェックする。

★ Q223 福祉住環境整備の結果，被援助者の生活が改善され，当初の目標が達成できたかどうかは，しばらく生活をしてみて初めて判断できることも多い。そのため，使い勝手や新たな課題などを後日確認するフォローアップが必要となる。

Q224 福祉住環境整備を行った結果どのように高齢者や障害者の生活が変わったか，事例ごとにかかわった専門職が一堂に会し，その結果を評価する場を設けるとよい。

A218 福祉用具の購入予定がある，またはすでに依頼しているといった場合には，住宅改修と用具との関係をみておく必要があることが多く，カットサンプルや改修事例写真だけでなく，福祉用具カタログも必要になる。

A219 また，同じプランであっても，施工者によって工事費見積もりは異なるため，工事費見積もりについても比較検討することが重要である。 ○

A220 たとえ少額の工事であっても，施工後に工事内容や工事金額でトラブルになることがあるので，依頼者と施工者の間で契約書を交わし，文書で工事内容を残しておくことが大切である。 ×

A221 工事中，本人や家族が工事内容にない修理等を職人に直接依頼し，後で費用の支払いでトラブルになることが多い。福祉住環境コーディネーターは事前に施工者に対し，そうした依頼があれば連絡するように頼んでおく。 ×

A222 工事終了時には，本人や家族，設計者，施工者などの立ち会いのもと，工事各部位の確認を行う。実際に本人に生活動作を行ってもらい，使い勝手や安全性などをチェックする。 ○

A223 一定期間生活してみて判明する問題もあるのでフォローアップが必要となる。フォローアップ後に初めて福祉住環境整備の目標が達成できたかどうかの判断ができる。 ○

A224 福祉住環境整備に携わる専門職は，整備を行った結果を評価する機会に恵まれない場合，事例検討会（ケースカンファレンス）などの勉強となる場を利用するとよい。 ○

重要ポイント まとめて CHECK!!

Point 7 福祉住環境整備の関連専門職

●主な関連職

	関連職種	国家資格	関係法律等
保健・医療	医師（専門医，かかりつけ医）	○	「医師法」，「医療法」
	看護師，保健師	○	「保健師助産師看護師法」
	理学療法士（PT），作業療法士（OT）	○	「理学療法士及び作業療法士法」
	言語聴覚士（ST）	○	「言語聴覚士法」
福祉	介護支援専門員（ケアマネジャー）	－	「介護保険法」
	社会福祉士，介護福祉士	○	「社会福祉士及び介護福祉士法」
	精神保健福祉士（PSW）	○	「精神保健福祉士法」
	行政職員（地方公務員）	－	－
	ソーシャルワーカー	－	・社会福祉に従事している者の呼称
福祉用具	義肢装具士	○	「義肢装具士法」
	福祉用具専門相談員	－	・資格要件は介護福祉士，義肢装具士，看護師，准看護師，PT，OT等
	福祉用具プランナー	－	・（公財）テクノエイド協会が研修会を開催
	リハビリテーション工学技師	－	・現状では，資格要件なし
建築	建築士	○	「建築士法」
	インテリアコーディネーター	－	・（公社）インテリア産業協会が資格試験を実施
	インテリアプランナー	－	・（公財）建築技術教育普及センターが実施する資格制度
	マンションリフォームマネジャー	－	・（公財）住宅リフォーム・紛争処理支援センターが資格試験を実施
	増改築相談員	－	・（公財）住宅リフォーム・紛争処理支援センターの研修会修了後に考査
	工務店，ハウスメーカーなど	－	－

医療編

高齢者や障害者の心身の特性，主な疾患や障害の特徴と住環境整備上の留意点などを学習します。
高齢者のかかりやすい疾患や障害による不便をしっかり理解しよう！

心身の特性

Q225 加齢に伴う心身の生理機能の低下を老化現象という。一般的には，30歳を頂点として神経機能，呼吸機能，腎機能，運動機能などが低下し始める。しかしながら，女性の場合は，閉経期以降も生理機能が維持される。

★Q226 ショック（Shock）N.W.の研究によると，肺で酸素を交換する働きは，30歳代を100%とした場合，80歳代では50%以下に低下する。このように生理機能が低下しても通常の生活を送ることができるのは，生理機能が日常の働きの数倍もの予備能力を持っているからである。

Q227 老化に伴い動脈は硬くなり，血液が流れる速さは心臓機能の低下により加齢とともに遅くなる。

Q228 70歳の高齢者は，10歳の子どもと比較して，大動脈内の血流の速さが約２倍になる。

★Q229 通常老化とは，大気汚染などの曝露や睡眠不足といった生活習慣のひずみなどの老化促進因子が加わることにより進行する日常生活上の老化をいう。病的老化とは，疾患を患ったことにより急速に老化現象が進んだ状態をいう。

Q230 高齢者に現れやすい兆候の第一にあげられる褥瘡は，細菌感染により皮膚が炎症を起こし，壊死することで生じる。高齢者は皮膚が薄くなって傷つきやすくなっている，皮脂の分泌量が減少しているなど，さまざまな原因で褥瘡をつくりやすい。

A225 老化現象は，一般的には，30歳を頂点として神経機能，呼吸機能，腎機能，運動機能などが低下し始め，女性の場合，とくに閉経期以降は，生理機能が大きく低下する。 ×

A226 また，腎臓内で血液をろ過する働きは，80歳代では30歳代の約60％にまで低下する。一方で，神経伝導速度は，30歳代に比べて15％程度の低下にとどまる。 ○

A227 老化が進むにしたがって動脈は硬くなり，血液の流れる速さは加齢とともに直線的に速くなる。 

A228 老化に伴い動脈がしなやかさを失って硬くなり，大量の血液が流れる際に動脈が膨らみにくくなるため，70歳の大動脈内の血流の速さは10歳のそれに比べて約２倍の速さになる。 ○

A229 通常老化は，高齢期でも心身機能を比較的高く保っていられる状態で，健常老化ともいう。病的老化は，紫外線や大気汚染，喫煙，ストレスなどさまざまな老化促進因子により老化現象が急速に進行し，病気になりやすい状態をいう。 ×

A230 高齢者に現れやすい兆候の第一にあげられる褥瘡は，体の骨ばった部分に圧迫力が継続的に加わり，血液の循環障害が起きて皮膚が壊死することで生じる。 

Q231 □□
老年症候群は高齢者特有の精神的な機能の低下による症状・疾患，障害であり，やがて身体的な機能の低下による症状・疾患である生活習慣病や廃用症候群を引き起こす要因となっている。

Q232 □□
認知症の人の場合，口腔内の食べ物を喉に送り込もうとせずに，それに喉の摂食・嚥下機能の低下が加わると，摂食・嚥下障害を起こしたり，さらに低栄養などによる免疫機能低下が加わって，口腔内の細菌が気管などに入って骨粗鬆症を生じやすくなる。

Q233 □□
高齢者は若い頃に比べ，知的機能の喪失，身体機能の喪失，社会的役割の喪失，配偶者や兄弟・友人の喪失，という４つの喪失体験をベースに，感情面での孤独感，死への不安感，意欲低下などの状態に陥りやすい。

★ Q234 □□
記憶は，脳に入ってきた情報をすぐにメモにとるといった短期記憶（即時記憶）と，情報を覚えておき，１日分または１週間分をまとめてメモにとるといった長期記憶に大別される。加齢に伴い，短期記憶を長期記憶とするために情報を注意深く把握する能力などが低下する。

Q235 □□
長期記憶は近似記憶と遠隔記憶に分類される。遠隔記憶は時間の経過とともに徐々に忘却するが，強く印象付けられた事件や繰り返し回想する事柄は半永久的に貯蔵されて近似記憶となる。

★ Q236 □□
加齢に伴って知能には変化がみられる。たとえば，先天的に与えられた素質で，変化する課題や新しい環境に適応する能力である流動性知能は，20歳代にピークを迎え，その後は個人差があるものの徐々に低下する。

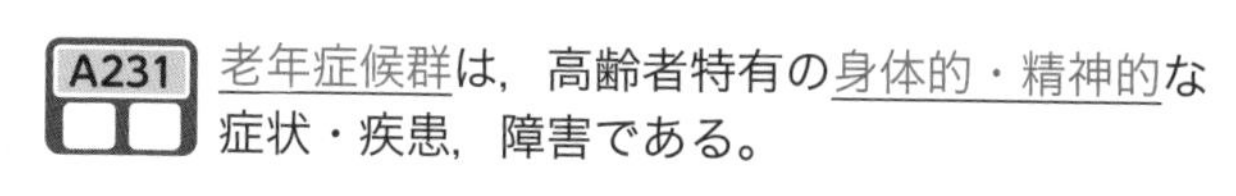

A231 老年症候群は，高齢者特有の身体的・精神的な症状・疾患，障害である。

A232 認知症の人の場合，摂食・嚥下障害を起こしたり，さらに低栄養などによる免疫機能低下が加わって，口腔内の細菌が気管などに入って誤嚥性肺炎を生じやすくなる。

A233 高齢者は，４つの喪失体験をベースに，心理的危機の状態に陥りやすくなっている。しかし，長い人生の要所要所でそうした状態を乗り越えて，一つひとつ課題を解決し，人格的活力を育んできている高齢者もいる。

医療

A234 短期記憶は，繰り返し思い出すことにより長期記憶に転送され貯蔵される。貯蔵された長期記憶は，思い出すといった検索過程，処理過程を経て想起（再生・再認）される。高齢者は注意を配分して，同時に多くの内容を短期記憶として貯蔵することが困難になるため，内容を１つずつ分割，単純化して記憶させるとよい。

A235 長期記憶のうち，近似記憶は時間の経過とともに徐々に忘却するが，強く印象付けられた事件や繰り返し回想する事柄は半永久的に貯蔵されて遠隔記憶となる。

A236 知能には，流動性知能のほか，過去の流動性知能の活動水準と学習時間とを積算して得られる結晶性知能がある。

Q237 □□ 流動性知能は60歳頃まで上昇し，その後，徐々に低下していく。一方，結晶性知能は20歳代にピークとなり，それ以降は低下の一途をたどる。

Q238 □□ 大量に新しい情報を与え，ある時間後に保存情報を想起させるテストを行うと，想起能力は50歳代まで上昇し続け，60歳代に急激に低下し，その後はなだらかに低下していく。

★ Q239 □□ 健忘では，新しい記憶を忘れてしまう，場所や時間に関する状況の判断力に支障がある，他人との関係に支障が出るという点で認知症と似ている。ただし，認知症と異なり，これらの支障を指摘されたときには訂正が可能である。

Q240 □□ 老化現象には，普遍性，内在性，進行性，退行性（有害性）の４つの特性がある。内在性は，老化や死はすべての動物に生じ，避けられないことを表す。

★ Q241 □□ 生まれる以前の胎児の段階および周産期に生じた障害を先天的障害というが，先天的障害は病気の種類や原因にかかわらず一様に出産時点で障害が現れるという特徴がある。

★ Q242 □□ 後天的障害の場合，回復への願望が強い一方，できなくなったことへの喪失感が強く，現実的な状況認識や障害内容を理解したり，残された能力や回復の可能性，利用可能な環境資源に目を向けることが難しい。

★ Q243 □□ 先天的障害，後天的障害のどちらにおいても，生後より幼児期，学童期を経て成人に至るまでの成長発達段階で障害が生じると，その時点で成長発達は止まってしまう。

A237 流動性知能は20歳代にピークを示し，それ以降は個人差はあるものの徐々に低下する。結晶性知能は60歳頃まで上昇し，人によってはそれを生涯維持し続ける場合もある。

A238 想起能力は，30歳代から10歳ごとにほぼ直線的に低下していく。

A239 健忘では，新しい記憶を忘れてしまうのは認知症に似ているが，場所や時間の認識は正確であり，他人との関係は崩れず人格も保たれる。また，もの忘れによる誤りを指摘されたときにも訂正が可能である。

医療

A240 内在性は，動物の老化が内的因子として体内にプログラムされていることを，普遍性は，老化や死が避けられないことを表す。

A241 先天的障害が顕在化する時期はさまざまであり，胎児の段階で何らかの障害が顕在化している場合もあれば，障害が生じる原因をもって生まれ，その後の成長過程で障害が顕在化する場合もある。

A242 後天的障害とは，生まれた時には何の障害も原因疾患もなかった人に，その後の人生の中で生じた障害のことである。突発的な事故や，脳梗塞や心臓病などの後遺症，進行性疾患による障害の顕在化などによって生じる。

A243 成長発達は，障害の影響で停滞や遅れがあったとしても，止まることはなく，一人ひとりが独自の発達を遂げる。障害によっては正常な子どものレベルに追いつくこともある。

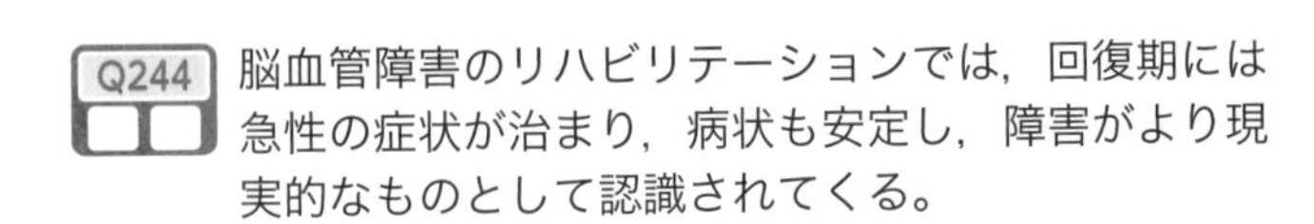

Q244 脳血管障害のリハビリテーションでは，回復期には急性の症状が治まり，病状も安定し，障害がより現実的なものとして認識されてくる。

Q245 肢体不自由の場合はコミュニケーションに支障をきたしやすく，視覚や聴覚など感覚受容器の障害や失語等ではADLの各動作に困難を生じやすい。

Q246 自己概念の形成以後に障害を持った人について考察すると，障害を持ったこと自体が理解できない場合は，障害を意識することがないため，日常生活で不利益を被ることがない。これに対して，主観的な自意識や価値観が揺らぐことを避けるためにこれを認めない場合，本人や家族が必要なサービスを受けることができないなど，大きな不利益が生じる。

★ Q247 「障害受容」とは，病気や事故で障害を持った人が，差別を受けることなく社会に受け入れられることを意味する。すべての国民が，障害の有無にかかわらず，等しく基本的人権を享受するかけがえのない個人として尊重されるという考え方であり，「障害者基本法」でも基本理念として示されている。

A244 回復期では，疾患の完治や障害の影響を最小限にとどめることを目指すが，回復が目に見えず，不安や焦りを抱える時期でもある。そのため，今後の生活への適応を目指して援助していくことが必要となる。

○

A245 肢体不自由の場合は移動などのADLの各動作に困難を生じやすく，感覚受容器の障害や失語等ではコミュニケーションに支障をきたすことが多い。

×

A246 障害そのものや障害の内容を理解できない場合と，主観的な自意識や価値観が揺らぐことを避けるために，障害を否定する場合とでは認識が異なるが，どちらの場合も，本人や家族が必要なサービスを受けることができないなど，大きな不利益が生じることもある。

×

A247 障害受容とは，病気や事故で中途障害を負った人が，障害によって生じた新しい状況を客観的に受け止めることができる心理的状態のことである。福祉住環境コーディネーターは，障害受容の難しさを理解したうえで，障害者も「一人の生活者」であるという視点で接していくことが求められる。

×

得点UPのカギ

障害受容へのおおむねの道筋

①障害を持ったことへのショック期
②リハビリテーションによる回復への期待期
③回復が望めないことを認識し，否認，葛藤，混乱，苦悩する時期
④現実の生活の中で適応への努力を始める時期
⑤現状との折り合いをつけ，今の暮らしをより快適に意義あるものにしようとする障害受容の時期

重要ポイント まとめて CHECK!!

Point 8 高齢者の心身の特性

加齢による生理機能等の変化

心・血管機能	老化に伴い動脈の弾力性は失われ，硬くなる。大量の血液が動脈内を流れるときの速度は，加齢とともに直線的に速くなり，70歳では10歳の場合の約２倍になる。また，運動時の心臓の働きは，高齢者では約20％低下する。
視覚・聴覚機能	**白内障**などによる視力低下が起こる。**加齢（老人）性難聴**により，高い音域から聞き取りにくくなり，音の聞こえ低下より言葉の聞き取りにくさが顕著となる。
平衡感覚機能	筋力低下も重なって，立っている姿勢を保つときに体の揺れが大きくなり**転倒**しやすくなる。
精神機能	視力，聴力の低下や感覚の障害などから孤独感に陥り，**うつ状態**になりやすい。
消化・排泄機能	下腹部から肛門にかけての筋力低下や腸のぜん動運動の低下により，尿失禁や排尿困難，**便秘**などが生じる。

老化と病気の違い

老化と病気は**進行性**の有無によって区別される。**老化**は年月とともに進行し，逆戻りできない不可逆的な変化であるのに対し，**病気**には，治療などにより改善するといった可逆性がある。

心身の老化現象

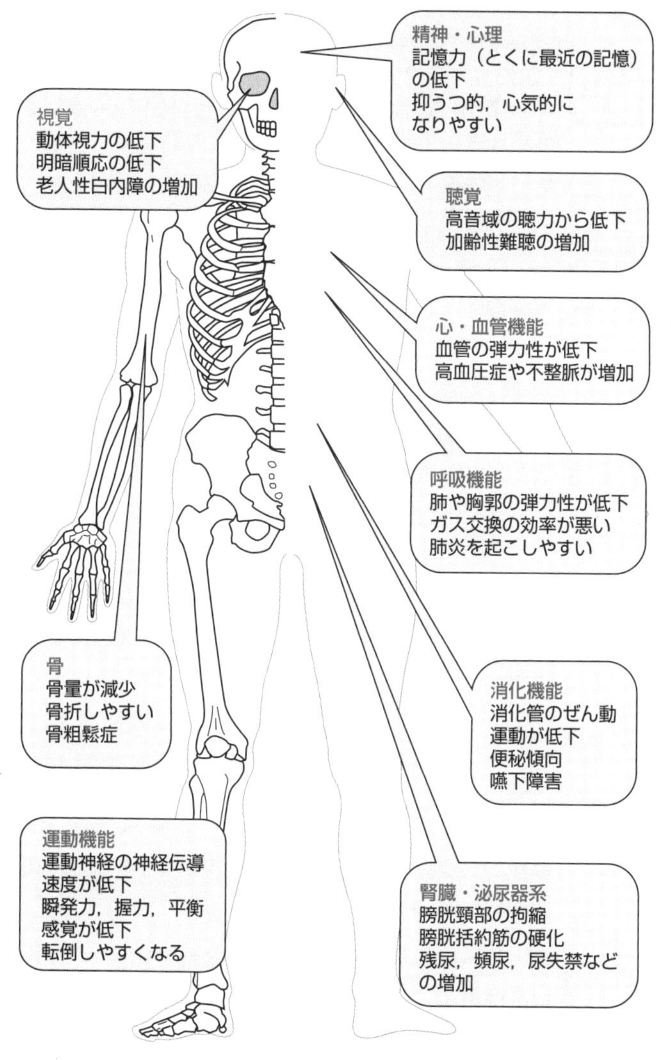
精神・心理
記憶力（とくに最近の記憶）
の低下
抑うつ的，心気的に
なりやすい
視覚
動体視力の低下
明暗順応の低下
老人性白内障の増加
聴覚
高音域の聴力から低下
加齢性難聴の増加
心・血管機能
血管の弾力性が低下
高血圧症や不整脈が増加
呼吸機能
肺や胸郭の弾力性が低下
ガス交換の効率が悪い
肺炎を起こしやすい
骨
骨量が減少
骨折しやすい
骨粗鬆症
消化機能
消化管のぜん動
運動が低下
便秘傾向
嚥下障害
運動機能
運動神経の神経伝導
速度が低下
瞬発力，握力，平衡
感覚が低下
転倒しやすくなる
腎臓・泌尿器系
膀胱頸部の拘縮
膀胱括約筋の硬化
残尿，頻尿，尿失禁など
の増加

16 高齢者の医療とケア

Q248 2020（令和２）年度の「高齢者の生活と意識に関する国際比較調査」によると，わが国の60歳以上の高齢者の30%が，「ほぼ毎日」から「月に１回くらい」医療サービスを受けている。

Q249 2019（令和元）年度の「国民医療費の概況」によると，65歳以上の高齢者の１人当たりの年間平均医療費は，15～44歳のおよそ６倍となっている。

★Q250 2021（令和３）年の内閣府「高齢社会白書」によると，高齢者の要介護の原因は，高齢による衰弱が最も多い。

★Q251 2020（令和２）年の厚生労働省「人口動態統計」によると，高齢者の死亡原因は心疾患（高血圧性を除く）が最も多い。

Q252 自治体などの行っている各種の検診や，介護予防事業の際に実施される心身機能チェック・検査などを積極的に受けることは，潜行している病的状態の早期発見に有効である。

Q253 要介護高齢者や治療が長引き身体機能が低下しがちな高齢患者には，身体活動，栄養摂取，睡眠の３要素が対策や対応の中心となる。

A248 2020（令和２）年度の「高齢者の生活と意識に関する国際比較調査」によると，わが国の60歳以上の高齢者の59.2%が，「ほぼ毎日」から「月に１回くらい」医療サービスを受けている。 ×

A249 2019（令和元）年度の「国民医療費の概況」によると，１人当たりの年間平均医療費は，65歳以上の高齢者は，75.4万円（うち75歳以上は93.1万円），15～44歳は12.6万円となっている。 ○

A250 2021（令和３）年の「高齢社会白書」によると，高齢者の要介護の原因は認知症が最も多く，２番目が脳血管疾患（障害），３番目が高齢による衰弱である。 ×

A251 2020（令和２）年の「人口動態統計」によると，高齢者の死亡原因は悪性新生物（がん）が最も多く，心疾患（高血圧性を除く）は２番目である。３番目は老衰であり，４番目は脳血管疾患となっている。 ×

A252 自治体などが実施する特定健康診査（基本的な健診）やその他の検診，介護予防事業として実施する生活機能評価などを積極的に受けて，未病対策をとることが大切である。 ○

A253 要介護高齢者や治療が長引き身体機能が低下しがちな高齢患者には，身体活動，栄養摂取，睡眠の３要素が対策や対応の中心となる。そのほか，いかによい医療やケアが提供できるか，どこでどのように暮らすかといった住環境も重要となる。 ○

17 脳血管障害（脳卒中）

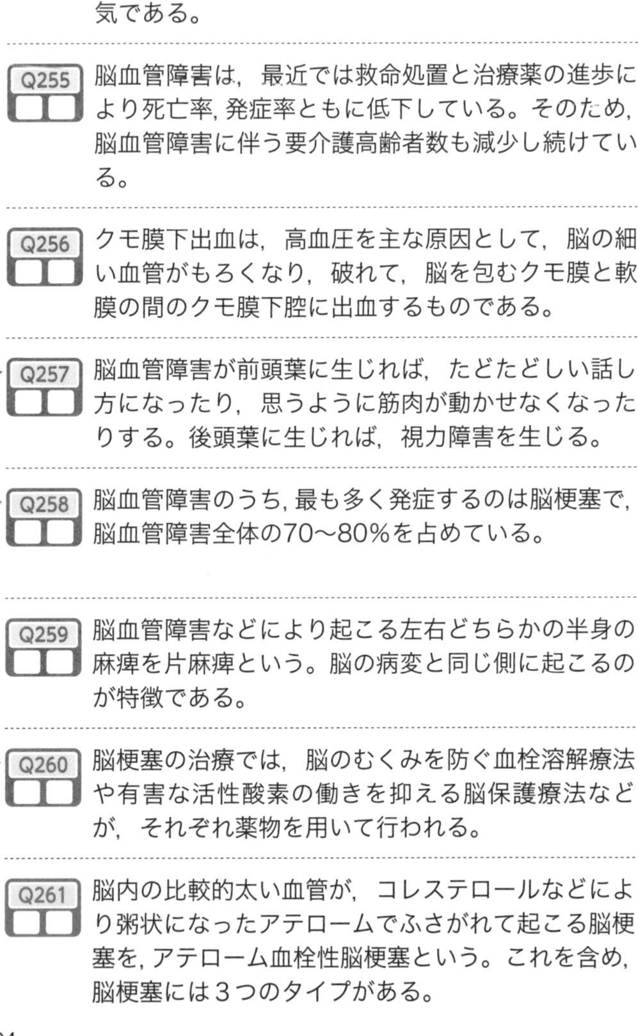

Q254 脳血管障害（脳卒中）とは，脳内の血管が詰まったり破れたりすることにより脳神経に損傷が生じる病気である。

Q255 脳血管障害は，最近では救命処置と治療薬の進歩により死亡率，発症率ともに低下している。そのため，脳血管障害に伴う要介護高齢者数も減少し続けている。

Q256 クモ膜下出血は，高血圧を主な原因として，脳の細い血管がもろくなり，破れて，脳を包むクモ膜と軟膜の間のクモ膜下腔に出血するものである。

★Q257 脳血管障害が前頭葉に生じれば，たどたどしい話し方になったり，思うように筋肉が動かせなくなったりする。後頭葉に生じれば，視力障害を生じる。

★Q258 脳血管障害のうち，最も多く発症するのは脳梗塞で，脳血管障害全体の70～80％を占めている。

Q259 脳血管障害などにより起こる左右どちらかの半身の麻痺を片麻痺という。脳の病変と同じ側に起こるのが特徴である。

★Q260 脳梗塞の治療では，脳のむくみを防ぐ血栓溶解療法や有害な活性酸素の働きを抑える脳保護療法などが，それぞれ薬物を用いて行われる。

Q261 脳内の比較的太い血管が，コレステロールなどにより粥状になったアテロームでふさがれて起こる脳梗塞を，アテローム血栓性脳梗塞という。これを含め，脳梗塞には3つのタイプがある。

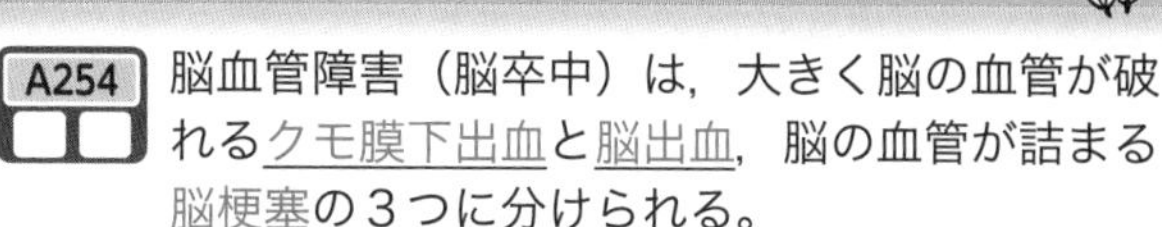

A254 脳血管障害（脳卒中）は，大きく脳の血管が破れるクモ膜下出血と脳出血，脳の血管が詰まる脳梗塞の３つに分けられる。 ○

A255 脳血管障害は，救命処置と治療薬の進歩により死亡率は低下しているが，発症数が減少したわけではなく，脳血管障害に伴う要介護高齢者数は増加し続けている。 ×

A256 クモ膜下出血は，主に脳の血管の分岐点にできた動脈瘤（どうみゃくりゅう）が破裂し，脳を包むクモ膜と軟膜の間のクモ膜下腔に出血することで発症する。 ×

A257 脳梗塞や脳出血では，症状の内容は損傷を受けた脳の部位により決まり，症状の程度は障害範囲の大きさや部位により決まる。 ○

A258 脳梗塞は，血栓（血の塊）が血管内に詰まることにより，その先の脳細胞に酸素が送られず，壊死が生じるものである。 ○

A259 脳血管障害などにより生じる片麻痺は，脳の病変とは反対側に起こる。 ×

A260 血栓溶解療法は，血流の再開を目的とした治療である。脳のむくみを防ぐのは抗脳浮腫療法であり，脳出血の治療でも用いられる。 ×

A261 ほかには，脳内奥深くの細い血管が，動脈硬化や小さな血栓の飛来などによってふさがれて起こるラクナ梗塞，心臓内や首の血管内から血栓が流れ込んで血管が詰まる脳塞栓がある。 ○

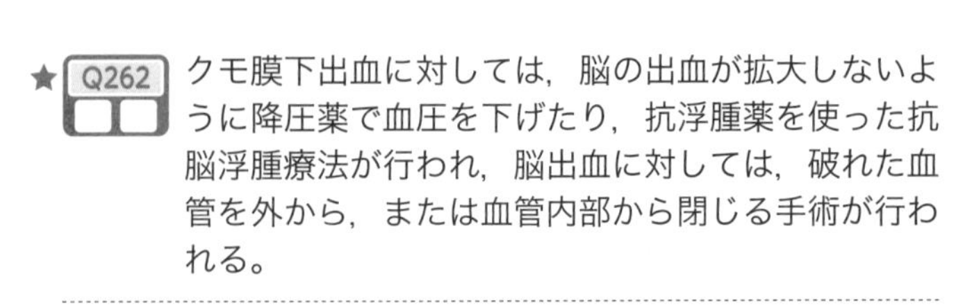

★ Q262

クモ膜下出血に対しては，脳の出血が拡大しないように降圧薬で血圧を下げたり，抗浮腫薬を使った抗脳浮腫療法が行われ，脳出血に対しては，破れた血管を外から，または血管内部から閉じる手術が行われる。

★ Q263

以前は，脳血管障害の急性期は，絶対安静を保って病状を改善させる治療法が優先されていたが，最近では，リハビリテーションはできるだけ早期から開始する。

Q264

回復期のリハビリテーションでは，麻痺側上肢機能訓練，片手動作訓練，排泄や入浴といったADL訓練などが理学療法により行われる。

Q265

維持期のリハビリテーションは，急性期や回復期のリハビリテーションで獲得した身体・精神機能の低下を防ぐことを目的としている。

Q266

脳血管障害を生じた人の福祉住環境整備の方針を決めるには，対象者の移動レベルや注意障害などを考慮する必要がある。

Q267

屋外歩行レベルとは，つえや下肢装具などに頼ることなく１人で屋外歩行が可能なレベルであり，屋内歩行レベルとは，起き上がり・移動動作など日常生活にも問題がないレベルである。

A262 クモ膜下出血の治療は，破れた血管を外から，または血管内部から閉じる手術が行われる。脳出血の治療は，脳の出血の拡大を防ぐよう降圧薬で血圧を下げたり，抗浮腫薬で脳のむくみを防ぐ抗脳浮腫療法が行われる。 ×

A263 脳血管障害に対しては，廃用症候群などの予防と早期の日常生活動作（ADL）の自立を目標に，できるだけ早期からリハビリテーションを開始する。 ○

A264 回復期のリハビリテーションでは，麻痺側上肢機能訓練，片手動作訓練，排泄や入浴といったADL訓練などが作業療法により行われる。理学療法では，起き上がり・移動動作訓練や歩行訓練などが行われる。 ×

A265 維持期のリハビリテーションでは，介護施設での通所リハビリテーション（デイケア），通所介護（デイサービス），または訪問リハビリテーションなどを利用して行う。 ○

A266 脳血管障害を生じた人の福祉住環境整備の方針を決めるには，対象者の移動レベルを，屋外歩行レベル，屋内歩行レベル，車いすレベル，寝たきりレベルの４つに分けて考える。 ○

A267 屋外歩行レベルとは，つえや下肢装具などの使用の有無にこだわらず，１人で屋外歩行が可能なレベルである。屋内歩行レベルは，屋内はつえ歩行，伝い歩き，介助歩行は可能であるが買い物や通院など少し遠出の際には車いすを必要とするレベルを指し，起き上がり・移動動作に不便・不自由があり，日常生活上での介助の機会が多くなる。 ×

Q268

脳血管障害があっても，つえや下肢装具などの使用の有無にこだわらず，一人で屋外歩行が可能な場合は，洋式よりも和式の生活様式のほうが生活しやすい。それまでベッドを使っていた人でも，畳で生活するための福祉住環境整備を行う必要がある。

Q269

屋内の移動にも車いすを利用せざるを得ない車いすレベルでは，日常生活において屋内歩行レベルの人たち以上の不便・不自由さが生じる。

Q270

脳血管障害による片麻痺で，狭い家屋内で車いすを使用する場合の工夫例として，車輪の幅を広いものにして安定感を増す，フットサポートを患側にのみ取り付けてコンパクトにするなどがある。

A268

屋外歩行レベルにある場合，一般的には洋式の生活様式のほうが生活しやすいことが多い。ただし，下肢の麻痺のレベルによっては，畳での生活も可能であり，必ずしも洋式の生活様式にしたり，ベッドを導入する必要はない。福祉住環境整備としては，手すりや式台の設置など，簡易なものですむ場合が多い。

×

屋外歩行レベルでの生活上の配慮・くふうとして，片手で代償できる環境をつくる，ということがあります。

A269

車いすレベルでは，屋内歩行レベルよりも体幹・下肢の麻痺がさらに重いことが多く，また上下肢の麻痺だけでなく下肢の関節可動域が少なく，健側の下肢の筋力低下が顕著である。日常生活では，屋内歩行レベルの人たちの不便・不自由さに加え，起き上がり・移乗動作に介助量が増える。

○

A270

狭い屋内を車いすで移動するため，車輪の幅を狭いものにしたり，ハンドリムを健側のみに付けたり，車いす全体をコンパクトにしたりといった工夫をする。

×

重要ポイント まとめて CHECK!!

Point 9 高齢者の要介護の原因と死亡原因

高齢者の要介護の原因

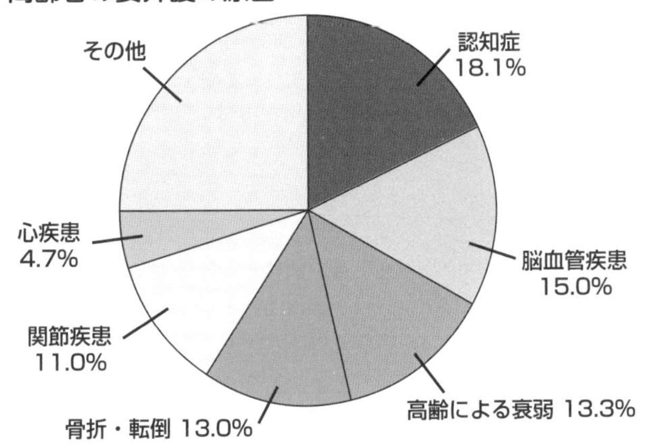

＊内閣府「高齢社会白書」（2021〔令和3〕年）をもとに作成

高齢者の死亡原因

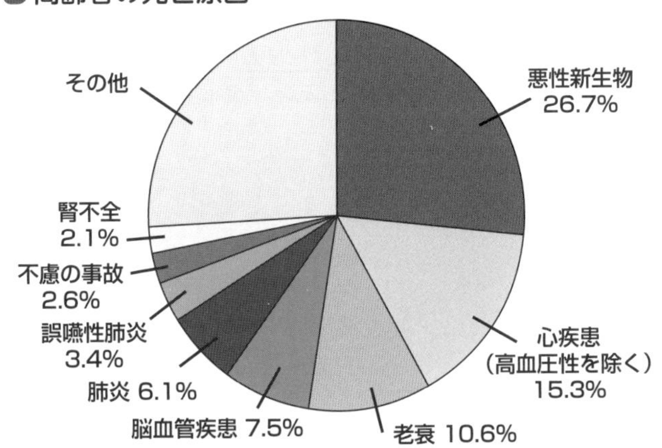

＊厚生労働省「人口動態統計」（2020〔令和2〕年）をもとに作成

Point10 記憶の仕組み

長期記憶は，時間が経つにつれ忘却する**近似記憶**と，**半永久的**に貯蔵される**遠隔記憶**に分類できる。

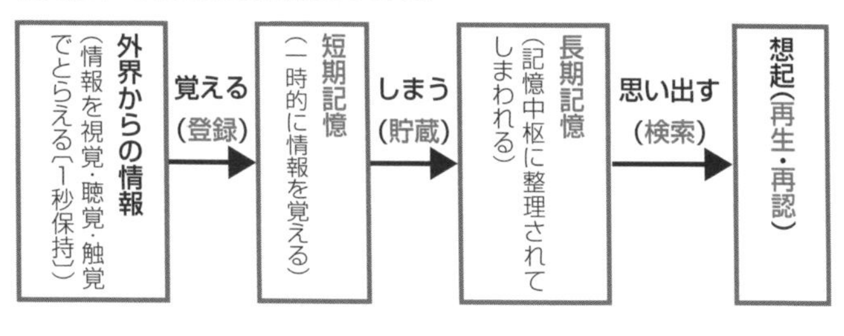

Point11 脳血管障害の分類

脳血管障害は，大きく脳の血管が破れる**クモ膜下出血**と**脳出血**，脳の血管が詰まる**脳梗塞**の３種類に分けられる。

クモ膜下出血	脳出血	脳梗塞
脳の血管の分岐点にできた動脈瘤が破裂して，脳を包むクモ膜と軟膜の間のクモ膜下腔に出血する。	高血圧が主な原因。脳の細い血管がもろくなり，破れて出血する。	血栓（血の塊）が血管内に詰まることでその先の脳細胞に酸素が送られず，壊死を生じる病態。

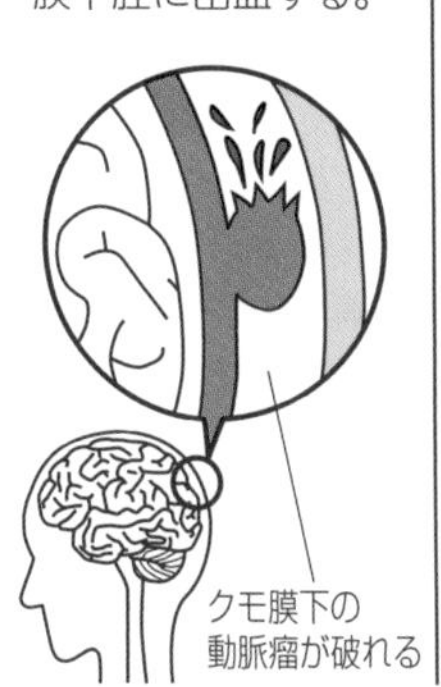

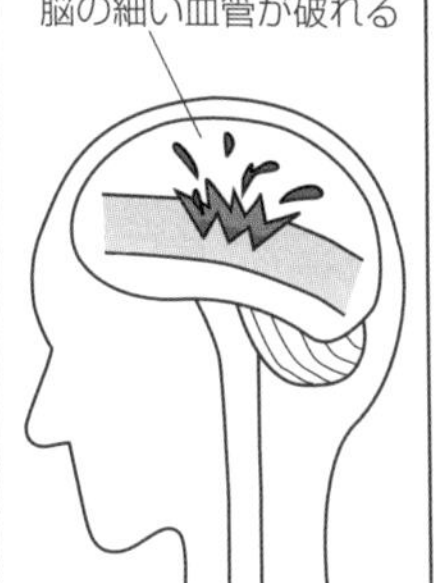

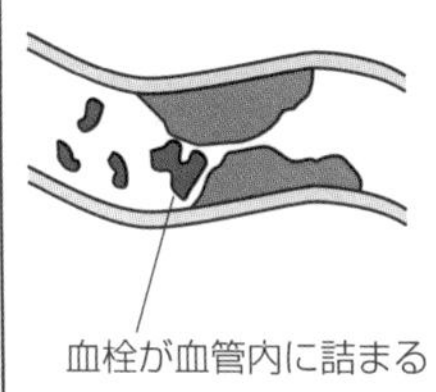

18 関節リウマチ

Q271 関節リウマチは，関節の骨と骨の間にあってクッションの役目をしている軟骨が免疫の異常により攻撃を受け，軟骨に炎症が生じ，関節にはれや痛みなどの炎症を起こす病気である。

Q272 関節リウマチが進行すると肘や後頭部などの皮下に硬いしこりができることがあるが，これをリウマトイド結節という。

Q273 現在，日本には60万～100万人の関節リウマチ患者がいると推定されている。どの年代でも発症するが，最も多いのは20～30歳代である。

★Q274 関節リウマチは自己免疫疾患の１つであり，体質，ウイルス，生活環境，ストレス，出産など多くの要因が絡んで発症すると考えられている。

★Q275 関節リウマチの症状の大きな特徴は，全身症状は現れず，関節に限局してはれや痛みが生じることである。関節の中でも，最初に症状が現れるのは肘や肩，膝，股関節など大きな関節で，その後，手足の指などの小さな関節にも，はれや痛みが広がっていく。

★Q276 関節リウマチの治療は，症状や進行具合に合わせて，薬物療法，手術療法，リハビリテーションなどを組み合わせて行われる。

A271 ×

関節リウマチは，全身の関節にある滑膜（かつまく）が攻撃を受け，関節にはれや痛みなどの炎症を起こす病気である。滑膜は，関節内を覆い，関節液を産生している膜である。

A272 ○

関節リウマチが進行すると関節症状だけでなく，疲労感や貧血などの全身症状が現れたり，肘や後頭部などの皮下にリウマトイド結節という硬いしこりができることがある。

A273 ×

関節リウマチ患者で最も多いのは，30～50歳代であり，男女比は1対2.5～4と圧倒的に女性が多い。

A274 ○

関節リウマチの原因となる免疫システムになぜ異常が起きるのかはまだ明らかになっていないが，体質，ウイルス，生活環境，ストレス，出産など多くの要因が絡んで発症すると考えられている。

A275 ×

関節リウマチで最初に症状が現れるのは手足の指などの小さな関節で，その後，肘や肩，膝，股関節など大きな関節へと広がっていく。また，関節症状だけでなく，疲労感，微熱，食欲不振，貧血などの全身症状が現れるのも特徴である。

A276 ○

関節リウマチの薬物療法では，免疫異常に作用する生物学的製剤，抗リウマチ薬，痛みの軽減には非ステロイド抗炎症薬やステロイド薬が用いられる。薬物療法で効果がない場合や日常生活に支障がある場合は，関節の破壊防止のため滑膜を切除する滑膜切除術や，関節の機能を補う人工関節置換術などの手術療法が行われる。

★ Q277 □□ 関節リウマチによる炎症や痛みがある程度治まった時点で，リハビリテーションを行うことが大切である。その主な目的は，筋力の低下，関節の動きが悪くなること，可動域が狭くなることを防ぐことにある。

Q278 □□ 関節リウマチでは，寒さや高い湿度は関節の痛みを悪化させるため，暖房設備を設置したり日当たりをよくするなど室内環境に配慮する。骨がもろく転倒しやすいので，段差を解消し，トイレや浴室，階段などに手すりを設置することも重要である。

Q279 □□ 関節リウマチ患者が日常生活を営むうえでは，リーチャーやソックスエイドなどの自助具を利用し，あえて関節に適度な負担をかけることを第一に考える。

Q280 □□ 関節リウマチは女性に多く，家事の役割を担う年代に好発するため，調理動作は大きな課題となる。いすに座ったまま作業ができるよう，流し台やコンロの高さを調節するなどのくふうが必要である。

A277 関節リウマチのリハビリテーションは，理学療法士（PT）や作業療法士（OT）の指導のもと，個人に合ったプログラムで実施され，それを生活のなかに取り入れて繰り返すことが望ましい。 ○

A278 関節リウマチ患者にとって，基本的には和式より洋式の環境・設備のほうが関節への負担が少なく，生活しやすい。 ○

A279 関節リウマチ患者が日常生活を営むうえでは，なるべく関節に負担をかけないことを第一に考える。そのために，リーチャーやソックスエイド，柄を太くしたナイフやフォークなどさまざまな市販されている自助具を活用する。 ×

A280 関節リウマチでは，手指関節の負担を軽減する軽い鍋やまな板，小さめの包丁などの調理用具のほか，びんのふたを開ける自助具などを積極的に利用するようにする。 ○

寝具には羽毛布団のような軽いものを選んだり，臥位や座位ではクッションを利用して体を支えると，体の負担が軽減できます。ちょっとした配慮が大切だと言えますね。

医療

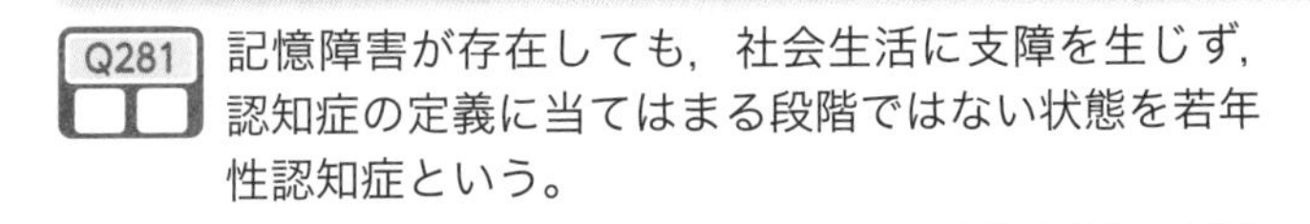

19 認知症

重要度 A

Q281

記憶障害が存在しても，社会生活に支障を生じず，認知症の定義に当てはまる段階ではない状態を若年性認知症という。

★Q282

レビー小体型認知症では，クローン病の病変にみられるレビー小体と呼ばれる物質が脳組織に出現する。

★Q283

認知症の症状は，中核症状と，最近ではBPSDともいわれる周辺症状に大別される。周辺症状は中核症状を背景に，環境や人間関係，本人の性格や心理状態，体調などが複雑に絡み合って二次的に生じる。

Q284

「身近な人に暴言を吐いたり，暴力をふるったりする」「実際にはないものが見える」などは，認知症の周辺症状にあたる。

Q285

慢性硬膜下血腫や正常圧水頭症，甲状腺機能低下症などに伴う認知症は，それぞれの原因疾患の治療をすることにより治ることが多いが，認知症の多くには効果的な根治療法がない。

Q286

認知症の進行を抑える薬として，アルツハイマー型認知症に用いる塩酸ドネペジル，メマンチン，ガランタミン，リバスチグミンがある。

★Q287

認知症高齢者は，新しいことを覚えるのが苦手であるが，昔のことは記憶にとどめている場合が多い。

Q288

生活上の不自由さは，認知症の初期においては，排泄，入浴，食事などのADL（日常生活動作）レベルでの障害が目立つ。

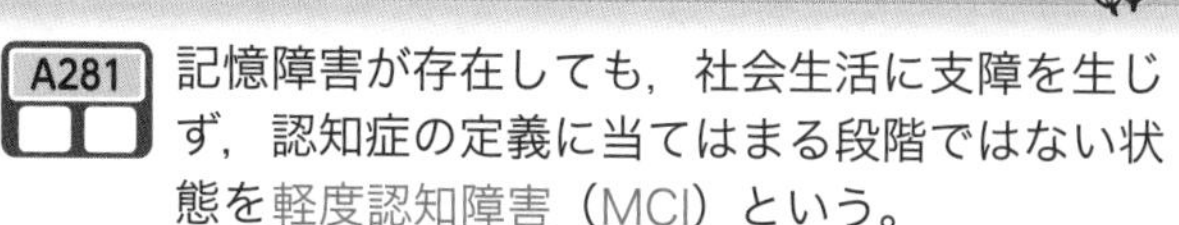

A281 記憶障害が存在しても，社会生活に支障を生じず，認知症の定義に当てはまる段階ではない状態を軽度認知障害（MCI）という。 ×

A282 レビー小体型認知症では，パーキンソン病の病変にみられるレビー小体と呼ばれる物質が脳組織に出現する。 

A283 認知症の中核症状は，脳の神経細胞が減少して生じる症状で，さまざまな原因による認知症に共通してみられる。記憶障害を中心に，見当識障害，実行機能障害などが発現する。 

A284 認知症の周辺症状である暴言・暴力，幻覚，妄想，抑うつ，せん妄，徘徊などは現れ方に個人差があり，ほとんどみられない場合もある。 

A285 認知症の多くには効果的な根治療法がないため，進行を遅らせたり，症状を軽減したりして，残された身体的・精神的機能をできるだけ長く維持することが治療の目標となる。 

A286 認知症の周辺症状を軽減するための薬としては，抗精神病薬や抗うつ剤などが症状に応じて処方される。 

A287 認知症高齢者は，昔のことは記憶にとどめている場合が多く，このような特徴を活用して，認知症高齢者には回想法がよく行われる。 

A288 認知症の初期においては，買い物，調理，金銭管理などのIADL（手段的日常生活動作）レベルでの障害が目立つ。 

医療

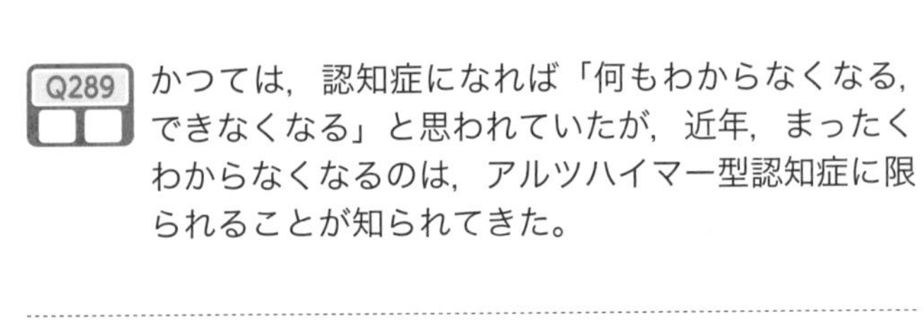

Q289 かつては，認知症になれば「何もわからなくなる，できなくなる」と思われていたが，近年，まったくわからなくなるのは，アルツハイマー型認知症に限られることが知られてきた。

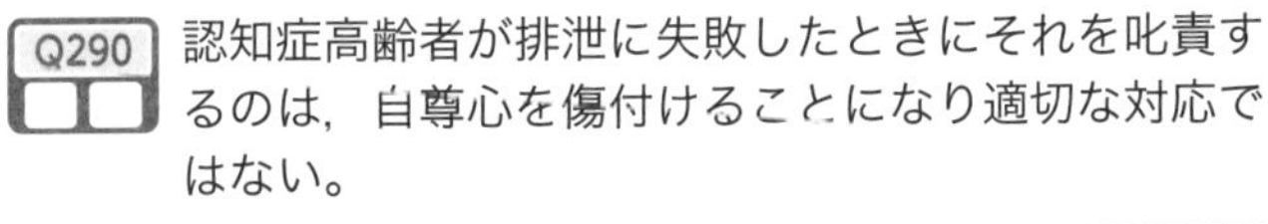

Q290 認知症高齢者が排泄に失敗したときにそれを叱責するのは，自尊心を傷付けることになり適切な対応ではない。

Q291 自宅にいる認知症高齢者が，「家に帰る」と言って家を探しに出て行こうとする場合は，お茶やお菓子に誘うなど，ほかに関心を向けて外出を思いとどまらせるような工夫も対応法の１つである。

Q292 認知症の予防や進行防止には，毎日の生活の中で知的刺激を与える環境が効果を発揮する。たとえば，季節や日時の見当識を刺激するためには，大きな文字の時計や日めくりカレンダー，季節の花や料理などを用意するとよい。

★ Q293 認知症に伴う周辺症状に対しては適切な対応をとらないと，症状を増悪させてしまうことがある。幻覚や妄想などから現実を取り違えているときは，その訴えを否定し，筋立てて話をして本人に納得させる。

★ Q294 認知症高齢者は環境の変化への適応性が低下しているが，たとえば，家具の配置を変えることは生活の活性化につながるため，積極的に活用するとよい。

Q295 住宅内には，危険を伴うものが少なくなく，危険を生じる可能性のあるものはすべて，認知症高齢者から遠ざけるべきである。

A289

近年，まったくわからなくなるのは，認知症が相当進行してからであることが知られてきた。患者の多くは，その人らしい感情を残しているため，その個性を尊重し，人間としての尊厳を支えることが大切である。

×

A290

排泄の失敗に対しては，排泄リズムを把握して，頃合いを見計らってトイレに誘導するなど，排泄しやすい状況・環境を整えるようにする。

○

A291

徘徊は，認知症高齢者にとっては目的のある行動であり，強制的に止めると興奮してしまう。事故が発生しないよう見守るなど，安全性に配慮して本人の欲求を充足するくふうが大切である。

○

A292

認知症予防やその進行防止において，大きな文字の時計や日めくりカレンダー，季節の花や料理などのほか，昔を思い出させるアルバムや写真，動物や子どもとの触れ合いも，心を安定させ表情を豊かにする効果がある。

○

A293

認知症患者が幻覚や妄想などから現実を取り違えているときは，その訴えを否定せずに，話を合わせて本人が安心・納得するようにする。

×

A294

認知症高齢者は環境の変化への適応性が低下しており，家具の配置を変えただけでも混乱することがある。したがって，できるだけ避けるようにするが，どうしても住環境を変える場合は，徐々に変更すると自立性が高まることもある。

×

A295

住宅内には，やけど，ガス漏れ，食中毒などの危険な状況の原因が多いが，すべてを遠ざけてしまえば生活内容は単調で刺激のないものとなるため，生活の活性化にも配慮が必要である。

20 パーキンソン病

★ Q296

小脳にある線条体は，神経伝達物質であるドパミンを使って体の動きをコントロールしている。パーキンソン病は，何らかの原因でドパミンが産生される大脳の黒質の神経細胞が死滅してドパミンの量が減り，体がスムーズに動かなくなる病気である。

★ Q297

パーキンソン病の代表的な症状を四徴というが，そのほかに自律神経障害や嚥下障害，うつ症状や認知障害などの精神症状がみられることもある。

Q298

パーキンソン病の代表的な症状である筋固縮では，1つの動きがゆっくりとなったり，まばたきの回数が減って表情が乏しくなる仮面様顔貌を示す。

Q299

パーキンソン病では，踵を地面から離さずに歩くすり足歩行，歩き出すとペースが速くなり止まらなくなる前方突進歩行などの歩行障害が現れる。

★ Q300

パーキンソン病における振戦は，両下肢から発症することが多く，その後，両上肢へと進むことが多い。

Q301

パーキンソン病の薬物療法では，脳の中に入ってドパミンに変化し，不足したドパミンを補充するL-DOPA（L-ドーパ〔レボドパ〕）と，線条体のドパミンを受け取る受容体に結合してドパミンのように働くドパミンアゴニストが使われる。

A296 ×

大脳にある線条体は，神経伝達物質であるドパミンを使って体の動きをコントロールしている。パーキンソン病は，何らかの原因でドパミンが産生される中脳の黒質の神経細胞が死滅してドパミンの量が減り，体がスムーズに動かなくなる病気である。

A297 ○

パーキンソン病の代表的な症状である四徴（しちょう）とは，振戦（しんせん）（震え），筋固縮（きんこしゅく）（筋肉がこわばる），無動・寡動（動きがゆっくりになる），姿勢反射障害・歩行障害（バランスを崩したときに姿勢を立て直せずに転びやすくなる・すくみ足，小刻み歩行など）である。

A298 ×

パーキンソン病の代表的な症状である無動・寡動では，動作が緩慢になって俊敏な動きができなくなり，１つの動きがゆっくりとなったり，まばたきの回数が減って表情が乏しくなる仮面（かめん）様顔貌（ようがんぼう）を示す。

A299 ○

パーキンソン病の歩行障害には，歩き始めの第一歩がなかなか踏み出せないすくみ足や，小さな歩幅で歩く小刻み歩行もある。

A300 ×

パーキンソン病における振戦は，片方の上肢から発症することが多く，その後，発症した側の下肢，反対側の上肢，下肢へと進むことが多い。

A301 ○

パーキンソン病の治療は，症状の軽減，運動機能の改善により日常生活を送りやすくするために行われるが，長期間の有効性を維持できない。

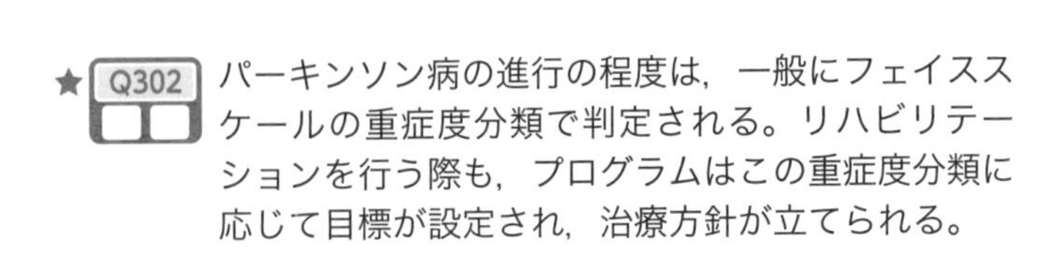

★ Q302

パーキンソン病の進行の程度は，一般にフェイススケールの重症度分類で判定される。リハビリテーションを行う際も，プログラムはこの重症度分類に応じて目標が設定され，治療方針が立てられる。

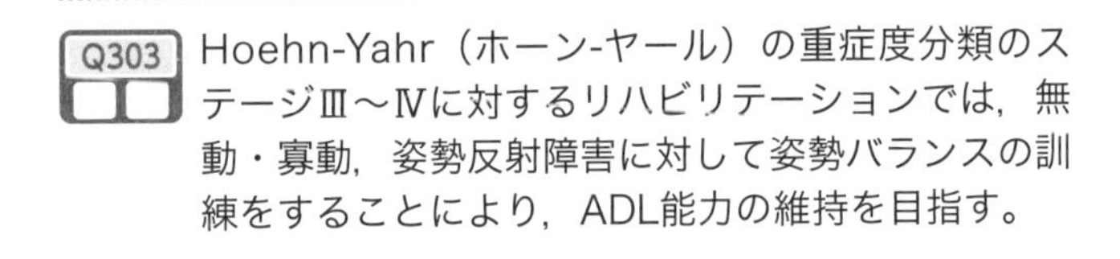

Q303

Hoehn-Yahr（ホーン-ヤール）の重症度分類のステージⅢ～Ⅳに対するリハビリテーションでは，無動・寡動，姿勢反射障害に対して姿勢バランスの訓練をすることにより，ADL能力の維持を目指す。

Q304

パーキンソン病は，症状の程度が変動する特性もあることから，介護の要・不要の判断は，その時々の状況をよく観察したうえで行う。

Q305

パーキンソン病では，体がスムーズに動かなくなることがある。そのため，介護者は本人のADLを的確に評価し，介護は必要最小限にとどめ，本人ができることは本人がするように，更衣や食事に時間がかかっても安易に手伝わず，待つ姿勢で見守ることが望ましい。

★ Q306

パーキンソン病は青年期に発症することが多いため，介護は長期にわたる。したがって，いかに介護者の心身の健康もまもりながら，長く共に生活を継続できるかが重要となる。

Q307

パーキンソン病のような進行性疾患の患者を在宅で支援するに当たっては，予後を見据えた福祉住環境整備ではなく，その時々の状態に合わせた福祉住環境整備が必要である。

A302 パーキンソン病の進行程度は，Hoehn-Yahr（ホーン-ヤール）の重症度分類により判定される。リハビリテーションのプログラムは，この重症度分類に応じて目標が定められ，治療方針を立てる際の参考にされている。

×

A303 歩行可能なステージⅠ～Ⅲでは，動作能力の維持・向上が目標となる。ステージⅤでは，関節拘縮や活動性の低下から生じる廃用症候群の予防や寝たきり防止が目標となるほか，嚥下障害への対応も重要である。

○

A304 パーキンソン病は，症状の程度が１日あるいは１週間のうちで変動する日内変動・週内変動という特性があるため，その時々の状況を観察し，介護の要・不要を判断する。

○

A305 パーキンソン病で注意が必要なのは，廃用症候群の予防であり，日常生活ではできるだけ体を動かすことが重要である。介護者は本人のADLを的確に評価し，介護は必要最小限にとどめ，待つ姿勢で見守るようにする。

○

A306 パーキンソン病が発症することが多いのは，中・高齢期である。介護者も高齢者の老老介護が多くなることから，いかに介護者の心身の健康もまもりながら，長く共に生活を継続できるかが重要となる。

×

A307 パーキンソン病のような進行性疾患の患者を在宅で支援するに当たっては，その時々の状態だけではなく，予後を見据えた福祉住環境整備が必要である。

×

Q308 パーキンソン病患者は，歩行，階段の昇降，ベッドやいすからの立ち上がりが遅くなったり，方向転換が困難で，つまずきや転倒が起こりやすい。また，字が小さく，書くのも遅くなったり，表情が乏しく，話すスピードも一定ではないため，他者とコミュニケーションが取りにくくなる。

Q309 パーキンソン病患者を在宅で支援する場合には，住居内で転倒しやすい場所に手すりを設置する必要はあるが，段差を解消するくふうまでは必要ない。

Q310 パーキンソン病患者を在宅で支援する場合には，浴室の照明は明るくし，必要な箇所に手すりを設置する。

★Q311 すくみ足への対処法としては，足の振り出しを促すため床に目印を付ける，介助バー付きのつえを用いるなどの方法がある。

A308 そのほかに，食事や更衣，排泄，入浴，整容などの動作が遅くなったり，公共交通機関を利用する際に，歩きながら定期券やICカードを準備する，複数の動作を同時に行いにくくなるなど日常生活や社会生活に影響を及ぼす。 ○

A309 小刻み歩行などの歩行障害により，わずかな段差でも転倒の危険につながるため，手すりの設置や段差の解消は基本となる。ただ，段差を解消できない場合は，床の色を変更，テープを貼るなどして区切りの目印を付けるとよい。 ×

A310 転倒防止のため，浴室の壁や浴槽に手すりを設置するほか，床には滑り止めマットなどを置く必要がある。 ○

A311 すくみ足の場合の足の振り出しを促すための目印としては，廊下や台所，部屋の出入り口などの床に20～30cm間隔でカラーテープを張るとよい。 

すくみ足現象が出そうな場合，その場で足踏みをして，頭の中だけでも「イチ，ニ」と号令をかけて振り出すようにすると，歩きやすくなります。

医療

重要ポイントまとめてCHECK!!

Point 12 認知症

認知症の中核症状と周辺症状

	症状	例
中核症状	記憶障害	物事を記憶するのが苦手になる。とくに新しいことを覚えることが困難になる。
	実行機能障害	今までできていた動作ができなくなったり，見落としたりする。計画を立てたり，手順を考えたりすることが難しくなる。
	判断力低下	自分が置かれた状況を的確に判断することや，筋道を立てて考えることができなくなる。
	抽象思考の低下	抽象的なことが考えられなくなる。
	見当識障害	現在の年月や時刻，どこにいるかなどがわからなくなる。
	失語	物の名前がわからなくなる。
	失行	動作を組み合わせて行う行動ができなくなる。
	失認	夫や妻など，知っているはずの人や物を認知できなくなる。
周辺症状	せん妄	意識が混乱した状態。
	妄想・幻覚	「物を盗られた」「家の中にだれかがいる」などという。
	不潔行為	トイレ以外の場所に放尿する，便をいじったり食べたりする。
	徘徊	どこへともなく歩き回る。
	異食	食べ物以外の物を食べる。
	抑うつ状態	意欲がない，以前は興味があった物に無関心になる。
	攻撃的言動・行為	ささいなことで暴言を吐いたり，暴力をふるったりする。
	焦燥	イライラして落ち着かない。
	外出して迷子	外出して家に帰る道がわからなくなる。
	多動・興奮	急に騒ぎだしたりする。
	不眠	夜眠れず，日中うとうとする。
	介護に対する抵抗	介護者が入浴に連れて行こうとするのを嫌がる。

Point 13 パーキンソン病

Hoehn-Yahr（ホーン-ヤール）の重症度分類

Hoehn-Yahr（ホーン-ヤール）の重症度分類は，パーキンソン病の症状を**5段階**（**ステージⅠ～Ⅴ**）に分類したものである。

Ⅰ

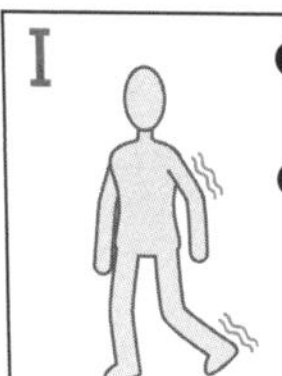

- 身体の片側にのみ障害
- 軽微な機能低下

Ⅱ

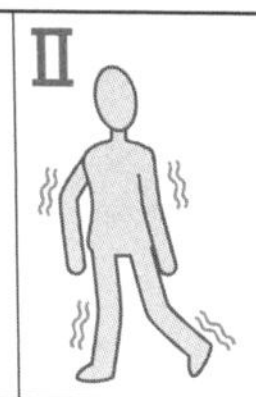

- 身体の両側に振戦など
- 姿勢の変化
- 日常生活がやや不便になる
- 平衡障害はない

Ⅲ

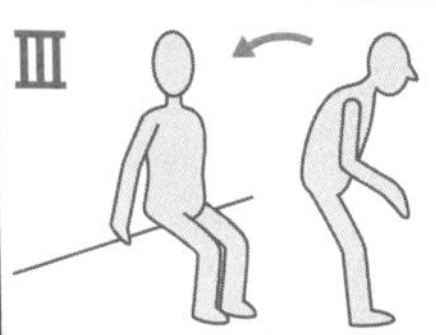

- 姿勢反射障害の初期徴候
- 身体機能は軽度から中等度に低下
- 仕事によっては労働可能
- 日常生活で介護を必要としない

Ⅳ

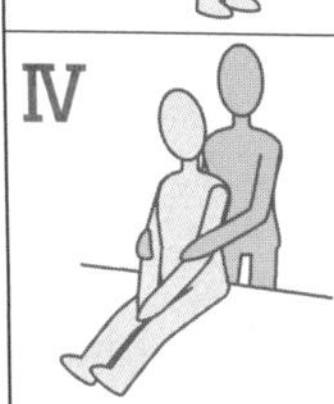

- 重症な機能障害
- 歩行や起立保持には介助を必要としない
- 一部の日常生活で介助を要する

Ⅴ

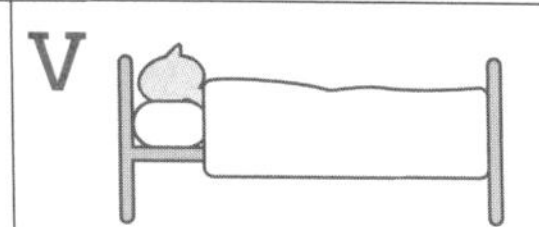

- 臥床状態となる
- 全面的な介助が必要

四徴

パーキンソン病の代表的な症状を**四徴**（しちょう）という。

四徴	振戦	・手足が**震える**，やがて口，舌，唇などにも出現する
	筋固縮	・筋肉が**こわばる**
	無動・寡動	・動作が**緩慢**になる ・表情が乏しくなる（**仮面様顔貌**）
	姿勢反射障害・歩行障害	・姿勢を保つのが困難になり，転びやすくなる ・**すくみ足**，**小刻み歩行**，**すり足歩行**，**前方突進歩行**など

21 心筋梗塞と廃用症候群

★ Q312
心筋梗塞とは，冠動脈が動脈硬化などにより内腔が狭くなって血栓を形成し，血流がとだえて心筋が酸素・栄養不足になって壊死する病気である。

Q313
心筋梗塞を発症すると，多くの場合，胸部に大きな石をのせられたような激痛が生じるが，その痛みは5分ほどで消失する。

Q314
心筋梗塞では，通常，血栓を溶かす薬をカテーテルで冠動脈に注入する治療や冠動脈を拡大する治療，あるいはバイパス手術が行われる。

★ Q315
心筋梗塞の治療後は，動脈硬化の進行を抑える働きのある青魚や，野菜を中心とした低コレステロール食を心がけることが大切である。

Q316
心筋梗塞の回復期リハビリテーションの運動療法では，運動強度が高ければ高いほど，効果の度合いも増すことがわかっているので，できるだけ運動強度は高く設定する必要がある。退院して自宅に戻ってからも筋トレなどを毎日行うようにする。

Q317
心臓に負担とならないよう，入浴では，湯の温度をあまり熱くせず，湯につかる時間も長くなりすぎないよう注意が必要である。

Q318
心筋梗塞患者の福祉住環境整備では，高い棚やかがみ込まなければならない低い扉など，無理な姿勢を強いる構造は避けるようにする。トイレは，排便姿勢が楽な洋式とする。

A312 心筋梗塞と同じ虚血性心疾患である狭心症は，血流の減少・とだえが一時的で，心筋が壊死にまで至らない場合をいう。 ○

A313 心筋梗塞による胸部の激痛は，30分以上続く。重症になると，ショック状態に陥ることもある。 ×

A314 カテーテルにより冠動脈を拡大する治療には，バルーン療法とステント療法がある。バイパス手術は，胃や胸，腕にある動脈を用いて，狭窄部を越えて大動脈と冠動脈をつなぐバイパス（う回路）を作成し，血液の新しい通り道をつくる手術である。 ○

A315 心筋梗塞の治療後は，再発防止のための薬物療法を行うとともに，低コレステロール食をとり，ややきつめの運動を毎日の生活で行う。 ○

A316 運動療法では，運動強度が高すぎると危険性が増す。また，低すぎるとリハビリテーションの効果が望めないため，適度な運動強度を設定する必要がある。自宅では，心臓に負担がかからない程度のややきつめの運動を毎日行う。 ×

A317 入浴で，浴槽に肩までつかり苦しくなったら，みぞおちまでとする。洗髪時に頭を下げる姿勢が苦しければ，家族が手伝うようにする。 ○

A318 心筋梗塞患者の福祉住環境整備では，脱衣所，浴室，トイレなどでの温度変化への配慮や，階段昇降などによる心臓への負担に注意することも重要である。 ○

Q319 廃用症候群は，長期にわたる臥床，ギプスによる固定，全身や体の一部を使わないなどの状態が続いたときに現れる病的な症状や病気である。

★ Q320 廃用症候群にはさまざまな症状がある。たとえば，骨への負荷が大きくなると，骨量が減少して骨粗鬆症となり，筋肉も萎縮により筋力・耐久性が低下する廃用性筋萎縮が現れる。

Q321 廃用症候群では，適切な肢位・姿勢および体位変換が関節拘縮や褥瘡の改善・予防につながる。体位変換とは，臥床時の姿勢などの位置を変えることをいう。

Q322 廃用症候群による関節拘縮の予防には，関節可動域訓練が効果的である。全身状態が安定していれば，早期からの座位訓練，寝返り・起き上がり訓練が，廃用性筋萎縮や関節拘縮の予防に有効である。

★ Q323 廃用症候群による心身機能の低下の回復には長い期間が必要で，回復が困難な場合もある。したがって，廃用症候群を未然に防ぐことが重要であり，片麻痺などの一次障害が生じた後には，無理な離床は避け，安静を続けることが必要となる。

Q324 廃用症候群の人の福祉住環境整備では，本人の心身機能のわずかな変化にも対応できるように環境調整をくふうすることが重要である。

Q325 廃用症候群では，精神機能にも影響が現れやすくなる。ベッド上で臥床状態にあるとき，耳や目からの刺激は感覚を混乱させ，うつ傾向などを促進する要因となるため，外的刺激は最小限にとどめる。

A319 廃用症候群は，二次的障害として心身の機能に現れる病的な症状や病気である。 ○

A320 骨粗鬆症は，骨への負荷が少なくなることで骨量が減少し，骨質が脆弱化した状態をいい，骨の変形や骨折の原因となる。 

A321 自力で寝返りを打てない人に対しては，リハビリ目的や褥瘡予防のために，介助者の支援により体位変換を行う。 

A322 なお，廃用症候群による起立性低血圧の予防には，特殊寝台やリクライニング式車いすを利用して座位訓練を繰り返すことが効果的である。また，骨粗鬆症の予防には薬物療法が確実な効果を現すほか，運動療法・食事療法・日光浴の３つが重要となる。 ○

A323 廃用症候群を未然に防ぐためには，片麻痺などの一次障害が生じた後には，早期の離床や歩行，ADLの自立，生活全般の活性化が必要となる。 

A324 廃用症候群の人の福祉住環境整備では，本人の居室は，家族の集まりやすいリビングの近くにするなど，家族内での孤立や社会的孤立を深めないように配慮する。 

A325 脳への刺激が減少すると，精神活動性の低下やうつ傾向などの機能的変化を生じることがある。ベッド上で臥床状態であっても，耳や目からさまざまな刺激が入るようにする。 

22 糖尿病と骨折

Q326 2016（平成28）年の国民健康・栄養調査によると，糖尿病が強く疑われる人は約500万人，糖尿病の可能性が否定できない人は約1,000万人と推定されている。

★ Q327 糖尿病には大きく１型と２型があるが，日本人の場合，全糖尿病の約95％を占めるのが１型である。これは，膵臓からインスリンが分泌されるものの，必要量よりも少なかったり，分泌のタイミングが遅れたり，あるいはインスリンの作用が不十分なことにより生じるタイプである。

★ Q328 糖尿病の初期には自覚症状はほとんどないが，高血糖状態が続くと，口渇や多飲，多尿，体重減少といった症状が現れ，この状態がさらに何年間も続くと，３大合併症などさまざまな合併症が生じる。

Q329 糖尿病自体により痛みや機能障害が生じることはないが，血糖コントロールが悪いと糖尿病腎症を合併することがある。

★ Q330 糖尿病では，薬の内服やインスリン注射をしている場合，激しい運動により低血糖となることがある。そのため，専門医や理学療法士に相談して，運動種目や回数，時間を決めて行う必要がある。

Q331 糖尿病網膜症では直接目に入る光に敏感になるため，部屋全体を明るくすることは避け，局所照明を用いて明るさを確保する。

A326 2016（平成28）年の国民健康・栄養調査によると，糖尿病が強く疑われる人と，糖尿病の可能性が否定できない人はそれぞれ約1,000万人で，合わせて約2,000万人と推定されている。

×

A327 糖尿病には，膵臓（すいぞう）の細胞が破壊されて機能を失い，インスリンの分泌量が絶対的に不足する1型糖尿病と，インスリンの分泌量が必要量よりも少なかったり，分泌のタイミングが遅れたり，作用が不十分なことなどにより生じる2型糖尿病とがある。日本人に多いのは2型糖尿病で全糖尿病患者の約95％を占めている。

×

A328 眼の網膜の血管が障害され視力が低下する糖尿病網膜症，手足の感覚麻痺など感覚神経障害，インポテンツなどの自律神経障害，筋力低下などを招く運動神経障害といった体性神経系の障害が生じる糖尿病神経障害，腎臓の機能が低下する糖尿病腎症を３大合併症という。

○

A329 合併症である糖尿病腎症が進行すると腎不全となり，ついには，週３回程度の人工透析が不可欠となる。

○

A330 なお，糖尿病のリハビリテーションの運動療法には，全身の筋肉を動かす運動をする，毎日同じ運動をする，食後１～２時間後に行う，という３つの原則がある。

○

A331 糖尿病の合併症による視力障害で物が見えにくくなった場合は，照明器具によって部屋全体を明るくするとともに，局所照明を使用して常に明るさを確保することが大切である。

×

★ Q332 □□ 糖尿病神経障害の場合，部屋全体ではなく，電気ストーブや電気あんかなどの局所暖房で直接手足を温めるのがよい。温冷を感じにくくなることがあるため，局所暖房のほうが効果的である。

★ Q333 □□ 高齢になると，平衡感覚や筋力，視力や聴力などが低下したり，関節可動域が制限されたりするため，転倒しやすくなり，骨折を招くことが多い。

Q334 □□ 開放骨折では，骨折部周辺の皮膚や血管，神経，筋肉，臓器などに合併損傷を起こしやすく，ときには骨髄から脂肪の塊が血管内に入り込んで脳や肺の血管を詰まらせる脂肪塞栓など重篤な合併症を生じることもある。

Q335 □□ 高齢者に生じやすい骨折のうち，大腿骨近位部骨折は，軽い尻もちをついたときなどに生じる骨折である。また，上腕骨外科頸骨折は，転んで肘をついたときに起こる腕の付け根の骨折である。

Q336 □□ 骨折の整復には，骨折部を引っ張ったり押したりして整復する牽引療法と，手や足を引っ張って整復しながら固定の目的をかなえる徒手整復がある。

Q337 □□ 高齢者は転倒しやすく，骨折を招くことが多い。高齢者が転倒を起こす背景として視力の低下がある。白内障による視力低下や目の暗順応が低下している場合は，居室からトイレまでの動線に足もと灯を設置するなどの環境整備が必要である。

★ Q338 □□ 骨折を防ぐには，転倒予防が重要で，高齢者の多くは布団よりもベッドの生活が望ましい。介助が必要な歩行レベルの高齢者や認知症高齢者には，ベッド脇にポータブルトイレを設置して移動距離を短くし，転倒のリスクを小さくするくふうも必要となる。

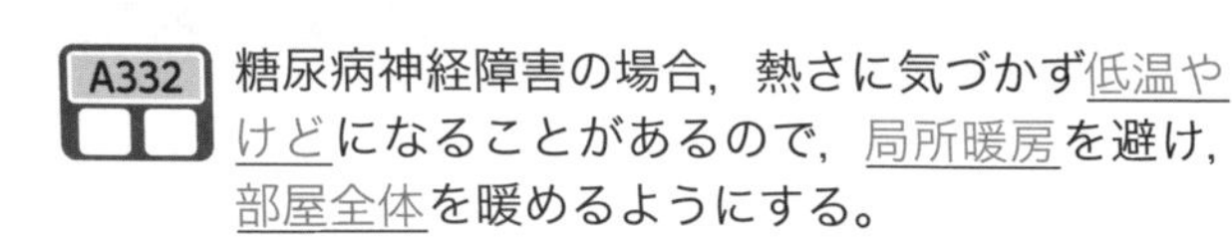

A332 糖尿病神経障害の場合，熱さに気づかず低温やけどになることがあるので，局所暖房を避け，部屋全体を暖めるようにする。

A333 高齢者のなかでも，とくに骨粗鬆症を発症していたり，認知症を併発している場合は，転倒などにより骨折しやすいため，十分な注意が必要となる。

A334 症状による骨折の分類には，骨折部の皮膚に損傷がない皮下骨折（単純骨折）と，骨折端が皮膚を破って空気に触れる開放骨折（複雑骨折）がある。開放骨折では感染の危険性が高くなり，骨髄炎などを合併しやすい。

A335 高齢者に生じやすい大腿骨近位部骨折（だいたいこつ）は，転んで膝をつき，太ももをひねったり，打ちつけたときに生じる骨折。軽い尻もちをついたときなどに生じる骨折は，脊椎椎体圧迫骨折（せきついついたい）である。

A336 骨折部を引っ張ったり押したりして整復する徒手整復と，手や足を引っ張って整復しながら固定の目的をかなえる牽引療法がある。

A337 高齢者の転倒予防では，体の重心の上下方向への移動が大きい床からの立ち上がり動作や，浴槽への出入りなど片足立ちが必要な動作を行う場所には，手すりやつかまりやすい台の設置などを検討する。

A338 また，福祉住環境整備のアセスメントでは，座布団のかど，じゅうたんのめくれ，電気製品のコードに加え，暗さやまぶしさ，寒さなど転倒の原因となるものがないか，日常生活を詳細にチェックし，アドバイスすることも重要となる。

重要ポイント まとめて CHECK!!

Point 14 糖尿病によって起こる合併症

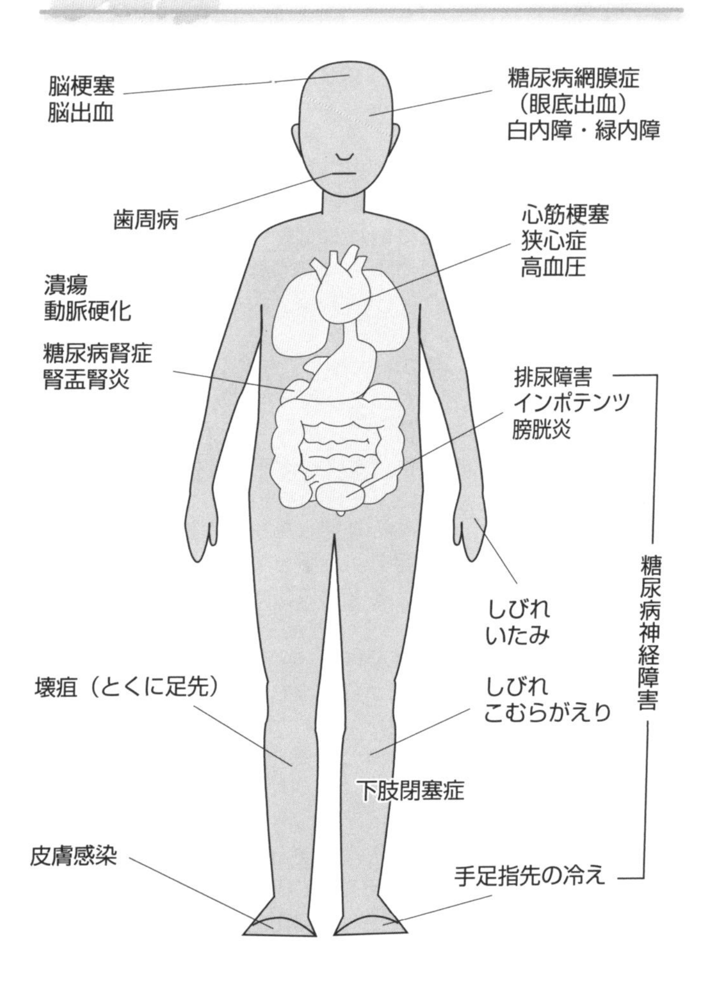

Point 15 高齢者に生じやすい骨折

脊椎椎体圧迫骨折
尻もちなどで脊椎の椎体に起こる。

上腕骨外科頸骨折
転んで肘をついたとき，腕の付け根に起こる。

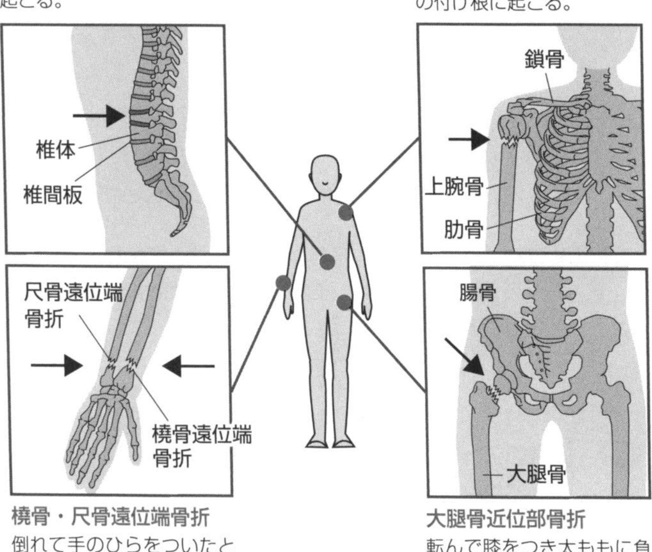

橈骨・尺骨遠位端骨折
倒れて手のひらをついたとき，手首に起こる。

大腿骨近位部骨折
転んで膝をつき太ももに負担がかかって起こる。

得点UPのカギ 骨折の原因・病状・折れ方の分類

原因	**外傷性骨折**	外部からの強い力が加わったときに生じる
原因	**病的骨折**	**骨粗鬆症**やがんなどの病変により骨がもろくなり，小さな外力でも生じる
原因	**疲労骨折**	同じ動作を繰り返すことにより，少しずつ骨にひびが入った結果生じる
病状	閉鎖骨折（**単純骨折**）	骨折部の皮膚に傷口がない
病状	開放骨折（**複雑骨折**）	骨折端が空気に触れる
折れ方	**完全骨折**	骨の連続性が完全に断たれる骨折
折れ方	**不全骨折**	一部に連続性が保たれる骨折

23 肢体不自由（1）

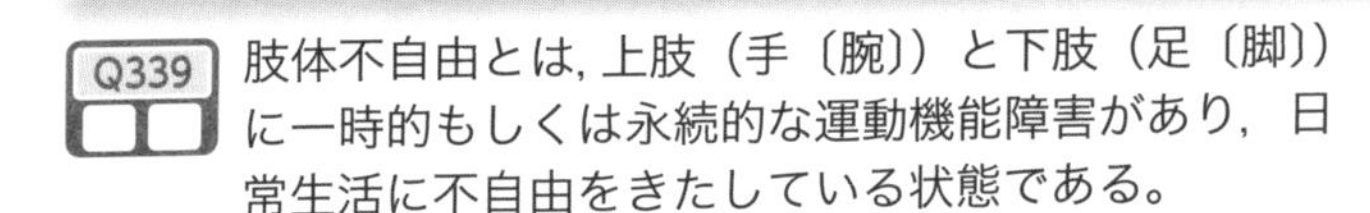

Q339 肢体不自由とは，上肢（手〔腕〕）と下肢（足〔脚〕）に一時的もしくは永続的な運動機能障害があり，日常生活に不自由をきたしている状態である。

Q340 脳や脊髄などの自律神経が障害されると，上肢，下肢，体幹に永続的な運動機能障害が生じ，日常生活に不自由をきたす肢体不自由を招くことがある。

Q341 脊髄小脳変性症，筋萎縮性側索硬化症（ALS），筋ジストロフィーは，運動機能が進行的に障害される進行性疾患である。

★ Q342 筋ジストロフィーは遺伝形式などによりさまざまな病型に分類される。わが国では，主に男児に発症するデュシェンヌ型筋ジストロフィーが最も多い。

★ Q343 デュシェンヌ型筋ジストロフィーは，小学校入学前後になると，立ち上がり時に登攀性起立で上体を起こすようになる。また，中学校入学以降は，室内の温度や湿度などへの配慮がとくに必要となる。

Q344 デュシェンヌ型筋ジストロフィーの場合，下肢能力の低下はあっても車いすがまだ必要ない時期の住環境整備では，便器座面を高くして立ち上がりやすくしたり，床に手をついて立ち上がることもあるので便器前方にスペースを確保したりする。

★ Q345 脊髄小脳変性症は，小脳から脊髄にかけて変性，萎縮し，下肢の動きがぎこちなくなる運動失調が生じる病気の総称である。症状は下肢のみに現れる。

A339 肢体不自由とは，上肢（手〔腕〕），下肢（足〔脚〕），体幹（手・足・頭以外の体の部分）に永続的な運動機能障害があり，日常生活に不自由をきたしている状態である。 ×

A340 脳や脊髄などの中枢神経が障害されると，肢体不自由となる場合が多くみられる。  ×

A341 進行性疾患とは，疾患を原因とする肢体不自由のなかでも，脊髄小脳変性症や筋萎縮性側索硬化症（ALS），筋ジストロフィーなど，運動機能が徐々に障害される疾患である。  ○

A342 筋ジストロフィーは，筋肉細胞が壊れ，筋萎縮や筋力低下が進行する遺伝性疾患で，男児に多いデュシェンヌ型は１～３歳頃に発病する。 ○

A343 小学校入学前後には動揺性歩行が現れ，歩行が不安定になる。立ち上がり時に登攀性起立で上体を起こすようになるのは，小学校低学年から中学年頃にかけてである。 ×

A344 なお，下肢能力の低下はあっても車いすがまだ必要ない場合，入浴時の浴槽への出入りは，移乗台かバスボードに腰かけさせてから行うと安全である。 ○

A345 脊髄小脳変性症は，四肢の動きがぎこちなくなるなどの運動失調を主な症状とする病気の総称で，両下肢・体幹の運動失調による歩行中のふらつきで始まる。 ×

Q346 わが国における脊髄小脳変性症の患者の内訳は，遺伝性のものが約40%を占めている。

Q347 脊髄小脳変性症では，移動の能力が日常生活を規定することが多いため，移動能力を中心として重症度分類が用いられる。

★Q348 脊髄小脳変性症の代表的な症状は運動失調であるが，そのほかに発症後２～５年の間に固縮・無動やリウマトイド結節などのパーキンソン病のような症状が加わることが多い。

Q349 筋萎縮性側索硬化症（ALS）は筋肉が萎縮していく病気で，上半身の筋肉が痩せ，上肢や手指の力がなくなる，うまく話せない，むせやすいなどの症状が現れる。一方，下肢の筋肉に萎縮は生じず，歩行機能は保持される。

Q350 ALSで必ず生じる症状に嚥下障害がある。飲み込む力がある場合は，飲み込みやすく，むせにくい食べ物をとるように配慮する。

Q351 進行の中期にあるALS患者は，座位保持が困難になり，ベッド上での生活が長くなるので，特殊寝台の導入を検討する。

★Q352 進行の後期にあるALS患者は，排泄機能が失われるため失禁への配慮が必要となる。また，人工呼吸器を装着した場合，会話が難しくなるため，家族を呼んだり，照明器具やテレビの電源を入れたり切ったりする装置として携帯用会話補助装置の導入も検討する。

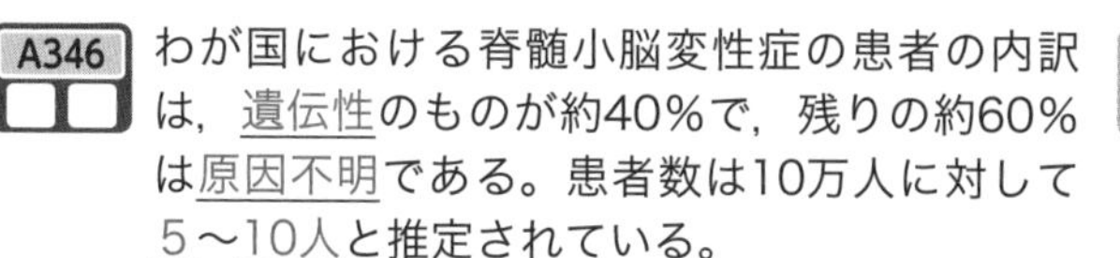

A346 わが国における脊髄小脳変性症の患者の内訳は，遺伝性のものが約40％で，残りの約60％は原因不明である。患者数は10万人に対して5～10人と推定されている。 ○

A347 脊髄小脳変性症の重症度分類は，stageⅠ（歩行自立期），stageⅡ（伝い歩き期），stageⅢ（手膝這い・座位でのずり移動期〔車いす期〕），stageⅣ（移動不能期）となっている。 ○

A348 リウマトイド結節の症状が加わるのは関節リウマチである。脊髄小脳変性症では，運動失調のほか，固縮・無動などのパーキンソン病のような症状が加わることが多い。 ×

A349 筋萎縮性側索硬化症（ALS）では全身の筋肉が痩せ，手指や足の力がなくなる，うまく話せない，むせやすい，物がうまく飲み込めないなどの症状が現れる。進行の後期には，ベッド上での生活が長くなる。 ×

A350 なお，経口摂取が困難になった場合には，経管栄養からの栄養摂取が必要となる。 ○

A351 座位保持が困難になるのは，進行の後期である。進行の後期には，ベッド上での介護も多くなるので，介護しやすいハイアンドロー（高さ調節）機能付き特殊寝台の導入を検討する。 ×

A352 進行の後期にあるALS患者は，排泄をベッドや車いすの上で行うが，排泄機能は失われておらず失禁はない。また，家族を呼んだり，照明器具やテレビの電源を入れたり切ったりする装置とは環境制御装置である。 ×

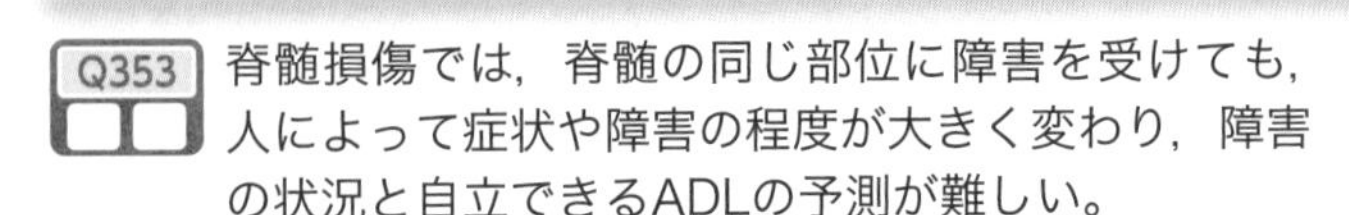

24 肢体不自由（2）

Q353 脊髄損傷では，脊髄の同じ部位に障害を受けても，人によって症状や障害の程度が大きく変わり，障害の状況と自立できるADLの予測が難しい。

★Q354 脊髄損傷では，運動機能，知覚機能，自律神経が障害を受け麻痺などが起こる。

Q355 脊髄損傷の麻痺のレベルは，正常に働く一番下の髄節の名前で呼ぶ。

Q356 圧迫骨折や粉砕骨折などの比較的安定した骨折が原因で脊髄損傷が起きた場合は，通常，8～12週間コルセットで脊椎を固定する治療が行われる。

★Q357 脊髄損傷レベルがC_1～C_3の場合，プッシュアップが可能でありADLは一部介助～ほぼ自立程度である。

★Q358 高位頸髄損傷（C_4・C_5髄節が残存）では，ベッドから車いす，浴槽への出入りなどの自立した移乗動作が困難となる。

Q359 脊髄損傷による感覚障害では，入浴時に熱湯がかかっても気づかず，やけどする場合がある。温度調節機能付き給湯器の設置など配慮が必要である。

Q360 脊髄損傷者の多くは，正常な便意と排便コントロール機能を失って，便秘になりやすい。全身性エリテマトーデスの発生に注意しながら，坐薬や浣腸などを使って便習慣を確立する。

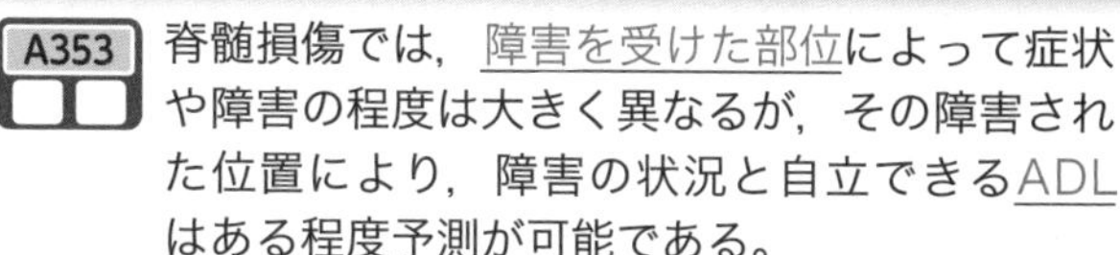

A353 脊髄損傷では，障害を受けた部位によって症状や障害の程度は大きく異なるが，その障害された位置により，障害の状況と自立できるADLはある程度予測が可能である。 ×

A354 脊髄損傷とは，何らかの原因で脊髄が傷ついた状態をいい，運動機能，知覚機能，自律神経が障害を受け麻痺などが起こる。 ○

A355 たとえば，第５頸髄の機能までが正常であれば，第５頸髄損傷（C_5レベルの脊髄損傷）となる。 ○

A356 脊椎の圧迫骨折や粉砕骨折など比較的安定した骨折の場合に，コルセットを使った治療が行われる。 ○

A357 設問の記述は脊髄損傷レベルがC_7の場合である。C_1～C_3の場合は呼吸障害のほか，上肢，下肢，体幹に麻痺を生じADLは全介助となる。 ×

A358 高位頸髄損傷（C_4・C_5髄節が残存）の場合，プッシュアップができず，自立した移乗動作が困難となるため，天井走行式リフトや床走行式リフトなどの福祉用具の導入を検討する。 ○

A359 温度調節機能付き給湯器，サーモスタット付き水栓金具，体に湯が直接かからないような水栓金具の設置など配慮が必要である。 ○

A360 脊髄損傷者の多くは，正常な便意と排便コントロール機能を失い便秘になりやすい。イレウス（腸閉塞）の発生に注意しながら，緩下剤，坐薬や浣腸などを使って便習慣を確立する。 ×

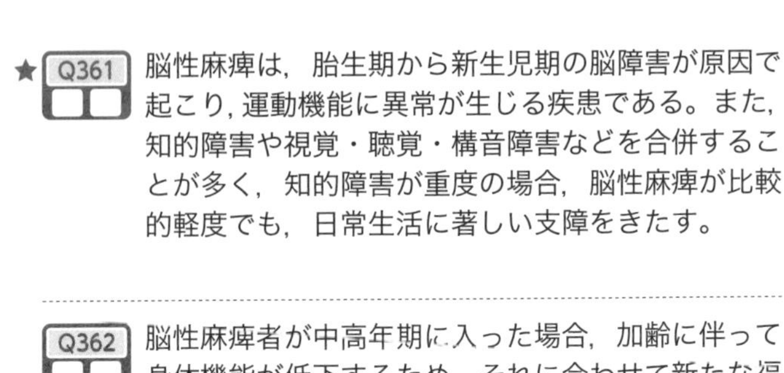

★ Q361 脳性麻痺は，胎生期から新生児期の脳障害が原因で起こり，運動機能に異常が生じる疾患である。また，知的障害や視覚・聴覚・構音障害などを合併することが多く，知的障害が重度の場合，脳性麻痺が比較的軽度でも，日常生活に著しい支障をきたす。

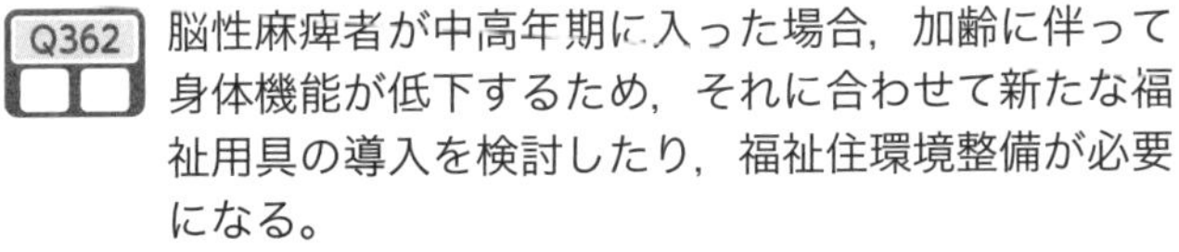

Q362 脳性麻痺者が中高年期に入った場合，加齢に伴って身体機能が低下するため，それに合わせて新たな福祉用具の導入を検討したり，福祉住環境整備が必要になる。

Q363 脳性麻痺では，住環境に対する依存度が低く，日常生活上の自立度や介助負担の大きさが住環境によって決定される場合は少ない。

★ Q364 上肢切断には糖尿病や動脈硬化症などの末梢循環障害による切断が多く，下肢切断は交通事故や業務上の事故などの外傷性が大半である。

Q365 上肢切断の場合，本人の生活や仕事を考慮してそれぞれに応じた義肢を使用する。一側のみの切断（片側上肢切断）であれば，健側上肢で代償できるため，福祉住環境整備の必要性は低い。

Q366 股関節離断は下肢切断のなかでは最も高い位置での切断で，股義足を装着することが一般的である。体力の低下した高齢者や女性の歩行では，松葉づえなどの使用が欠かせない。

Q367 サイム切断は足首での切断であり，足部切断は足の一部が切断された状態である。サイム切断では，義足を脱いで室内を歩行することが可能である。

A361 脳性麻痺の運動障害には，筋肉が硬く突っ張って手足が動かない痙直(けいちょく)型，体を動かそうとすると自分の意思とは無関係に手足や首が動いてしまう不随意運動型（アテトーゼ型〔ジスキネティック型〕脳性麻痺），フラフラした状態になる失調型などがある。 ○

A362 脳性麻痺者が中高年期に入ると，加齢に伴って身体機能が低下するため，つえや車いすなどの福祉用具が必要になることがあり，その導入に合わせた福祉住環境整備を行う。 ○

A363 脳性麻痺では，住環境に対する依存度が高く，日常生活上の自立度や介助負担の大きさが住環境によって決定される場合も多い。 ×

A364 上肢切断は交通事故や業務上の事故など外傷性によるものが多く，指切断が全体の82%を占めている。下肢切断は糖尿病や動脈硬化症など末梢循環障害による切断が60%以上を占めている。 ×

A365 なお，片側上肢切断では福祉住環境整備の必要性は低いが，健側上肢で使いやすいよう，日常生活で使う建具や備品などの左右の交換が必要になる場合がある。 ○

A366 片側股関節離断で，両松葉づえや車いすで室内を移動する場合は，出入り口や廊下幅員は車いすが通れる有効幅員を確保し，車いすが走行しやすい表面の堅い床材への変更，段差の解消などの福祉住環境整備が必要である。 ○

A367 サイム切断や足部切断では，居室などにはクッション性のあるカーペットなどを用い足部への衝撃を和らげる，浴室には手すりや滑りにくい床材を用いるなどのくふうが必要である。 ○

重要ポイントまとめてCHECK!!

Point 16 脊髄と脊椎の構造

●脊髄の構造

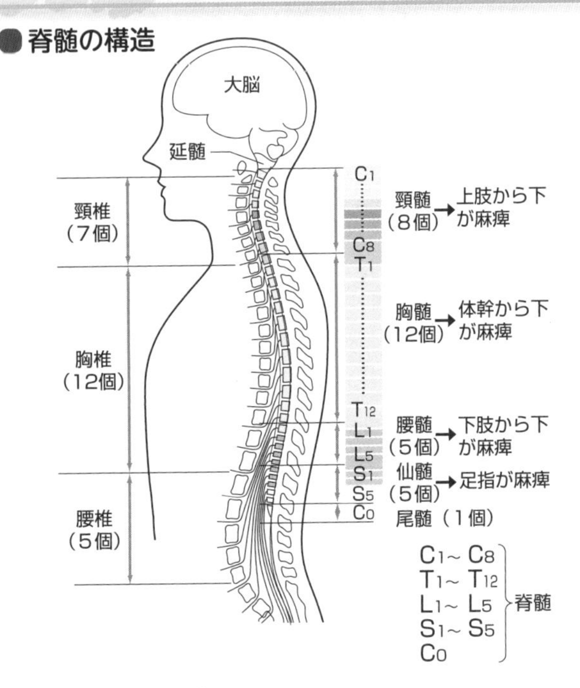

●上から見た脊椎

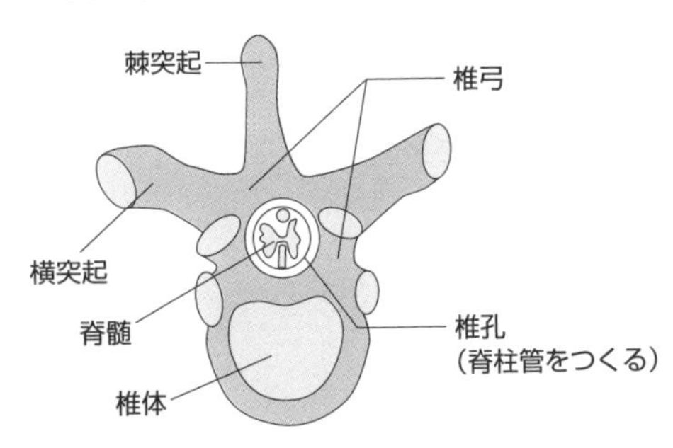

Point 17 脊髄損傷レベル

	損傷レベル	ADL	必要な自助具・福祉用具等
頸髄	C_1-C_3	・全介助 ・呼吸，唇，舌，顎の動きを利用したスイッチ操作が可能	・人工呼吸器 ・環境制御装置 ・特殊な電動車いす ・特殊寝台
	C_4	・全介助 ・頭に付けた棒や口に棒をくわえての動作が可能	・環境制御装置　・特殊寝台 ・特殊な電動車いす ・ヘッドポインター
	C_5	・手を用いた動作以外のほとんどが要介助 ・スプリント（上肢装具）付きの自助具で食事や整容などが可能	・環境制御装置 ・ハンドリムにくふうした車いす ・電動車いす ・特殊寝台　・リフト ・スプリント付きの自助具
	C_6	・中等度～一部介助 ・ベッド柵やロープなどを用いての寝返り，自助具を用いての食事などが可能	・特殊寝台　・リフト ・ハンドリムにくふうした車いす ・電動車いす（屋外用） ・自助具 ・バスボード
	C_7	・一部介助～ほぼ自立 ・起き上がりや寝返りが可能	・車いす　・バスボード ・入浴用自助具
	C_8-T_1	・車いすでのADLが自立	・車いす　・入浴用自助具
胸髄	T_2-T_6	・簡単な家事動作が自立	・車いす
	T_7-L_2	・家事，仕事，スポーツが可能	・車いす
腰髄	L_3-L_4	・すべて自立	・短下肢装具　・つえ
仙髄	L_5-S_3	・すべて自立	――――

※ 損傷レベルとADLは完全損傷の場合。

損傷レベルと可動域

- **頸髄損傷**（C_1-C_8）…C_1-C_3では**上肢・下肢・体幹**のすべてが麻痺。C_6では**プッシュアップ**がごくわずか可能。C_7では**プッシュアップ**が可能。
- **胸髄損傷**（T_1-T_{12}）…両上肢は完全に正常である。
- **腰髄損傷**（L_1-L_5）…両上肢・体幹筋が正常でADL能力は高い。

25 内部障害

★ Q368 内部障害とは，「身体障害者福祉法」に決められた身体障害のうち，「心臓機能障害」「腎臓機能障害」「呼吸器機能障害」「膀胱・直腸機能障害」「小腸機能障害」「ヒト免疫不全ウイルスによる免疫機能障害」の６つの障害の総称である。

Q369 心臓機能障害とは，先天性の心臓病があり，それに運動不足や肥満，喫煙，ストレス，偏った食生活などの生活習慣や加齢が加わったことがきっかけとなり，心臓の機能が低下した状態をいう。

Q370 心臓機能障害者が無理のない日常生活を送るためには，ADLに必要な酸素消費量を知ることが大切である。

★ Q371 換気機能，通気性の維持・気道の浄化機能，肺胞ガス交換機能という，呼吸器が持つ生命維持に重要な３つの機能のうち，いずれかに障害を生じたものが呼吸器機能障害である。

★ Q372 1985（昭和60）年に在宅人工呼吸療法（HMV）が医療保険適用となり，多くの慢性呼吸不全の患者が病院から在宅へと生活の場を移すことが可能になった。

Q373 入浴では，浴槽に入ると心臓に強い負担がかかるように感じるが，実際は，経皮的酸素飽和度（SpO_2）は洗体や洗髪で低下する。

Q374 腎臓機能障害をもたらす疾患には，急性腎炎など腎臓そのものに異常があって生じるものと，糖尿病や痛風，膠原病（こうげんびょう）などの全身性疾患とがある。

A368

内部障害とは，設問の記述に「肝臓機能障害」を加えた7つの障害の総称である。身体障害者手帳を所持する内部障害者は124.1万人である（厚生労働省「平成28年生活のしづらさなどに関する調査」）。

×

A369

心臓機能障害とは，心臓の機能が虚血性心疾患や弁膜症，心筋症などの疾患により低下した状態をいう。先天性の心臓病の場合を除き，運動不足や喫煙，肥満などの生活習慣や加齢による機能低下が要因となって発症することが多い。

×

A370

心臓機能障害者のADLに必要な酸素消費量を知り，活動制限を考慮した福祉住環境整備を行うことが重要である。

○

A371

わが国の呼吸器機能障害の特徴として，従来は，基礎疾患に肺結核後遺症が多かったが，今後は肺結核後遺症が減少し，慢性閉塞性肺疾患（COPD）が主体を占めると予想されている。

○

A372

1985（昭和60）年に在宅酸素療法（HOT）が医療保険適用となり，多くの慢性呼吸不全の患者が病院から在宅へと生活の場を移すことが可能になった。

×

A373

入浴では，各動作を呼吸を整えながらゆっくり行い，必要に応じて介助を受ける。不安が強ければ，シャワー浴や半身浴にする。

○

A374

透析患者の原疾患の半数近くが糖尿病性腎症である。

○

★ Q375 腎臓疾患は糸球体濾過値を指標に診断される。糸球体濾過値が正常値の40%以下になった状態が慢性腎不全である。

Q376 透析療法とは機能の低下した腎臓の代わりに，体内の余分な水分や塩分，老廃物などの排泄を人工的に行うことをいい，血液透析と腹膜透析に大別される。血液透析は，通常，週に3回医療機関に通い，1回に4～5時間程度の透析を受ける。

★ Q377 腎臓機能障害患者が使用する連続携行式腹膜透析（CAPD）における透析液バッグの交換は，感染の危険を避けるため，清潔な場所で行う。

★ Q378 膀胱・直腸機能障害で，直腸切除や膀胱摘出の手術を受け排泄が困難になると，空腸瘻が造設される。造設後は，排泄物を受けるパウチの装着部位に炎症が起こらないよう，皮膚の清潔に留意する。

★ Q379 経鼻経管栄養を行う際には，栄養物を入れるスピードや量に配慮したり，仰臥位の姿勢を保持したりして誤嚥性肺炎や逆流性食道炎を起こさないようにすることが大切である。

Q380 通常，ヒト免疫不全ウイルス（HIV）に感染すると，すぐに免疫不全状態に陥り，カリニ肺炎などの合併症を伴うようになる。

Q381 肝臓機能障害を引き起こす主な疾患に，B型・C型ウイルス性肝炎がある。B型・C型肝炎ウイルスは唾液を介して感染するので，唾液が付着する可能性がある物品の共用は避けるようにする。

A375 糸球体濾過値(しきゅうたいろかち)が正常値の30%以下になった状態が慢性腎不全である。さらに10%以下になると尿毒症と診断される。 ×

A376 血液透析は，体外の透析器に血液を通過させ，老廃物などを除去した後に体内に戻す体外循環治療。腹膜透析は，軟らかなカテーテルを腹腔内に留置し，透析液を腹腔内に出し入れすることにより透析を行う方法である。 ○

A377 CAPDにおける透析液バッグの交換は，透析液バッグとカテーテルの接続部分が外気に触れるため，清潔な場所の確保などが必要となる。 ○

A378 直腸切除や膀胱摘出の手術を受け排泄が困難になると，ストーマが造設される。造設後は，パウチの装着部位に炎症が起こらないよう，皮膚の清潔を保つことが重要となる。 ×

A379 経鼻経管栄養を行う際には，栄養物を入れるスピードや量に配慮するとともに，誤嚥性肺炎や逆流性食道炎を起こさないように半座位の姿勢を保持できるようにする。 ×

A380 多くの場合，ヒト免疫不全ウイルス（HIV）に感染しても，症状が現れないまま数年から十数年が経過する。この潜伏期を過ぎると免疫不全状態が生じ，カリニ肺炎などの日和見感染症や，悪性腫瘍などの合併症を伴うようになる。 ×

A381 B型・C型肝炎ウイルスは血液を介して感染する。そのため，歯ブラシやかみそりといった，血液が付着する可能性がある物品の共用は避けるようにする。 ×

26 視覚障害

★ Q382

眼球から入った外界の映像情報は，水晶体に映し出されて電気信号に変換されたのち，視神経を通って小脳の視覚中枢に伝えられ，連合野を介して情報処理が行われて視覚情報として認識される。

Q383

虹彩は黒目の中心の黒い部分で，光を通す窓の役割をしている。

Q384

角膜は網膜まで光を通す透明な膜で，光を屈折するフィルターの役目を果たし，眼球を保護している。角膜から入った光が網膜の手前で結像する場合は近視となる。

★ Q385

「身体障害者福祉法」では視覚障害を「両眼に眼鏡を装用して視力測定を行い，0.05～0.3未満をロービジョン」と定義している。

Q386

厚生労働省の「平成28年生活のしづらさなどに関する調査」によると，身体障害者手帳を所持する視覚障害者はおよそ100万人である。

Q387

暗点は，上下，左右方向でレンズの屈折力が異なるために，どこにもきちんと像を結ぶことができず，すべてがぼやけて見える状態である。

Q388

半盲とは視野の半分が欠ける状態をいい，同名半盲と異名半盲がある。

A382 眼球から入った外界の映像情報は網膜に映し出され，電気信号に変換されたのち視神経を通って大脳後頭葉の視覚中枢に伝えられ，連合野を介して情報処理が行われて視覚情報として認識される。 ×

A383 虹彩は黒目の中の茶色の輪の部分である。絞りの役割をし，光線をカットしている。黒目の中心の黒い部分は瞳孔であり，光を通す窓となっている。 ×

A384 角膜から入った光は水晶体を通り網膜上で結像するが，網膜よりも奥で焦点が合うと遠視になる。 ○

A385 設問の記述はWHOによる視覚障害の定義である。この定義に視野障害は含まれていないが，「身体障害者福祉法」では視覚障害認定基準として，視力障害と視野障害の２つの機能レベルで重症度を分類している。 ×

A386 厚生労働省の「平成28年生活のしづらさなどに関する調査」によると，身体障害者手帳を所持する視覚障害者は31.2万人である。 ×

A387 上下，左右方向でレンズの屈折力に差がある場合は，どこにもきちんと像を結ぶことができず，すべてがぼやけて見える乱視となる。 ×

A388 同名半盲は，両眼の同じ側の視野が欠損する状態をいい，異名半盲は，両眼の耳側半分あるいは鼻側半分の視野が欠損する状態をいう。 ○

★ Q389 □□ 視野の広さが狭くなることを狭窄といい，視野が周辺から中心に向かって狭くなる場合を不規則狭窄という。

Q390 □□ 人は３種類の錐体細胞の関与により色を感じることができるが，すべての錐体細胞が障害されると色が全くわからなくなる。

Q391 □□ 夜盲とは，光覚（明暗）や暗順応が弱くなったりして，暗い所で物を見ようとしてもよく見えない状態をいう。

★ Q392 □□ 緑内障は，視神経が障害され，視野が狭くなる病気で，眼圧の下降が原因の１つとされている。

Q393 □□ 糖尿病網膜症では，高血糖が続くことにより，網膜の毛細血管の壁が変性し，閉塞したり破れたりすることで，視力低下が起こる。

Q394 □□ 最近，日常生活において視覚的に障害者が困難を感じると，医療と並行して福祉サービスを行うロービジョンケアが注目されている。

★ Q395 □□ 多くの視覚障害者が，普通の光をまぶしく感じる羞明を訴える。羞明では，遮光眼鏡を用い，まぶしさを軽減することで, 物体の輪郭がくっきりと見える。

Q396 □□ 視覚障害者はコントラストの感度が低く，戸と把手の色が似ていると把手の位置がわかりにくい。この場合，色対比を活用して，戸と把手の色を変えることで把手の位置がわかりやすくなる。

Q397 □□ 視覚障害があると段差に気づかずに転倒する危険性が高いため，段差を解消することが望ましい。それが困難な場合はスロープ化などのくふうをする。

A389 狭窄（きょうさく）のうち，視野周辺から中心に向かって狭窄する場合を求心狭窄，不規則に狭くなる場合を不規則狭窄という。 ×

A390 錐体細胞には青錐体，緑錐体，赤錐体の３種類がある。先天性色覚障害はこの錐体細胞のどれかもしくはすべてが障害されることで起こる。 ○

A391 網膜色素変性症の多くは夜盲から始まり，進行して視野狭窄が生じ，さらに視力低下や色覚障害が現れ，失明に至ることもある。 ○

A392 緑内障は，眼圧の上昇が原因の１つとされている。放置すると視神経の障害範囲が広がり，視野がほとんど欠けて失明することもある。 ×

A393 糖尿病網膜症では物がかすんで見えたり，視野にごみのようなものがちらついたりする。 ○

A394 ロービジョンケアとは，従来の医療に加え，補助具などのさまざまなアイデアを駆使し，視覚障害者の生活という視点からQOLを高めることをいう。 ○

A395 羞明（しゅうめい）に対し，屋内では，眼に直接照明が入らないよう間接照明にしたり，西日をさえぎるカーテンやブラインドを取り付けたりする。 ○

A396 コントラストの感度が低い視覚障害者の住環境整備では，色対比を活用するなどのくふうが大切である。鍵の位置や鍵穴も，色のコントラストを考慮して整備するとよい。 ○

A397 段差解消やスロープ化が困難な場合には，色対比を活用して色テープを張るなど，段差の存在がわかるようなくふうが必要である。 ○

27 聴覚言語障害

★ Q398

聴覚の働きは，加齢に伴い徐々に低下するため，高齢期になってからは多くの人が聞こえに不自由を感じるようになる。加齢性難聴の特徴の１つは，低い音域の聴力から徐々に低下することである。

Q399

厚生労働省の「平成28年生活のしづらさなどに関する調査」によると，身体障害者手帳を所持する聴覚障害者は，65歳以上（年齢不詳を含む）が23.7万人，65歳未満が６万人である。なお，聴覚障害は伝音難聴と感音難聴に大別されるが，高齢者に多いのは感音系の障害による難聴である。

★ Q400

感音難聴の原因となる代表的な疾患には，加齢性難聴，騒音性難聴，音響性難聴，突発性難聴のほか，めまいや耳鳴り，難聴を伴う発作を繰り返すメニエール病などがある。

★ Q401

伝音難聴の場合は，音の聞こえにくさに加えて音のゆがみがあるため，補聴器で音を大きくしても，言葉をはっきりと聞き取れないことが多い。

Q402

音声が小さい場合や聞き取りやすい音声の大きさを超えた場合，話す速度が速い場合，周囲の雑音が多い場合，残響時間が長い場合などは，語音明瞭度は低下する。

Q403

補聴器が適応外となる，内耳障害による重度の難聴の場合は，人工内耳植込術を受け，人工内耳を装用することもある。

A398 ×
加齢性難聴の特徴は，高い音域の聴力から徐々に低下することと，音の聞こえ低下よりもむしろ言葉が聞き取りにくくなることである。

A399 ○
聴覚障害は，耳介から蝸牛までの機構に障害がある伝音難聴と，蝸牛から大脳までの経路に障害がある感音難聴に大別される。両者にまたがるものは混合難聴と呼ばれる。感音難聴は，内耳から聴覚中枢までの老化による機能低下や内耳炎などの障害が原因で起こる。

A400 ○
なお，伝音難聴の原因となる代表的な疾患には，ウイルスや細菌が中耳に感染して炎症を起こした中耳炎がある。そのほか，耳硬化症や外耳道閉鎖症などでも起こる。

A401 ×
設問の記述は感音難聴についてである。感音難聴では，補聴器装用が困難な場合もある。伝音難聴は比較的語音明瞭度がよく，音を大きくすれば聞き取れるため補聴器による効果が高い。

A402 ○
語音明瞭度とは，言葉を聞き取る能力のこと。音の大きさを変えて最も多く聞き取れた時の語音明瞭度を，最高語音明瞭度という。

A403 ○
補聴器が適応外の内耳障害による重度難聴では，人工内耳植込術を受け，人工内耳を装用することもある。その場合は，人工内耳植込術後に調整（マッピング）と聞き取り訓練を行う。

Q404 聴覚障害者とのコミュニケーションでは，音声という聴覚的手段だけでなく，読話や筆談などの視覚的手段が積極的に活用される。

★ Q405 聴覚障害者の住環境整備では，屋内の音響特性への配慮として，外から音が入りやすく，室内の音（床面をスリッパで歩く音やドアが閉まる音など）がよく聞こえるよう，遮音性の高い壁や窓，吸音性の高い壁や床などは避けるようにする。

Q406 言語中枢（言語野）は，右利き左利きにかかわらず，ほとんどの人は大脳の左半球にある。

★ Q407 言語障害は，障害のタイプや障害を受けた部位により，失語症，構音障害，音声障害などに分けられる。構音障害と音声障害では言語理解は正常であるが，失語症では人の話が理解できないことがある。

Q408 喚語困難では，「おかあたん（おかあさん），おばあしゃん（おばあちゃん）」のように，ある発音を別の発音に置き換えたり，「ツ」がチュ，キュ，クのようになったりする音のゆがみが生じる。

Q409 介護者は，言語障害者がリラックスしてコミュニケーションがとりやすくなるよう配慮する。たとえば，言語障害者の言葉を先取りし，すべてを言い終える前に察して不十分な言葉を補完するとよい。

★ Q410 言語障害によるコミュニケーションの困難を軽減するために，互いの言葉が聞き取りやすい静かな落ち着いた環境を整えることが必要である。また，言語障害の症状に合わせて，コミュニケーションノートやカード，文字盤などの代替手段を利用する。

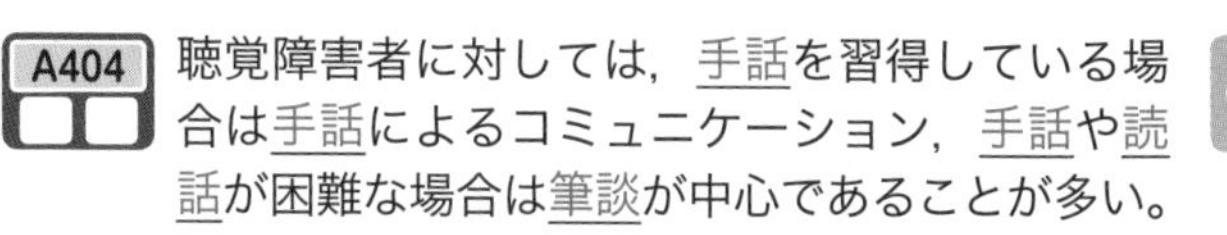

A404 聴覚障害者に対しては，手話を習得している場合は手話によるコミュニケーション，手話や読話が困難な場合は筆談が中心であることが多い。 ○

A405 聴覚障害者が目的の音や言葉を聞き取れるよう，生活空間における音響特性は，雑音の少ない，必要以上に反響しない，衝撃音が出ない，といった配慮が必要である。具体的には，外からの騒音を防ぐ遮音性の高い壁や窓，吸音性の高い壁や床などを設置する。 ×

A406 言語中枢（言語野）は，右利きの人のほとんどは大脳の左半球にあるが，左利きの人の場合には左半球にある人も右半球にある人もいる。 ×

A407 大脳言語野の障害で生じる失語症では，言葉を組み立てて話すことが困難な場合や，聞いて理解することが困難な場合がある。構音障害（発声発語器官に障害）と音声障害（声帯に障害）の場合は，言語理解は正常である。 ○

A408 設問の記述のように，ある発音を別の発音に置き換えたり，音のゆがみが生じるのは，構音障害である。 ×

A409 介護者は，言語障害者の言葉を先取りしてしまわずに，相手が言葉を言い終えるまで待つようにすることが大切である。 ×

A410 筆談を利用する場合は，筆談用の道具を常に身近な場所に用意しておく。書字のためにパソコンなどを利用することもある。 ○

重要ポイント まとめて CHECK!!

Point 18 聴覚の仕組み

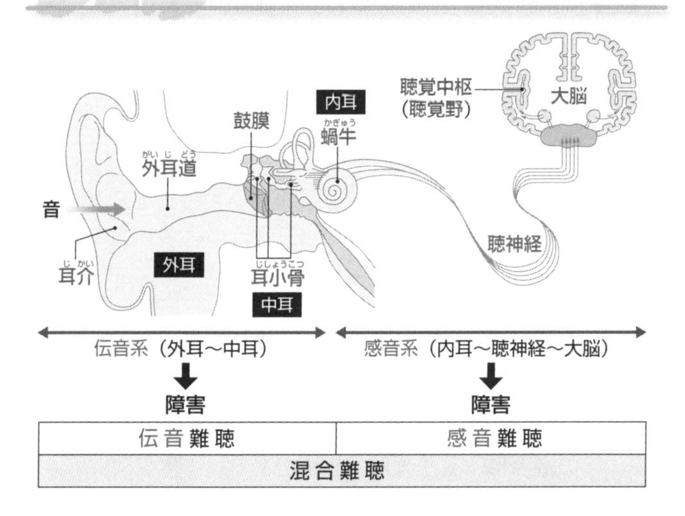

伝音難聴	感音難聴
混合難聴	

Point 19 難聴の種類

種類	主な原因	聞こえ方	
伝音難聴	外耳道閉鎖症，中耳炎	音	音が小さく聞こえる。大きな音は聞こえる。
		言葉	大きくすれば聞き取れる。
感音難聴	内耳から聴覚中枢までの機能低下	音	音がゆがんで聞こえる。
		言葉	はっきり聞き取れない。
混合難聴	慢性中耳炎と内耳の障害が合併	音	小さな音は聞き取れない。音がゆがんで聞こえる。
		言葉	大きくすると聞こえやすくなるが，はっきりと聞き取れないこともある。

Point20 眼の構造

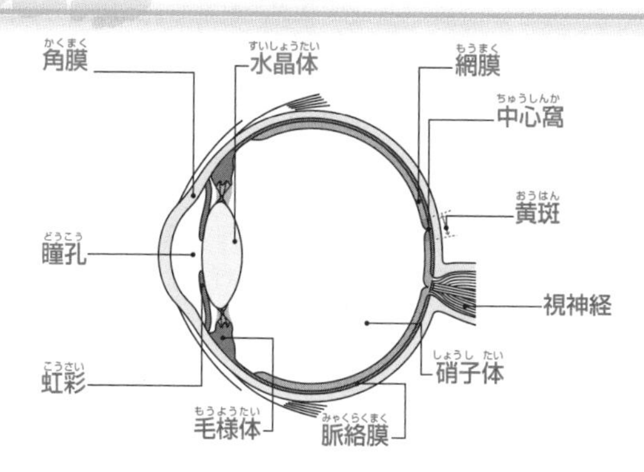

Point21 話すことの仕組み

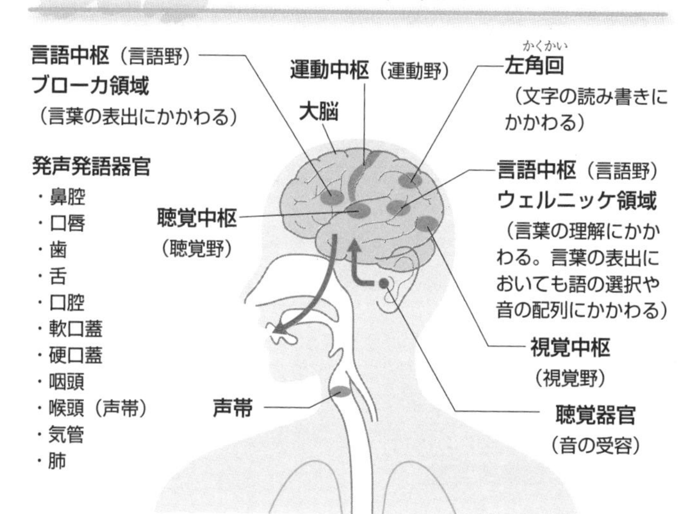

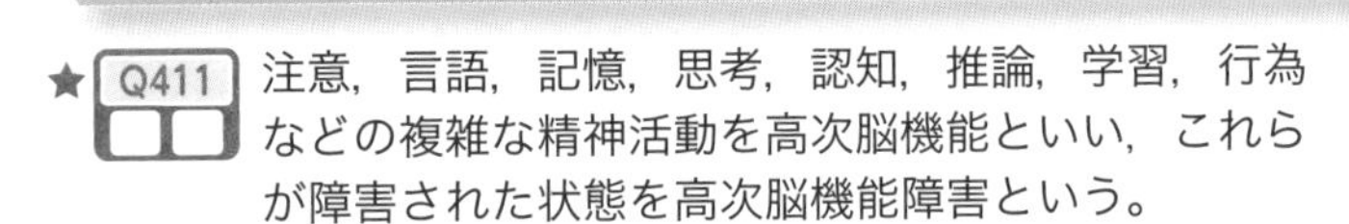

28 認知・行動障害（1）

重要度 B

★ Q411 注意，言語，記憶，思考，認知，推論，学習，行為などの複雑な精神活動を高次脳機能といい，これらが障害された状態を高次脳機能障害という。

Q412 高次脳機能障害は周囲からすぐにわかる障害であり，本人の障害への認識も高いことから，家族は心理的に孤立しがちであり，介護による精神的な負担も大きい。

★ Q413 高次脳機能障害の症状は，自宅など慣れた場所や決まりきったことをする場面で現れやすく，新しい場所や慣れない作業をするときは現れにくくなるなど，環境や状況によって症状の現れ方が異なる。

Q414 高次脳機能障害の症状である半側空間無視では，脳損傷と反対側の空間に意識がいかなくなる。左右のどちらの側にも，ほぼ同程度の割合でみられる。

Q415 高次脳機能障害のリハビリテーションでは，注意や記憶障害を改善するための訓練や，代償手段を獲得するための訓練を行う。

Q416 高次脳機能障害では，注意力の低下や，安全への配慮ができにくいなどから転倒の危険性が高い。床の段差解消，階段や浴室の手すりの設置など転倒防止に配慮する。

Q417 高次脳機能障害では，使い慣れた道具が上手に使えなくなったり，誤った使い方をする失認が起こりやすいため，家具や器具はできるだけ少なくし，簡単に使えるものにするなどの配慮が必要である。

A411 高次脳機能障害は，脳血管障害や外傷性脳損傷，低酸素脳症，脳炎，脳腫瘍などが原因で脳が損傷を受けることによって起こる。 ○

A412 高次脳機能障害は周囲からわかりにくい障害で，本人の障害への認識も低いことから，家族は心理的に孤立しがちで，介護による精神的負担も大きい。適切な対応ができなくなり，さらに本人の状態が悪化するという悪循環になる。 ×

A413 高次脳機能障害の症状は，自宅など慣れた場所や決まりきったことをする場面で現れにくく，新しい場所や慣れない作業をするとき，疲れているときは現れやすくなる。 ×

A414 半側空間無視は，脳損傷の反対側の空間に意識がいかなくなる状態で，左右どちら側にもみられるが，左半側空間無視が圧倒的に多い。 ×

A415 高次脳機能障害の症状が重い場合，リハビリテーションでは，本人に適した環境調整を行い，それにより生活困難を減少させるアプローチが中心となる。 ○

A416 高次脳機能障害で，興奮時の暴力行為などの危険性が高い場合には，本人の目につく場所や手の届く範囲に刃物や花瓶，灰皿など投げたら危険なものは置かないなどの対策も必要である。 ○

A417 高次脳機能障害では，使い慣れた道具が上手に使えなくなったり，誤った使い方をする失行が起こりやすい。家具や器具は少なくし，簡単に使えるものに変えるなどの配慮をする。 ×

Q418 自閉症は，以前は親の育て方に問題があるといわれていたが，近年は脳の機能障害ととらえられている。

Q419 自閉症の人とのコミュニケーションは，写真やイラストなどを用いた視覚情報中心の方法よりも，聴覚情報中心の方法（言語指示のみ）のほうが有用である場合が多い。

★ **Q420** 自閉症の人は，新しい環境への順応性が高く，環境変化を好むという特性がある。環境整備では，室内の模様替えや家具の配置換えなどを頻回に行い，住環境に変化をもたらすことが望ましい。

★ **Q421** 注意欠陥多動性障害の基本的な特徴は，①多動性，②衝動性，③不注意である。多動性や衝動性は成長とともに減少してくるが，不注意は思春期や成人期まで続くことがある。

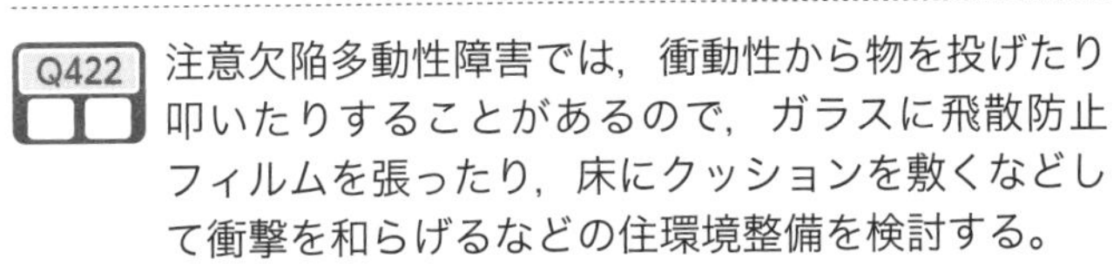

Q422 注意欠陥多動性障害では，衝動性から物を投げたり叩いたりすることがあるので，ガラスに飛散防止フィルムを張ったり，床にクッションを敷くなどして衝撃を和らげるなどの住環境整備を検討する。

★ **Q423** 学習障害では，聞く，話す，読む，書く，計算するまたは推論する能力のすべてについて習得と使用に著しい困難が生じる。

★ **Q424** 学習障害では，運動動作の困難さはとくにみられない。また，新しい環境に興味を抱く傾向があるため，急な模様替えや家具の配置換えに対しても適応が早く，混乱することがない。

A418 自閉症は，社会性の能力の障害，コミュニケーション能力の障害，想像力の障害とそれに伴う行動の障害という３つの障害を特徴とする。 ○

A419 自閉症の人とのコミュニケーションは，聴覚情報中心の方法（言語指示のみ）よりも，写真やイラストなどを用いた視覚情報によるもののほうが有用である場合が多い。 ×

A420 自閉症の人は，以前の状況へのこだわりが強いため，住環境の変化への対応が難しい。室内の模様替えや家具の配置換えなどは，本人の様子をみながら，慎重に行う必要がある。 ×

A421 注意欠陥多動性障害は，その基本的な特徴の出方の強さにより，多動性－衝動性優勢型，不注意優勢型，両方をあわせもつ混合型の３タイプに分類される。また，学習障害を合併させることが多い。 ○

A422 注意欠陥多動性障害の人の住環境整備では，多動性や不注意により家具や装飾品にぶつかることが多いため，壊れやすい物を片付ける，つまずきや転倒の原因となるため，不要な物は床の上に置かないなどの配慮が必要である。 ○

A423 学習障害では，基本的に知能的な遅れはないが，聞く，話す，読む，書く，計算するまたは推論する能力のうち特定のものの習得と使用に著しい困難が生じる。 ×

A424 学習障害では，手先の不器用さやバランスの悪さといった運動動作の困難さがみられる。また，急な模様替えや家具などの配置換えは混乱を招くことがあるため，慎重に行う必要がある。 ×

29 認知・行動障害（2）

重要度 B

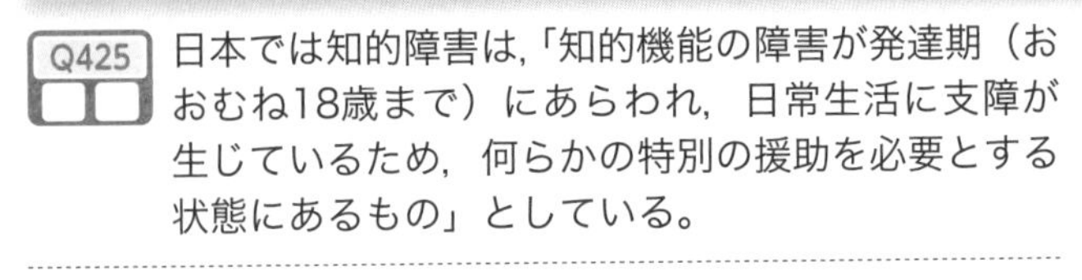
Q425 日本では知的障害は,「知的機能の障害が発達期（おおむね18歳まで）にあらわれ，日常生活に支障が生じているため，何らかの特別の援助を必要とする状態にあるもの」としている。

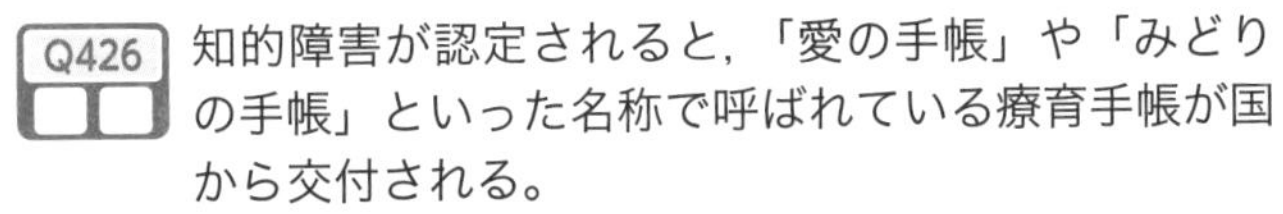
Q426 知的障害が認定されると，「愛の手帳」や「みどりの手帳」といった名称で呼ばれている療育手帳が国から交付される。

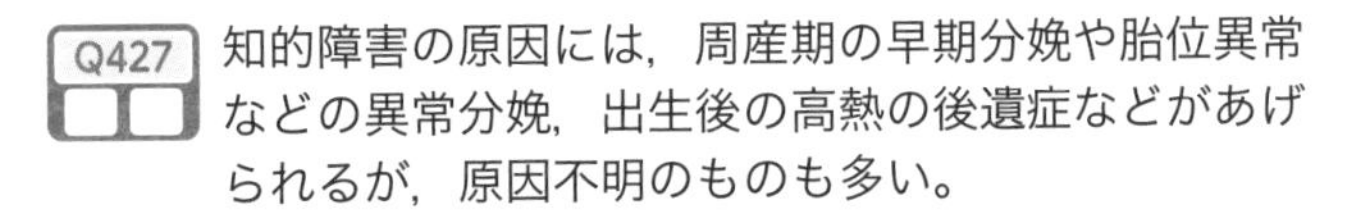
Q427 知的障害の原因には，周産期の早期分娩や胎位異常などの異常分娩，出生後の高熱の後遺症などがあげられるが，原因不明のものも多い。

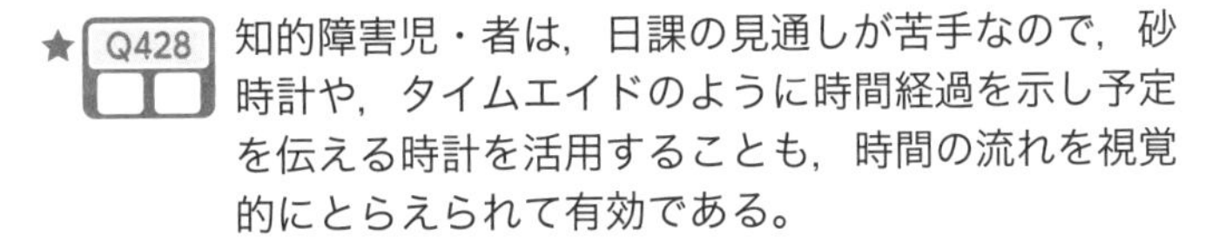
★ Q428 知的障害児・者は，日課の見通しが苦手なので，砂時計や，タイムエイドのように時間経過を示し予定を伝える時計を活用することも，時間の流れを視覚的にとらえられて有効である。

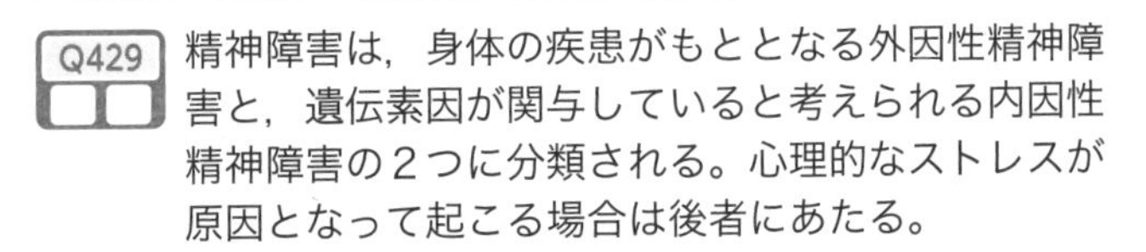
Q429 精神障害は，身体の疾患がもととなる外因性精神障害と，遺伝素因が関与していると考えられる内因性精神障害の２つに分類される。心理的なストレスが原因となって起こる場合は後者にあたる。

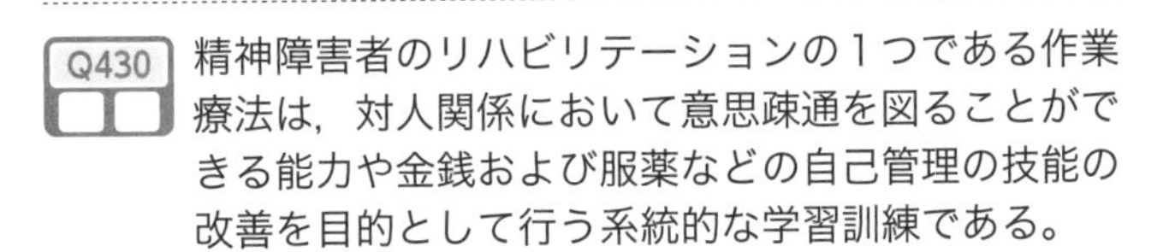
Q430 精神障害者のリハビリテーションの１つである作業療法は，対人関係において意思疎通を図ることができる能力や金銭および服薬などの自己管理の技能の改善を目的として行う系統的な学習訓練である。

★ Q431 精神障害者は，高齢者や身体障害者と比べて，特別な住宅設計や住宅改修などの特定目的の福祉住環境整備を必要としないことが多い。

A425 知的障害には，知的機能が明らかに平均より低い状態（おおむね知能指数〔IQ〕70以下）である，適応技能に問題がある，18歳以前に発症している，という３つの特徴がある。 ○

A426 わが国では知的障害が認定されると，愛の手帳などの名称で呼ばれている療育手帳が自治体から交付され，各種料金の免除などが受けられる。 ×

A427 知的障害の原因には設問の記述のほかに，染色体異常，先天性代謝異常，出産前後の感染症などもある。 ○

A428 知的障害児・者は，繰り返し学習することによって，できるようになることが多いので，単に介助するのではなく，自分で行動を始めるきっかけをつくる援助が有効である。 ○

A429 精神障害は，身体の疾患が原因で脳の機能が障害され起こる外因性精神障害，遺伝素因が関与して脳の機能が障害されているとされる内因性精神障害，心理的なストレスが原因となって生じる心因性精神障害の３つに分類される。 ×

A430 ソーシャルスキルズ・トレーニング（SST：生活技能訓練）は，対人関係において意思疎通を図ることができる能力や金銭および服薬などの自己管理の技能の改善を目的として行う系統的な学習訓練である。 ×

A431 なお，幻聴がある精神障害者の場合は音に敏感になりやすく，症状の安定を図るためには，静かで落ち着いた環境の確保が求められる。 ○

重要ポイント まとめて CHECK!!

Point 22 知的障害の程度による分類

知能の段階	知的レベル	自立の程度
軽度	小学校６年生程度	ADLは自立している。 新しい仕事や文化的な習慣などの習得には十分な訓練，練習が必要。
中度	小学校２年生程度	社会的慣習の認識は困難。運動機能の発達の遅れやADLの自立が不十分なことが多いので，日常生活や社会的生活で，かなりの援助が必要。 適切な支援・指導者があれば，地域での生活や単純な仕事は可能。
重度	小学校低学年の勉強で困難をきたす，言語能力が極めて限定される	小児期では会話が困難。 介助なしで自立的に日常生活を送ることは不可能。 長期間の練習・訓練によって，できるようになる行為も増える。
最重度	問いかけの言葉をほとんど理解できず，言語がほとんどない	合併症（てんかん発作，運動障害，神経症状など）や寝たきりが多い。 ほとんど動けないか，動けてもわずかで，生命の維持に介助を要する。

得点UPのカギ　知的障害の３つの特徴

①知的機能が明らかに平均よりも低い（おおむねIQ［知能指数］70以下）
②意思伝達や自己管理などの適応技能に問題がある
③18歳以前に発症している

建築編

福祉住環境整備の基本技術，排泄や入浴など生活行為別にみた具体的手法，建築に関する基礎知識を学習します。
いろいろな用語や数値が出てくるけど，どれも重要だから確実に覚えよう！

30 段差の解消・床材の選択

★ Q432 「建築基準法」では，１階居室の木造床面は直下の地面から450mm以上高くすることが定められており，低くすることはできない。

Q433 住宅改修時における和室床面と洋室床面の段差の解消方法としては，合板などによる洋室部のかさ上げがある。

Q434 一般的に和室の床面は洋室の床面よりも10～40mm程度高く，この床段差の解消法としては，和洋室の出入り口部分の建具下枠にミニスロープを設置するのが，最も簡便な方法である。

Q435 廊下と洗面・脱衣室とで床仕上げ材が異なる場合，床仕上げを分けるために建具敷居が用いられる。建具敷居による段差解消のためには，床面レベルまで敷居を埋め込むか，敷居を用いずに仕上げの境目をすりつけ板で押さえる。

Q436 アプローチの段差を解消するスロープを設置する際，道路境界線に面した部分と住宅の出入り口の間の水平距離が5,400mmで高低差が450mmの場合，１/12勾配を確保できるので，出入り動作に問題のない直線のスロープを適切に設置することができる。

★ Q437 取り付けに工事を伴わないスロープの設置は，介護保険制度の住宅改修項目の対象とはならない。

A432 1階居室の木造床面は，原則として直下の地面から450mm以上高くしなければならない。ただし，防湿土間コンクリートやべた基礎など，床下部分に地面から湿気を防ぐ対策を講じた場合は，1階居室の床高さを450mm未満にできる。 ×

A433 具体的には，既存の床仕上げの上に，高さ調節のための合板や木材などを設置してかさ上げし，その上に新たに床を敷いて和室と洋室の段差を解消する。 ○

A434 端部につまずかないようミニスロープ状に仕上げたり，ミニスロープの上面は滑らない仕上げにするなどの配慮が必要である。また，ミニスロープの利用により身体が不安定になるため，手すりの設置についても検討すべきである。 ○

A435 建具敷居による段差を解消するには，床面レベルまで敷居を埋め込むか，敷居を用いずに仕上げの境目をへの字プレートで押さえる。 ×

A436 スロープを設置する際は，道路側と住宅の出入り口側にそれぞれ1,500mm×1,500mm以上の水平面を設ける必要がある。水平距離5,400mmの場合，1/12勾配は確保できるが，水平面を設けることができない。 ×

A437 介護保険制度で住宅改修の対象となるスロープは，設置工事を伴う地面や建築物に固定されたタイプである。 ○

Q438 洋室と洋室の間（洋室と廊下の間）に敷居が設けられているのは，床仕上げの違いによって生じる段差を緩和するためである。

★ Q439 実際の工事では，段差を完全に解消することは難しい。工事完成後の苦情を避けるためにも，10mm以下は「段差なし」の意味合いであることを事前に説明し了解を得ておくとよい。

Q440 引き戸の敷居周辺の段差解消法にＶ溝レールの埋め込みがある。床板に直接埋め込む場合，レールと床仕上げ材のすきまが開きやすいのでレールは堅固に固定する。

★ Q441 階段昇降機は介護保険制度による住宅改修項目に該当しているが，ホームエレベーターは該当していないため，住宅改修費の給付を受けることはできない。

★ Q442 引き戸の敷居周辺の段差を解消する方法に，フラットレールの床面への取り付けがある。これは，平坦な床面に板状のフラットレールを固定するだけでよく，工事は容易である。

★ Q443 床材を選択するときは，滑りにくさや強さに留意する。滑りにくさに関しては，300mm×300mm以上の大きさがあるサンプルを，ふだんの使用状況に近い状態で確認する。

Q444 電動車いすを使用する場合，車いす自体の重量と車いす利用者の体重が床面にかかることになるため，既存住宅で根太などに傷みがあると，改造工事が必要になることがある。

Q445 水回りの床材に発泡系の塩化ビニールシートを用いる場合には，表面仕上げの厚さを薄くしたほうが耐久性が上がる。

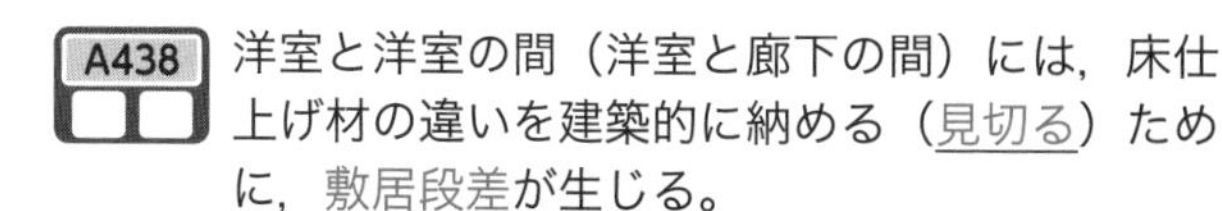

A438 洋室と洋室の間（洋室と廊下の間）には，床仕上げ材の違いを建築的に納める（見切る）ために，敷居段差が生じる。

A439 「日本住宅性能表示基準」の考え方では，5mm以下の段差は許容している。そこで，5mm以下は「段差なし」の意味合いであることを事前に説明し，了解を得ておく。

A440 Ｖ溝レールの活用では，あらかじめＶ溝レールを埋め込んだ部材を用いる方法もある。部品化により施工しやすく，仕上がりの精度もよい。

A441 階段昇降機もホームエレベーターと同様に介護保険制度による住宅改修項目に該当しておらず，住宅改修費の給付を受けることはできない。

建築

A442 フラットレールの設置は，床板の上にレールを取り付けるため誤差が生じにくい。ただし，床板の表面からレールの厚さ（5mm弱）の緩やかな凸部があり，生活上の支障を確認する。

A443 床材を選択する際，滑りにくさはふだんの使用状況に近い状態で確認する。たとえば，屋内ならスリッパや靴下を履くなど，ふだんの生活に近く，最も滑りやすい状態で確認する。

A444 電動車いすの使用を考える場合は，設計当初から大引（おおびき）や根太（ねだ）などの下地の強度を検討する。また，店舗などで使う重歩行用の床板を利用すると，傷がつきにくく，重量物にも対応する。

A445 床材に発泡系の塩化ビニールシートを用いる場合には，表面仕上げの厚さが薄いと耐久性が劣ることがある。

31 手すりの取り付け

★ Q446

加齢に伴い身体機能が低下してくると，歩行時に体のバランスを崩したり，室内のわずかな段差につまずいて転倒することが多くなるが，上肢を使って体位を安定させることができる手すりは，動作を補助し, 安全な歩行や移動を助ける役割がある。ただし，手すりの取り付けは，介護保険制度による住宅改修項目に該当しない。

★ Q447

円形の手すりの太さは，使用方法により使い分けられる。たとえば，トイレや浴室で重心の上下移動や移乗に用いる場合は，しっかり握ったときに親指とほかの指先が軽く重なる程度がよく，直径は28～32mm程度とする。

★ Q448

手すりは，体の位置を移動させるときにしっかりとつかまって使用する。階段や廊下に取り付けられるハンドレールと，移乗動作や立ち座り動作のときに手を滑らせながら使用するもので，トイレや浴室に取り付けられるグラブバーがある。

★ Q449

階段や廊下の手すりの形状は，多くの人にとって使いやすい, 上側が平たいものを基本とする。ただし，関節リウマチ等で手指に拘縮があるときには，握りやすい，円形の手すりを検討する。

A446 手すりの取り付けは，介護保険制度の住宅改修項目に該当する。手すりの設置場所としては，門扉から玄関までのアプローチ，玄関，廊下，階段，洗面・脱衣室，浴室，トイレなどが多い。 ×

A447 なお，階段や廊下の手すりは手を滑らせながら使用するので，太いほうが安定感があるため，直径32～36mm程度とする。 ○

A448 ハンドレールは，体の位置を移動させるときに，手を滑らせながら使用するための手すりで，グラブバーは，移乗動作や立ち座り動作のときに，しっかりとつかまって使用するための手すりである。 ×

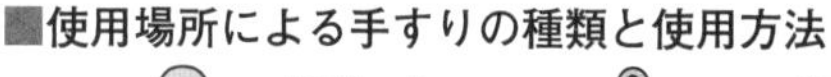

■使用場所による手すりの種類と使用方法

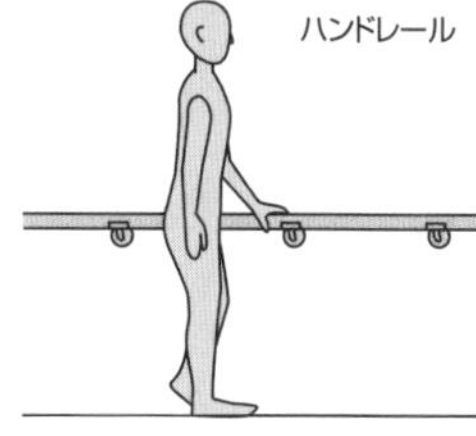

A449 手すりは，円形を基本の形状とする。ただし，手指に拘縮（こうしゅく）があるときには，手すりを握らず手や前腕を乗せて移動する方法がとられることが多いため，上側が平たいものなどの形状を検討する。

★ Q450

横手すりの端部にエンドキャップを取り付けることで，衣類が引っかかったりすることがなくなり安全を十分に確保できる。

Q451

車いす使用者が，浴室でシャワー用車いすからバスボードに移乗して浴槽に入るときには，横手すりよりも，縦手すりのほうが，つかまりやすく，からだをしっかりと支えられるため適している。

Q452

横手すりは，手すり下部から受け金具で受けるように取り付ける。手すりを横から受ける金具では，握った手を滑らせていくと，手すり受け金具に当たって握り替える必要が生じるため，不適切である。なお，在来工法の場合は，手すり受け金具を間柱自体に取り付けることは避ける。

★ Q453

手すりを取り付ける際，せっこうボードの下に合板で手すり受けの下地を設ける場合は，合板部分でネジをしっかり受けられるようにしなければならない。ネジ山が途中から始まる木ネジを使用すれば，受け材部分をしっかりネジがかみ，表面のせっこうボードを大きく傷つけずにきれいに仕上がる。

Q454

金属製の手すりは耐候性に優れ，気温に影響されにくいうえに表面が滑らかで掃除しやすいのが特徴で，屋外用の手すりに適した材質である。

★ Q455

トイレなどの手すり取り付けのために壁下地の補強を行うときは，検討している手すりの取付位置よりも広範囲にわたって行う。

A450 横手すりの端部にエンドキャップを取り付けるだけでは不十分である。横手すりの端部を壁面側へ曲げ込むようにすれば，衣類が引っかからず安全である。

A451 車いす使用者が，浴室でシャワー用車いすからバスボードに移乗して浴槽に入るときには，身体が横に移動するため，横手すりのほうが適している。

A452 手すり受け金具は３本の木ネジで壁面に留める場合が多いが，間柱の幅は35～40mm程度しかなく，３本のうち２本の木ネジしか有効に利かないため，十分な支持力を得られない。

建築

A453 ネジ山が途中から始まる木ネジは，下地部分までネジがかまず，よく利かないことがあるので適していない。せっこうボードの下に設けられた手すりの受け材部分をネジがかんで堅固に留め付けられるよう，全ネジタイプの木ネジを用いる。

A454 金属製の手すりは，気温に影響されやすく，冬季に冷たく，夏季には熱く感じられる。使用時の感触も考慮すると，樹脂被覆製のものが望ましい。

A455 一度設置した後に身体機能が低下した場合でも，手すりの位置を変えることができるよう，トイレなどの手すり取り付けのために壁下地の補強を行うときは，現在検討している手すりの取付位置よりも広範囲にわたって行う。

重要ポイント まとめて CHECK!!

Point23 段差の解消

●段差の解消方法

屋外	地面～居室の床		スロープの設置
			段差解消機の設置
			床を下げて段差解消
屋内	和室～洋室	改修	ミニスロープの設置
			合板などによる洋室部のかさ上げ
	洋室～洋室（廊下）	建具の敷居段差の解消	床面レベルまで敷居を埋め込む
			への字プレートの設置
			V溝レールの埋め込み，フラットレールの設置
	浴室～脱衣室		すのこの設置
			浴室洗い場の上に新たに**床仕上げ**を設置

●V溝レールの埋め込み方法

①床板に直接埋め込む

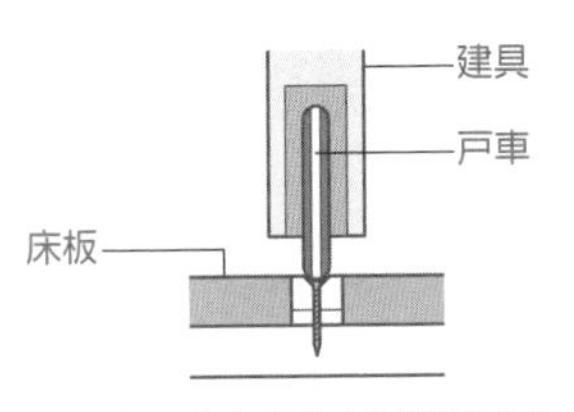

レールと床仕上げ材のすきまが開きやすい。レールを堅固に固定する。

②V溝レールを埋め込んだ部材を使用する

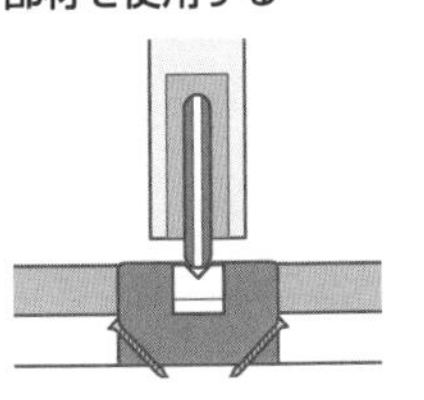

部品化もされ，施工しやすく，仕上がりの精度もよい。

Point24 手すり

手すりの設置位置

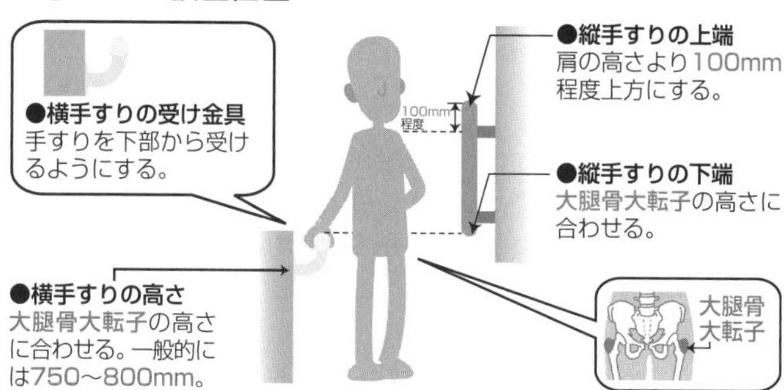

手すりの種類と特徴

種類	ハンドレール	グラブバー
使用方法	体の位置を移動させるときに手を滑らせる	移乗**動作**，立ち座り**動作**
取付場所	**階段**，**廊下**　など	**トイレ**，**浴室**　など
直径	32〜36mm程度	28〜32mm程度
形状	**円形**が基本（**前腕**を乗せて移動する方法では**表面**を平坦にする）	
材質	樹脂被覆製（**耐候性**，**耐水性**ともに適している）など	

手すりの端部の形状

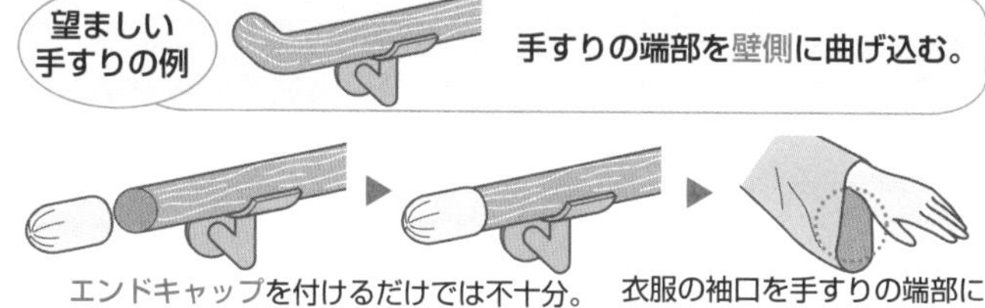

エンドキャップを付けるだけでは不十分。

衣服の袖口を手すりの端部に引っかけやすい。

32 生活スペースと建具

★ Q456 在来工法による木造住宅は，通常，尺貫法に基づく3尺を基本として設計されている。

Q457 介助を背後から受けながら廊下を移動する場合，介助者は高齢者や障害者の少なくとも2人分は体を横にずらして移動する。したがって，安全な移動のためには，廊下の有効幅員は2人分の幅が必要となる。

Q458 近年，3尺モジュールの住宅内でも移動できる車いすや床走行式リフトが開発され，スムーズな移動ができるようになった。

Q459 プレハブ住宅を設計・施工する住宅メーカーは，それぞれ独自にモジュールを持っているため，住宅の改造を検討する前にモジュールを確認する。

★ Q460 壁や柱を取り外して必要なスペースを確保する方法は，大規模な増改築に適している。

Q461 2014（平成26）年の介護保険制度改正により，スペースに対する配慮は，介護保険制度における住宅改修項目に含まれた。

★ Q462 モジュールをずらして必要なスペースを確保する方法は，新築には適しているが大規模な増改築には向いていない。

A456 在来工法による木造住宅は，尺貫法に基づく910mm（3尺）を基準寸法として設計されている。柱芯ー芯が3尺で設計されている廊下などの有効幅員は最大で780mmである。 ○

A457 介助を背後から受けながら廊下を移動する場合，通常の3尺モジュールの廊下幅では十分とはいえない。介助者は高齢者や障害者の少なくとも半身分は体を横にずらして移動するので，安全な移動のためには，廊下の有効幅員は1.5人分が必要となる。 ×

A458 3尺モジュールの住宅内を移動できる車いすや床走行式リフトであっても，スムーズに移動できる状態とはいえない。 ×

建築

A459 モジュール（建築設計の基準となる寸法）にのっとって住宅を造ることで，設計の効率化，施工の手間の省略，工期短縮が可能となる。 ○

A460 壁や柱を取り外して必要なスペースを確保する方法は，部分的な増改築に適している。ただし，筋かいなどが入っているため構造的に取り外せない場合もあるので確認が必要である。 ×

A461 スペースに対する配慮は，介護保険制度における住宅改修項目に含まれていない。 ×

A462 モジュールをずらして必要なスペースを確保する方法は，主に新築や大規模な増改築に向いている。 ×

Q463 建具の下部のわずかな敷居段差であっても，高齢者や障害者にとっては移動の妨げとなりやすい。しかし，建具の開閉方向や把手の形状などは，移動のしやすさには関連しない。

★ Q464 ドアノブの変更や戸車の設置などは，介護保険制度の住宅改修項目に該当する。

Q465 2012（平成24）年４月施行の「介護保険法」の一部改正により，介護保険制度における住宅改修項目については，扉の撤去が対象から除外された。

★ Q466 アコーディオンドアは簡易な間仕切りとして使用され，気密性が高い。

★ Q467 引き戸は，高齢者や障害者には開閉動作がしやすいことから多く使われている。ただし，開き戸と比べて気密性が低いので，使用場所に配慮する必要がある。

Q468 引き分け戸は，向かって右でも左でも開けることができる２枚以上の引き戸であり，和室などで用いられることが多い。

Q469 一般の住宅では建具部分の幅員が狭く，高齢者や障害者の生活動作および福祉用具の使用に支障が出ることが多い。これを解決する最も簡易な方法は，部屋の用途に支障がなければ建具を取り外すことであり，その際は丁番を残しておくようにする。

A463 身体機能が低下した高齢者や障害者にとっては，建具の開閉方向や把手の形状なども，移動のしやすさに関連する。 

A464 ドアノブの変更や戸車の設置などは，介護保険制度の住宅改修項目に該当し保険給付の対象となる。ただし，自動ドアにした場合の動力部分の設置は対象外である。 ○

A465 2012（平成24）年４月施行の「介護保険法」の一部改正により，住宅改修の対象となる「引き戸等への扉の取替え」に，扉の撤去が追加された。 ×

A466 折れ戸や簡易な間仕切りとして使用されるアコーディオンドアは，気密性が低いため，積極的には勧められない。 ×

A467 引き戸は，住宅では片引き戸から４枚引き戸までが多く使用されているが，最近では開口幅を大きくとれる３枚引き戸が浴室でよく用いられている。 ○

A468 設問の記述は引き違い戸についてである。引き分け戸は，中央から左右に２枚引き戸を開けるもので，大きな有効開口幅員が確保できる。 ×

A469 丁番は，開き戸の開閉に用いる支持金物である。壁面から突出しており，そのままでは身体を引っかける危険もあるため，建具を取り外す場合は，丁番も併せて取り外すようにする。 ×

★ Q470
開き戸は気密性の高さから，一般に多用されている。ただし，開閉時に体があおられるような格好になるなどの点に注意が必要である。

Q471
開き戸を開閉する際に体をよけるスペースをつくるには，建具の把手側に300mm以上の袖壁を設けるとよい。

Q472
操作性向上のために引き戸で用いる棒型の把手は，つかみやすい形状で力がなくても開閉でき，戸を開けた際に引き残しもできず便利である。

★ Q473
開き戸用の把手をノブ（握り玉）からレバーハンドル型に変更すると，戸の開閉動作が３動作から２動作に減り，建具の開閉がしやすくなる。

Q474
開き戸に戸車を用いると，戸がゆっくり閉まるように調整ができ，体の移動動作をあわてずに行えることから安全性が高まる。

★ Q475
介助用車いすが通行可能な幅員寸法は，廊下の有効幅員が780mmであれば，開口部の有効幅員は少なくとも750mmが必要である。

Q476
３尺モジュールで造られている開き戸の廊下の内法寸法は，最大で880mm，建具幅は枠の内法で800～820mm程度までとなる。

★ Q477
建具幅が枠の内法で700～720mm程度ある場合は，建具を取り外すことにより，介助歩行や自走用車いすでの通行が十分可能になる。

A470 開き戸は，開く方向や建具の吊り元などの開き勝手や使用場所に注意が必要である。開口部の有効幅員確保のために子扉を使用する親子扉（戸）を設置することもある。 ○

A471 なお，車いす使用で開き戸を開閉する際には，建具の把手側に450mm以上の袖壁を設けると動作が容易になる。 ○

A472 棒型の把手はつかみやすく，力がなくても開閉できるが，戸を開けた際に引き残しができるため，開口部の有効幅員が多少狭くなる。 ×

A473 ノブによる開き戸の開閉動作は，①ノブを握る，②回す，③戸を押し引きする，という３動作であるが，レバーハンドル型では，①レバーを下げる，②戸を押し引きする，という２動作ですむため，開閉が容易になる。 ○

A474 開き戸にドアクローザーを用いると，体の移動動作をあわてずに行えて安全性が高まる。ただし，これを用いないときに比べ，多少大きな力が必要となる。 ×

A475 介助用車いすの寸法は，通常，全幅530～570mm，全長890～960mmであり，この寸法や介助者の操作能力を考慮して必要な有効幅員を決める。 ○

A476 ３尺モジュールで造られている開き戸の廊下の内法（うちのり）寸法は，最大で780mm，建具幅は枠の内法で700～720mm程度までとなる。 ×

A477 枠の内法で700～720mm程度では，建具を取り外したとしても，介助歩行や自走用車いすでの通行は困難である。 ×

33 家具や収納とインテリア

重要度 B

Q478 家具類の配置においては，生活動線に無理はないか，通行幅員は十分に確保されているか，動線上につまずき事故の原因となるものが置かれていないかなどをチェックする。

★Q479 寝室や居間，食堂などで用いる家具は，使い勝手を考慮して選択する。家具の持つ機能性はカタログでも十分に把握できるので，ショールームなどで実際に使い勝手を確認する必要はない。

Q480 いすを選ぶ場合は，立ち座りのしやすさを考慮する。座面の高さは，立ち上がり時に足底面全体がしっかり床に着くものを選ぶ。また，ソファーの硬さは，軟らかいもののほうが立ち上がり動作を助けて足腰への負担を緩和するので，高齢者の場合はできるだけ軟らかいものを選ぶとよい。

Q481 机を選択するときは，いすを含めて検討する必要がある。いすの肘かけが机に当たって近づけない，机の天板が厚いために車いすのアームサポートが当たって机に近づけないといった不具合が生じないよう，十分な配慮が必要となる。

Q482 収納の戸の形状は，体の動きなどから考えて折れ戸が最も望ましい。

★Q483 奥行きの深い800mm以上の収納の場合には，内部に足を踏み入れて物の出し入れをするため，戸の下枠を設けないようにする。

A478 家具類の配置を決める際には，既存の家具や小物類，新たに購入する家具やベッドの種類や寸法を確認し，平面図にそれらの配置を描き込むことで，移動や家事のしやすさなどを検討するとよい。 ○

A479 家具は使い勝手を考慮して選択するが，その機能性はカタログでは十分に把握できず，また使いやすさは人により異なるため，ショールームなどで実際に使い勝手を確認する必要がある。 ×

A480 いすの座面高さは，立ち上がり時に足底面全体がしっかり床に着くものを選ぶ。また，くつろいだ姿勢で座るソファーの場合，硬さが軟らかすぎると立ち座りが難しくなるため，座位保持だけでなく立ち座りをする時のことも考慮して座面の硬さを検討する。 ×

A481 車いす使用者の場合，机の脚の位置によっては前輪やフットサポートが当たる，アプローチ方向が限定されるといった問題が起こることもあり，注意が必要である。 ○

A482 収納の戸の形状は，引き戸が最も望ましい。折れ戸は体を前後に動かさなくてすむが，操作にコツや習熟が必要である。開き戸は戸の開閉で体が前後に動いた際，後方に十分なスペースが必要となる。 ×

A483 奥行きの深い600mm以上の収納の場合は，戸の下枠を設けないようにする。また，底面の仕上げは，部屋の床と同様の仕上げとする。 

★ Q484 高齢者には落ち着いた色彩が適していると思われがちであるが，アクセントとなるような明るい色彩を部屋に取り入れることも検討するとよい。

Q485 加齢に伴い視機能が低下すると，暗い場所で物がよく見えなくなることが多く，照明への配慮が必要である。外出頻度が低い場合や，敷地の環境によって居室への日照が十分でない住宅では，居間や寝室で高齢者が座る部分に高照度の照明をつけるのもよい。

Q486 快適なインテリアは精神的な安定をもたらすので，居住する高齢者や障害者の意見を最大限に尊重しつつ，細かな家具のレイアウトなどを考えるとよい。

Q487 寝室のベッド横のカウンターの上に，思い出の品々や写真を並べたり，さまざまに飾り付けをしたりすることは，本人の気持ちをリラックスさせ，楽しい雰囲気をつくる重要な要素となる。

Q488 熱中症による死者の約８割が高齢者である。高齢者は知覚機能の低下により暑さを感じにくく，汗もかきにくいために自覚症状がないことから発症が多い。

Q489 住宅全体で暖房を行う中央式は，寒冷地・積雪地で多く用いられる方法で，全室暖房に適している。

★ Q490 床暖房などのように輻射熱（放射熱）で暖める輻射暖房は，ごく短時間で室内が暖まるうえ，空気の対流を起こさないため，ほこりもたたず快適である。

★ Q491 エアコンやファンヒーターなどの温風により室内を暖める対流暖房は，室内が暖まるまで時間がかかるが，天井と床面付近の温度差は小さい。

A484 居間などでは，壁面の一部やカウンター，ドア，手すりなどの小さな部分（小面積）に生活者が好む明るい色を使用するとよい。トイレや洗面・脱衣室などでは，壁面全体を明るい色調で仕上げると生活動作を快適な気分で行える。 ○

A485 なお，照明の光源が直接眼に入るのは刺激が強すぎるため，避ける必要がある。とくに，ベッドに仰臥しているときには，光源が直接的に視野に入るとまぶしさを感じるため，十分に配慮する。 ○

A486 高齢者や障害者の気持ちをリラックスさせ，楽しい雰囲気を出すためにもインテリア計画は重要である。 ○

A487 新築であるか改造であるかにかかわらず，思い出の品々を十分に飾れるスペースや棚の確保を検討する。 ○

A488 熱中症の半数近くは自宅内で発生している。これを防ぐには，扇風機や冷房設備を使って室内温度を28度以下に保つことが重要である。 ○

A489 各室にエアコンやファンヒーターを設置する個別式は全国的に利用されるが，寒冷地・積雪地ではランニングコストが大きくなりやすい。 ○

A490 輻射暖房は空気の対流を起こさないため，ほこりがたたず快適であるが，適切な室温になるまで時間がかかる。 ×

A491 対流暖房は短時間で室内が暖まるが，天井と床面付近の温度差が大きい。 ×

34 非常時の対応

★Q492 2004（平成16）年６月に「消防法」が一部改正され，原則としてすべての住宅に対し，2011（平成23）年６月１日までに住宅用非常ブザーの設置が義務付けられた。

Q493 住宅用火災警報器は，住宅内では，寝室および寝室がある階の階段上部（１階の階段を含む）に設置しなければならない。

Q494 住宅用火災警報器には，煙や熱を感知すると，単独で大警報音を発するタイプと，連動設定しているすべての警報器が警報音を発するタイプがある。

Q495 ガス漏れ検知器は，火災とガス漏れを検知すると，単体で警報音や音声で知らせる機器が一般的である。

Q496 空気より軽い都市ガス用警報器はガス器具より下方に，空気より重いLPガス用警報器はガス器具より上方に設置する。

Q497 据置型の消火器は，台所など火気を使用する場所の近くに常備する。また，住宅用自動消火装置は，室内温度の上昇により火災を感知し，自動的に消火液を噴霧する機器である。

Q498 通報装置は，ナースコールのように，利用者が部屋やベッドのそばに設置した呼び出しボタンを押すと，別の部屋にいる家族と連絡を取れる緊急呼び出し装置などだけでなく，室内間の連絡に使用できたりする日常連絡機器として使われるものもある。

A492 「消防法」の一部改正により，あらかじめ自動火災報知設備を設置している共同住宅を除くすべての住宅に対し，2011（平成23）年6月1日までに住宅用火災警報器の設置が義務付けられた。 ×

A493 住宅用火災警報器は，住宅内では，寝室および寝室がある階の階段上部（1階の階段は除く）に設置しなければならない。住宅の状況によっては，その他の階段にも必要になる場合がある。 ×

A494 また，聴覚障害者のために，光の点滅やバイブレーター機能などで火災の発生を知らせる補助警報装置がついた住宅用火災警報器もある。 ○

A495 ガス漏れ検知器は，ガス漏れと一酸化炭素を検知すると，単体で警報音や音声で知らせる機器が一般的である。 ×

A496 空気より軽い都市ガス用警報器はガス器具より上方に，空気より重いLPガス用警報器はガス器具より下方に設置する。 ×

A497 住宅用自動消火装置は，床置きと天井付近の壁に設置する機器があり，住宅用火災警報器と一緒に設置する。 ○

A498 また通報装置には，インターホンにカメラがついており，来訪者を動画で撮影し，室内の受信機で表示する機器や，窓の開閉やガラスの破砕に反応し，外部からの侵入などの異常を検知すると，室内の受信機が警報を発する防犯機能を備えた機器もある。 ○

35 経費・メンテナンス

Q499 高齢者の福祉住環境整備では，介護保険制度による住宅改修費の支給などがあるので，経費への配慮はあまり必要なく，安全性や機能性のみを考える。

★Q500 費用の面からみた場合，住宅改修では施工費が高くなる傾向にあるが，既成品の福祉用具は安価で収まることもある。

Q501 住宅改修では予想外に経費がかさむことがあるので，多少余裕をみて予算を立てておく必要がある。

★Q502 地方自治体の住宅改修費助成制度では，多くの場合，世帯収入の多寡にかかわらず，助成金額は一律となっている。

Q503 複雑な機構を持つ福祉用具を利用する場合は，販売店や代理店，メーカーとメンテナンス契約を結ぶことが必要である。

Q504 イニシャルコストとは，電気代など実際の利用に必要となる日々の経費のことをいう。

Q505 電池式の住宅用火災警報器は，電池容量が不足するとランプが自動的に点滅する。その場合は，速やかに電池の交換を行う必要がある。

A499 福祉住環境整備では，経費がいくらかかるのか，だれがどのように負担するのかといった点を明確にし，本人や家族の了解を得る必要がある。 

A500 住宅改修の場合，工務店などに依頼すると，小さな工事であっても日当や材料費などを含む施工費は高くなる傾向にある。既成品の福祉用具は個人で設置できるものもあり，安価で収まることもある。 

A501 工事開始以前に入念な現場確認を設計者や施工者に依頼し，費用の追加が発生しないように気をつける。また，本人や家族が自己負担できる限度額を確認することも必要である。 

A502 地方自治体の住宅改修費助成制度を活用する場合，多くは世帯の収入に応じて助成金額が異なっている。各自治体の条件はさまざまなので事前に調べる必要がある。 

A503 階段昇降機やホームエレベーターなどの複雑な機構を持つ福祉用具を用いる場合は，販売店などとメンテナンス契約を結ぶ必要がある。 

A504 設問の記述はランニングコストについてである。イニシャルコストとは，機器を設置するために必要な工事費用など設置時にかかる費用をいう。 

A505 なお，住宅用火災警報器の感知部分は１年に１回の清掃がよいとされ，本体は10年をめどに交換する。 

36 外出のための屋外整備

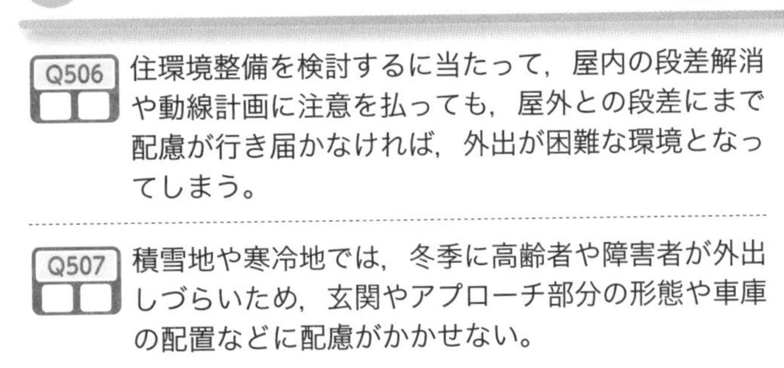

Q506 □□ 住環境整備を検討するに当たって，屋内の段差解消や動線計画に注意を払っても，屋外との段差にまで配慮が行き届かなければ，外出が困難な環境となってしまう。

Q507 □□ 積雪地や寒冷地では，冬季に高齢者や障害者が外出しづらいため，玄関やアプローチ部分の形態や車庫の配置などに配慮がかかせない。

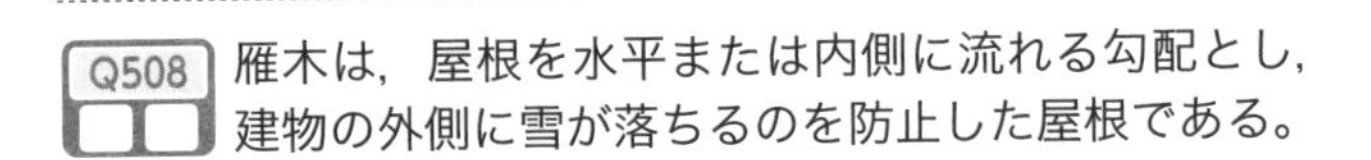

Q508 □□ 雁木は，屋根を水平または内側に流れる勾配とし，建物の外側に雪が落ちるのを防止した屋根である。

Q509 □□ 脳血管障害による片麻痺の場合は，アプローチ部分の住環境整備において常に患側に手すりが必要である。

★Q510 □□ 道路から敷地内に入る際には，道路境界線と敷地の境界線に設けられたＬ字溝の立ち上がり部分の段差で，車いすでの通行が妨げられやすい。将来にわたり安定した車いす移動の自立を図る場合は，所定の手続き（切り下げのための申請）を行い，立ち上がり部分が低いＬ字溝に変更することを検討する。

★Q511 □□ 敷地内の駐車スペースで車いすから自動車の運転席に乗車する場合は，運転席までの通路幅や運転席のドアが全開しやすいスペースを確保し，駐車スペースの床面は乗降しやすいよう平坦にする。

A506 住環境整備を検討する際には，屋内だけでなく，屋内から屋外へ，屋外から道路までを安全に無理なく移動できるよう配慮することが必要である。 ○

A507 積雪地や寒冷地における建築的なくふうには，無落雪屋根（むらくせつやね），玄関風除室（げんかんふうじょしつ），雁木（がんぎ）やフードによるカバード空間の設置，車庫を住宅内に組み込むなどがある。設備的な対応としてはロードヒーティングや融雪槽（ゆうせつそう）の設置などがあげられる。 ○

A508 設問の記述は無落雪屋根についてである。雁木は，多雪地の商店などの軒を道路側に伸ばし，その下を通路とする連続庇（ひさし）である。 ×

A509 脳血管障害による片麻痺の場合は，常に健側に手すりが必要である。アプローチ部分においては，通路の両側に手すりを設置したり中央に手すりを設置したりする。 ×

A510 L字溝の立ち上がり部分には段差があり，車いすでの通行が妨げられやすい。将来にわたる対処としては，立ち上がり部分が低いL字溝に変更を検討する。段差にスロープ化したコンクリートやゴム製のブロックなどを仮置きして通行しやすくする方法もある。 ○

A511 車いすから自動車の運転席に乗車するには，駐車スペースに至る通路の整備や，運転席までの通路幅やドアを全開しやすいスペースの確保，乗降しやすいよう駐車スペースの床面を平坦にすることなどが求められる。 ○

★ Q512 □□
道路面から玄関までのアプローチでは，雨に濡れると路面が滑りやすく歩行が不安定になりやすいため，２～３段程度の階段であっても手すりの取り付けを検討する。手すりは通常，上りのときの利き手側に取り付けるが，スペースに余裕があれば両側に取り付ける。

Q513 □□
アプローチに階段を設ける場合には，蹴上げ170～200mm程度，踏面270～300mm程度が望ましい。

★ Q514 □□
屋外スロープは，対象者が車いす移動をする場合などに適している。車いすの脱輪防止のために，スロープの両側の縁には，20mm以上の立ち上がりまたは柵を設ける。

★ Q515 □□
道路面から玄関ポーチまでのアプローチに高低差がある場合，階段とスロープのどちらを採用するかについては，対象者の将来の身体状況を含め，慎重に判断する。敷地に余裕があれば，階段とスロープを併設するとよい。

★ Q516 □□
屋外スロープは，対象者が車いす移動，または近い将来車いす使用となることが予想される場合などに適している。スロープの勾配はできる限り緩やかなほうがよく，１/12～１/15程度が望ましい。

Q517 □□
スロープが長くなり折り返しが必要な場合は，折り返し部分に水平面（踊り場）を設ける。水平面の寸法は，1,000mm×1,000mmを標準とする。

Q518 □□
玄関へのアプローチに面した壁は，手をついたり体をもたれかけたりすることもあるので，滑りづらい粗面仕上げにするとよい。

A512 アプローチに階段を設けるときは，たとえ２～３段程度であっても手すりの取り付けを検討する。手すりは通常，下りのときの利き手側に取り付けるが，スペースに余裕があれば両側に取り付ける。

A513 アプローチに階段を設ける場合には，蹴上げ110～160mm程度，踏面300～330mm程度が望ましい。

A514 車いすの脱輪防止策として，スロープの両側の縁には，50mm以上の立ち上がりまたは柵を設ける。

A515 すべての人にとって，階段よりもスロープのほうが使いやすいわけではない。たとえば，パーキンソン病では，スロープが適さない場合もあるなど，階段とスロープのどちらを採用するかは，対象者の将来の身体状況を含め，慎重な判断が必要である。

○

A516 スロープを設置する際は，車いす使用者の上肢の機能や介助者の車いすを操作する能力の程度に配慮が必要となる。勾配はできる限り緩やかなほうがよく，1/12～1/15程度が望ましい。

○

A517 スロープの折り返し部分には水平面（踊り場）を設けるが，その寸法は1,500mm×1,500mmを標準とする。

A518 玄関へのアプローチに面した壁は，肌をこする危険性があるので粗面仕上げにはしない。

手すりの取付高さの目安は，階段では段鼻から，スロープでは斜面床面から測って，手すりの上端まで750～800mmとする。

★ Q520

道路から玄関に至る通路面の仕上げには，コンクリート平板などの平坦な形状のものを用いて，目地幅を大きく飛び石状に敷くと，歩幅を整えて歩く目安となり，つまずきにくくなる。なお，安全性を考慮して雨や雪などで濡れても滑りにくい仕上げを選ぶ。

Q521

視覚障害者や高齢期の視力低下，眼球の水晶体の黄濁化に伴い，色の判別能力が低下した者にとっては見分けにくいことがあるため，玄関土間とかまち材，玄関ホールの床材などは，黒と青，白と黄などコントラストの小さい色彩を組み合わせて仕上げの配色とするなどの配慮をするとよい。

★ Q522

玄関までのアプローチ部分の照度に関して，JIS（日本産業規格）では，門・玄関や庭の通路については推奨照度を30ルクスとし，表札，門標，押しボタン（インターホン），新聞（郵便）受けなどの付近については５ルクスとしている。

A519 手すりの取り付けは通常，片側の場合は下りのときの利き手側での使用を想定する。材質は樹脂被覆製など握った際に触感のよいものが望ましい。

○

A520 コンクリート平板の目地幅を大きく飛び石状に敷くと，歩行テンポや歩幅を調整する必要が生じ，つまづきやすくなる。そこで，コンクリート平板は堅固に固定し，目地幅は小さくする。

A521 加齢などにより色の判別能力が低下した者にとって，見分けにくい配色は避け，コントラストの大きい配色にするなどの配慮が必要である。

A522 JISでは，門・玄関や庭の通路については推奨照度を5ルクスとし，表札，門標，押しボタン，新聞受けなどの付近については30ルクスとしている。したがって，高齢者への対応として，階段部分の照度はこれと同等以上が望ましい。

JIS（日本工業規格）は，「工業標準化法」に基づく国家規格でしたが，2019(令和元）年7月からはデータやサービスなども対象となり，名称はJIS（日本産業規格），根拠法は「産業標準化法」になりました。

重要ポイント まとめて CHECK!!

Point25 スロープと階段設置の留意点

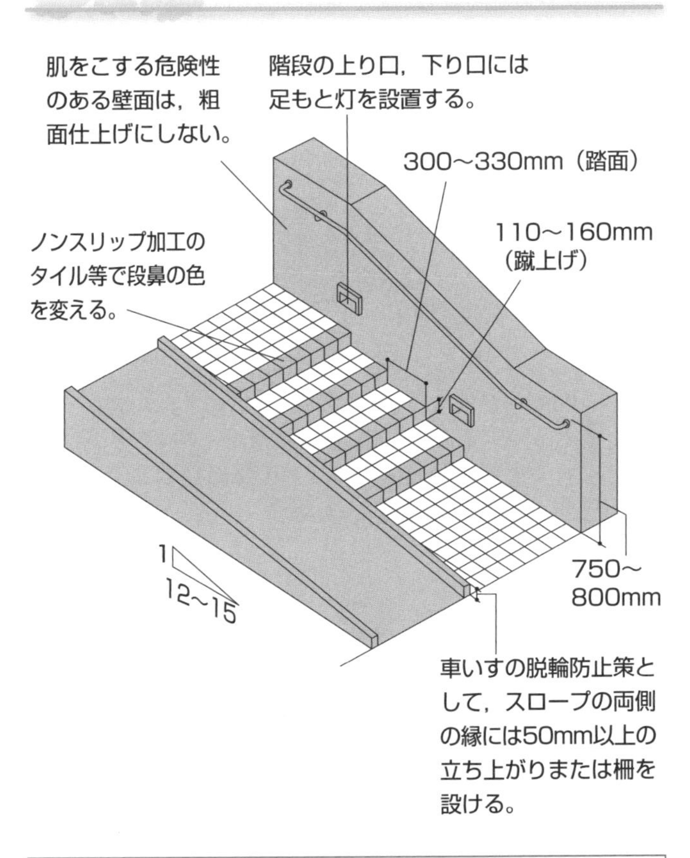

得点UPのカギ　手すりの取り付け

手すりは，階段の最上段から最下段まで連続させる。不連続となる場合（折り返し階段など）は，端部間を400mm以下とする。

Point26 屋外スロープの設置

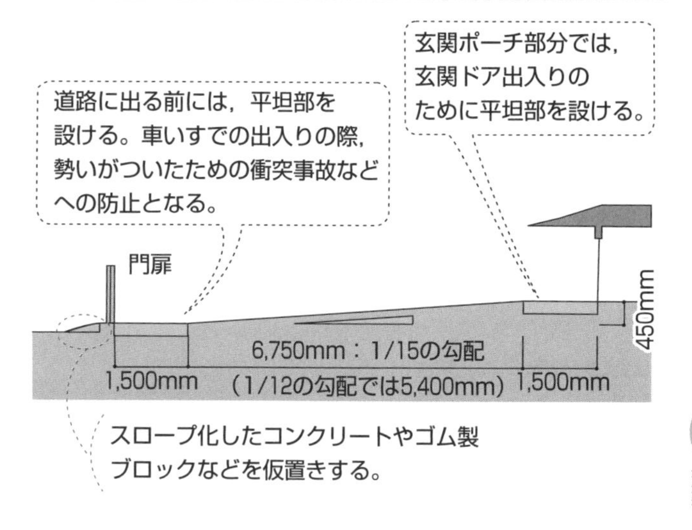

Point27 アプローチのコンクリート平板

◎悪い例

地面の上に直接置く「置き敷き」だと，降雨時などに地盤が緩み，平板ががたついて危険。

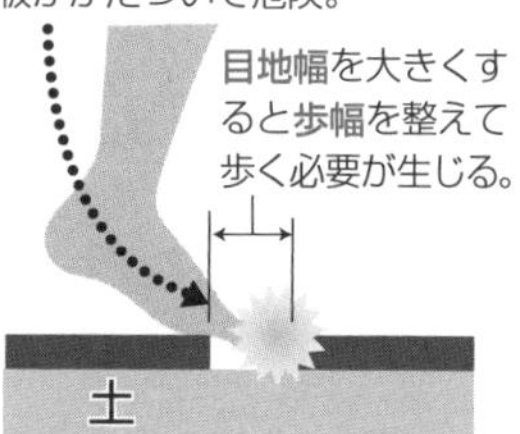

◎良い例

歩行時にがたつかないように，コンクリートで堅固に固定する。

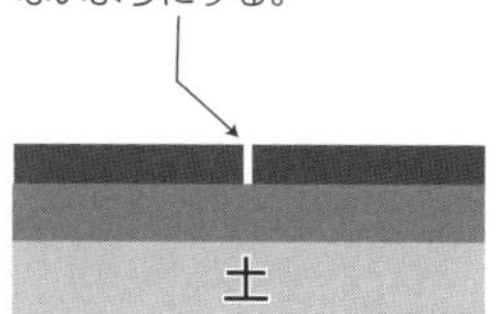

37 玄関

★ Q523 玄関ポーチのスペースは，自走用車いすと介助用車いすとでは玄関戸の開閉時の停止位置や向きが異なることと，介助者が動くスペースに配慮する。

★ Q524 車いす使用の場合の玄関扉は，引き戸に比べて体の移動動作が少なくてすむ開き戸が適している。

Q525 通常，玄関戸の有効幅員は800～850mm（壁芯－芯距離1,000mm）程度である。

Q526 バリアフリー仕様の玄関戸には，通常の玄関戸の有効幅員よりも広い有効幅員を確保したものもある。

Q527 玄関戸に設置されるドアクローザーは，通行に時間がかかる場合や，戸を押さえるのが困難な高齢者や幼児，車いす利用者などの出入りを妨げることがある。

Q528 車いす利用者がリモコン操作により自動ドアを開閉する場合，車いすのレッグサポートまわりにリモコンを固定しておくと手元で簡単に操作できる。

Q529 上肢に障害がある自立歩行者や車いすの利用者には，玄関戸の開閉は困難な動作である。これを解消する有効な手段として，玄関戸の自動ドアへの取り替えがある。

Q530 マンションなどの集合住宅では，玄関戸の取り外しはできない。

A523 玄関ポーチで，屋内用車いすへの移乗や屋外用車いすの保管をする場合は，さらに広いスペースが必要になることも配慮する。

A524 引き戸は開き戸に比べて体の移動動作が少なくてすむため，高齢者や車いす使用に適する。ただし，傾斜面での戸の開閉は危険を伴うので，玄関ポーチ部分は必ず平坦にする。

A525 通常，玄関戸の有効幅員は700～750mm（壁芯－芯距離910mm）程度である。

A526 バリアフリー仕様の玄関戸には，800～850mm（壁芯－芯距離1,000mm）程度を確保したものもある。

建築

A527 ドアクローザーは，開き戸の開閉スピードを調節するために設置される。通行に時間がかかる場合には体をはさまないように，戸が閉じる速さを調節する必要がある。

A528 車いす利用者がリモコンを操作する場合，車いすのアームサポートまわりにリモコンを固定しておくと手元で簡単に操作できる。

A529 現在，引き戸，開き戸ともに住宅用に適した自動ドアが市販されている。また，既成の玄関戸に電動の開閉機構のユニットを取り付け，自動ドア化するものもある。

A530 マンションなどの集合住宅では，玄関戸は火災発生時に防火扉の役目を果たすので取り外しはできない。

Q531 通常，玄関の土間部分は，玄関ポーチより一段高くなっている。これをできるだけ解消するのが望ましいが，室内の温度を保ち，すきま風やほこり，雨水の浸入を防ぐためのもので，玄関戸の下枠（くつずり）に最小限の段差ができることはやむを得ない。

★ Q532 自立歩行の場合は，玄関戸の有効寸法は750mm（壁芯－芯距離910mm）程度，玄関土間部分の間口の有効寸法は1,200mm（壁芯－芯距離1,365mm）程度あるとよい。

★ Q533 玄関土間から屋外用として車いすを使用する場合には，玄関の土間部分に車いす１台分のスペースを確保したうえで，対象者の歩行スペース，立位の状態から車いすに移乗するスペース，また介助者がいる場合には介助スペースを考慮する。

Q534 上がりがまち段差を解消する方法として，玄関土間に踏台を設け，上がりがまち段差を小さな段差に分割する方法がある。据え置きによる簡易な設置方法のほか，固定や造り付けとする場合もある。

Q535 玄関の上がりがまちの段差を解消する場合，段差が100mm程度までで，玄関土間に適切なスペースがあれば，スロープの設置が適している。

Q536 上がりがまち段差が大きい場合や，玄関土間のスペースが狭く，踏台やスロープの設置が困難な場合には，段差解消機の設置が有効である。

★ Q537 玄関では，上がりがまちを安全に昇降するために，縦手すりと横手すりの取り付けを検討する。縦手すりは，手すりの高さを上がりがまちの段鼻部分から測り，勾配に合わせて取り付ける。

A531 「住宅の品質確保の促進等に関する法律（住宅品確法）」における「日本住宅性能表示基準」の高齢者等配慮対策等級５では，玄関戸の下枠と玄関ポーチの高低差は20mm以下，下枠と玄関土間の高低差は５mm以下とされている。 ○

A532 玄関土間や玄関ホール部分にベンチや踏台を設置する場合は，玄関土間部分の間口の有効寸法は1,650mm（壁芯ー芯距離1,820mm）程度とするが，介助を必要とする場合には実際に動作してもらいスペースを決める。 ○

A533 なお，標準的形状の車いすの全長は1,100mm程度が多いので，これに対して100mm程度の余裕を見込み，玄関土間の奥行きは有効で1,200mm以上を確保するようにする。 ○

A534 玄関土間の踏台は，上がりがまち段差を等分する寸法で設置し，奥行きは昇降しやすいように400mm以上とすることが基本である。 ○

A535 なお，スロープ設置のスペースがない場合は，可動式（携帯式）スロープを使うことになるが，介助者による設置と取り外しが必要になる。 ○

A536 段差解消機には，スペースをとらない立位用もあり，関節リウマチなどの障害がある人でも操作しやすいレバースイッチを付けられる。 ○

A537 上がりがまちを安全に昇降するために，縦手すりと横手すりの取り付けを検討する。横手すりは，手すりの高さを上がりがまちの段鼻から測り，勾配に合わせて取り付ける。 ×

38 廊下

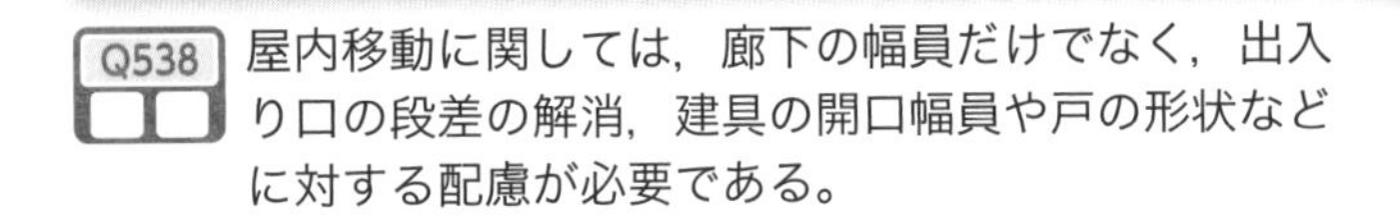

Q538 屋内移動に関しては，廊下の幅員だけでなく，出入り口の段差の解消，建具の開口幅員や戸の形状などに対する配慮が必要である。

Q539 伝い歩きの場合には手すりを設置する必要があるので，通常よりも広い廊下幅員が必要である。

★Q540 通常の自走用車いすで廊下を直角に曲がるためには，廊下の有効幅員は最低でも850～900mm（壁芯－芯距離で1,000mm以上）が必要である。

Q541 車いす使用の場合，出入り口付近での車いすの切り返しで，フットサポート（足台）や駆動輪車軸が壁面や開口部の戸枠周辺を傷付けることが多い。これを防ぐため，車いすが通行する頻度が高い場所では，すりつけ板を壁面に数枚張り上げて設置し，車いすあたりとする。

★Q542 廊下に取り付ける横手すりは，できるだけ連続するように設置するが，どうしても途切れてしまう場合には，目安として，手すり端部間の空き距離を1,000mm以内に収めるようにする。

A538

高齢者や障害者にとって，廊下を自由に移動できるか否かは，屋内の生活動作そのものの利便性に大きく影響する。

A539

伝い歩きの場合には手すりを設置する必要があるが，通常の750～780mm程度の廊下幅員であればとくに問題はない。

A540

従来の910mm（3尺）モジュールの場合は廊下の有効幅員は最大で780mmであり，車いすで廊下を直角に曲がったり，車いすの向きを転回させるのは困難である。

A541

車いすが通行する頻度が高い場所では，幅木を数枚張り上げて設置し，車いすあたりとする。通常，幅木の幅は60～80mm程度であり，車いすあたりの設置の高さは350mm程度である。

■「車いすあたり」としての幅木の設置

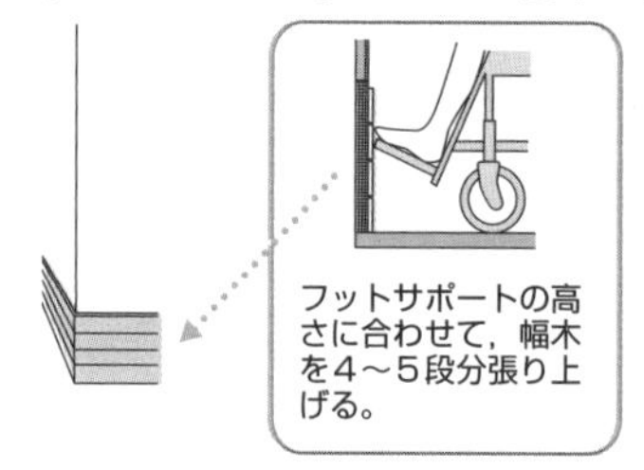

A542

廊下に取り付ける横手すりがどうしても途中で途切れてしまう場合でも，手すり端部間の空き距離は，戸の幅員を考慮して900mm以内になるようにする。

Q543 廊下の手すりは主にグラブバーとして使用するため，直径は28〜32mm程度である。ただし，手の大きさや障害の特性によっては，これより太い手すりが適する場合もある。

Q544 廊下の床材は，弾力性があると歩行時にたわんで膝関節などに負担がかかり，疲労の原因となる。床下に空隙がある場合は，合板などを張り重ねて，できるだけすきまを埋めるようにする。

Q545 廊下の照明のスイッチは，全点灯，中点灯（夜間の常用），消灯の段階スイッチを備えた照明器具などで，照度調整できるものがよい。また，明かり付きスイッチを採用すれば，暗がりでスイッチを手探りしなくてすむ。

Q546 廊下における床段差の解消方法として，開口部にミニスロープを設置する場合があるが，多点つえや歩行器を利用しての歩行では姿勢が不安定になりやすく，注意が必要である。

★Q547 脳血管障害による片麻痺者や関節リウマチによる車いす使用者では，床面に足部を下ろして車いすを操作することが多く，この場合には，和洋室間の床段差や建具の敷居段差にミニスロープを設置することで，足部への負荷を減らすことができる。

Q548 電動車いすを使用して居室へ出入りする場合は，車種や使用者の操作能力によって回転スペースが異なるため，廊下幅員，開口幅員を個別に検討する必要がある。

A543 廊下の手すりは主にハンドレールとして使用するため，直径は32～36mm程度である。ただし，手の大きさや障害の特性によっては，これより細い手すりが適する場合もある。握り方に特徴があれば，手すりのサンプルを握って比べたうえで選択する。 ×

A544 床材に弾力性がないと歩行時に膝関節などへ負担がかかり，疲労の原因となるため，床下地がコンクリート構造の場合には，コンクリートの上に転がし根太（転ばし根太）などを入れて床下に空隙を設けるとよい。 ×

A545 廊下には，暗くても位置がわかるようスイッチ部分が光る明かり付きスイッチを採用するとよい。また，出入り口付近や寝室出入り口からトイレまでの動線の要所に足もと灯を設置すると，足もとがはっきり認識できる。 ○

A546 また，廊下の両側の開口部にミニスロープを設置すると，廊下の平坦な部分の通行幅員が狭くなり，安全な歩行の妨げとなる。あらかじめ，すりつけ板による段差解消が移動方法に適しているかどうか，確認してから取り付ける。 ○

A547 脳血管障害による片麻痺者や関節リウマチによる車いす使用者では，床面に足部を下ろして車いすを操作することが多いが，この場合にはミニスロープは足部への負荷が大きいため適さない。 ×

A548 電動車いすの寸法は，JISによって全幅700mm以下とされているが，車種（4輪か6輪）や使用者の操作能力によって，回転スペースが異なるため，廊下幅員，開口幅員は，個別に検討する。 ○

建築

39 階段

Q549 生活空間が２階以上にある場合には，各室と階段との位置関係，なかでも寝室とトイレの位置関係には配慮が必要である。

★ Q550 踊り場のある階段は移動距離が長くなり，極端に体の向きを変えるなどの動作を伴うので，高齢者や障害者には適していない。

Q551 従来の回り階段（180度均等６ツ割階段）は，体の方向を転換することなく昇降できるため，安全性が高い。

Q552 180度回り部分を60度＋30度＋30度＋60度の４ツ割にした吹き寄せ階段では，60度の段に広い平坦部分ができる。

Q553 90度３ツ割階段の下方に踊り場を配置する階段（踊り場＋３段折れ曲がり階段）は，３段曲がり部分で方向転換をしながら昇降する必要があり，動作上の改善を図ることができない。

★ Q554 「建築基準法」では，住宅に設ける階段の蹴上げは230mm以下，踏面は150mm以上と規定されている。この規定どおりの階段であれば，高齢者や障害者は安全に昇降することができる。

★ Q555 「住宅品確法」の高齢者等配慮対策等級の等級５，４では，安全に昇降できる階段の寸法として，勾配が７/11であり，かつ階段の水平投影距離が４m以上と規定している。

A549 寝室からトイレまでの動線の途中に階段があると，夜中にトイレに行こうとして，誤って転倒，転落する危険性があり，配慮が必要である。 ○

A550 踊り場のある階段は，安全に体の向きを変えることができ，高齢者や障害者に適している。転落時には一気に階下まで落下せず踊り場で止まるため，大けがをする危険性も低くなる。 ×

A551 従来の回り階段（180度均等６ツ割階段）は，回り部分の広さが中途半端であり，体の方向を転換しながらの昇降となるので，転落事故の危険性が高い。 ×

A552 吹き寄せ階段は，広い平坦部分の60度の段で方向転換し，30度部分ではまっすぐ移動できるため，転落の危険性が低い。 ○

A553 踊り場＋３段折れ曲がり階段は，３段曲がり部分で方向転換しつつ昇降するため，動作上の改善を図れない。ただし，下方の踊り場で一気の転落を防げるため，大けがの危険性は低い。 ○

A554 「建築基準法」が規定する蹴上げ230mm以下，踏面150mm以上という基準は，高齢者や障害者が昇降するのに安全とはいえない。 ×

A555 「住宅品確法」の高齢者等配慮対策等級の等級5，4では，安全に昇降できる階段の寸法は，勾配が6/7以下，かつ蹴上げの寸法の２倍と踏面の寸法の和が550mm以上650mm以下である。 

★ Q556 階段昇降の動作は，一般的に階段を上るときよりも下りるときのほうが危険であるため，上り動作の安全性には，とくに配慮する必要はない。

Q557 住宅の階段には，手すりを両側または片側に取り付けることが義務付けられている。手すりは連続して取り付けるのが望ましいが，それができない場合には，手すりの端部間の空き距離は600mm以内とする。

Q558 壁からの突出が100mm以内の手すりであれば，手すりがないものとして階段幅を考えてもよく，910mmモジュールの幅の階段でも手すりを取り付けることができる。

Q559 階段から転落した際の大けがの危険性を低くするためには，直通階段よりも踊り場付き階段が適している。

★ Q560 安全に階段を昇降できるよう，踏面の段鼻部分にノンスリップなどを取り付ける。厚いものを選ぶか，階段用のノンスリップカーペットをしっかり取り付けるかする。

Q561 暗い場所でも区別がつきやすいよう，床面と壁の色，階段の蹴上げと踏面の色彩を変え，できればコントラスト比を高くしておくほうが安全である。

Q562 階段の照明器具は，足もとに影ができないよう，少なくとも階下と階上の２か所，できれば階段の中央付近にも設け，どの位置でも足もとがはっきりわかるようにする。足もと灯を併用するとよい。

A556 階段を上る際に，蹴込み板がないと足先が入り込んで転倒の原因となる。「住宅品確法」の高齢者等配慮対策等級の等級５，４では，階段の蹴込み寸法を最大でも30mm以下とし，蹴込み板を設置するよう規定している。

A557 階段の手すりをどうしても連続させられない場合には，手すり端部間の空き距離は400mm以内とし，立ち位置や身体の向きを変えず，自然に握り替えができるように配慮する。

A558 なお，壁からの突出が100mmを超える手すりの場合には，手すりの先端から壁側に100mmのところまでが階段幅となる。

A559 直通階段は，転落した際，一気に階下まで落下して大けがをする危険性が高い。踊り場付き階段は，転落しても，踊り場で止まるため，大けがをする危険性は低くなる。

建築

A560 ノンスリップは利用者がつまずかないよう薄型のものを選ぶ。ノンスリップを設置する際は，昇降時にずれて危険が生じないよう，粘着力の強い両面テープで張って固定する。

A561 また，各段の踏面部分では，段鼻を踏面と対比した色で塗装し，テープを張る。ノンスリップも，踏面と異なる色のものを選ぶ。

A562 一般的に，階段の照明は居室よりも照度が低いが，安全な移動には適度な明るさが必要である。階段・廊下はJISの推奨照度が50ルクスであり，高齢者にはそれ以上の照度が望ましい。

重要ポイント まとめて CHECK!!

Point28 階段の住環境整備

階段の勾配と蹴込み寸法

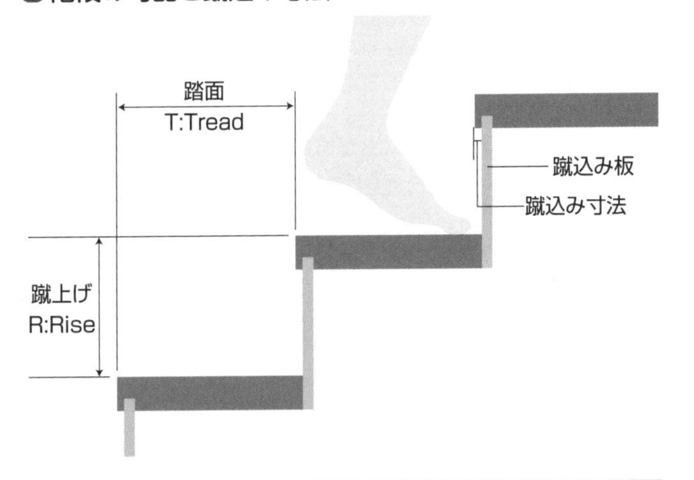

「住宅品確法」（高齢者等配慮対策等級５，４）による規定	
○安全に昇降できる階段寸法 勾配：R/T≦6/7　かつ 550mm≦2R＋T≦650mm （R＝蹴上げ，T＝踏面）	**○蹴込みへの配慮** ・蹴込み寸法：30mm以下 ・蹴込み板の設置

得点UPのカギ **「建築基準法施行令第23条」**による，階段に手すりを取り付ける場合の**階段幅の考え方**は以下のとおり。

- 突出部が100mm以内の場合…**手すりがないもの**として階段幅を**考え**る。
- 突出部が100mmを超える場合…**手すりの先端**から壁側に100mmのところまでが**階段幅**となる。

Point29 階段の形状

① **踊り場付き階段**…踊り場でひと休みができ，同時に安全に方向転換できる。万一，上方から転落しても，踊り場で止まるため大けがをする危険性は低くなる。

② **吹き寄せ階段**…従来の回り階段では，180度が均等に分割されて，回り部分が中途半端な広さとなる。方向転換しながら昇降するため危険だが，180度を60度＋30度＋30度＋60度の４つに割ると，60度の踏面が踊り場のように利用でき，安全性が高くなる。

③ **踊り場＋３段折れ曲がり階段**…180度を90度＋30度＋30度＋30度の４つに割った階段。90度の踊り場を下段に設けることで，30度３段の折れ曲がり部分で転倒しても，一気に階下まで落下せず踊り場で止めることができる。

④ **直線階段**…同じテンポで昇降することができ，体の方向転換が必要ないのでスムーズに移動できる。しかし，転落した際，一気に階下まで落下して大けがをする危険性が高いという短所がある。

①踊り場付き階段

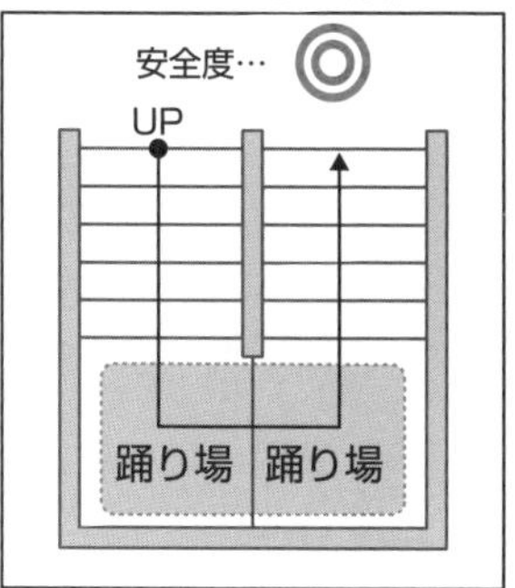

②吹き寄せ階段

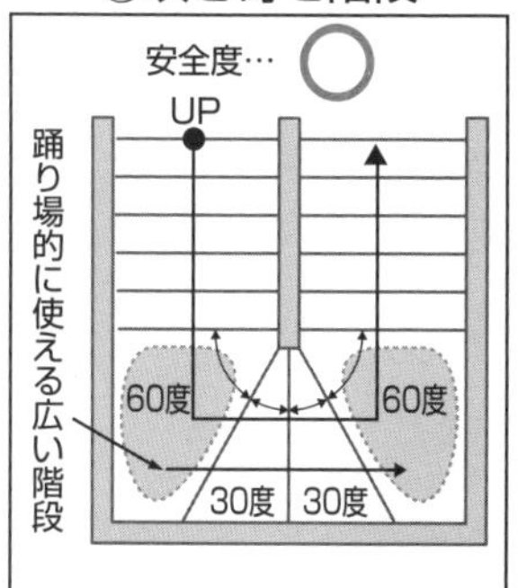

③踊り場＋
3段折れ曲がり階段

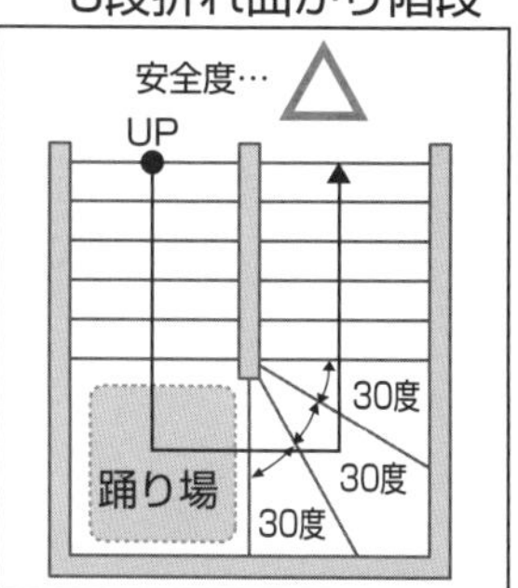

建築

40 トイレ

Q563 トイレの住環境整備は，本人が自立した生活の第一歩を実現するためと，介助者の負担を軽減するために重要である。

Q564 排泄行為の不便・不自由な状況は，本人にとって切実な問題であるので，悩みを聞き出しやすく，動作方法を把握することも比較的容易である。

★ Q565 高齢者は一般にトイレの使用回数が多くなるので，排泄行為の自立を促すためにも，寝室とトイレの出入り口までをおおむね４ｍを超える距離とするのが最も効果的である。

★ Q566 トイレ出入り口の戸は，開閉動作の容易な引き戸とする。どうしても開き戸とする場合は，外開きとする。

Q567 トイレの出入り口の段差は，つまずきにも配慮して出入り口下枠とトイレ床面の高低差を10mm以下とすべきである。

★ Q568 将来の介助スペースを確保しておくために，トイレ内に洗面カウンターか手洗いカウンターを設けておき，必要なときに取り外してスペースを拡張できるようにしておくとよい。

A563 トイレは改修希望が多い場所の１つであり，排泄行為の自立は人間の尊厳にも大きくかかわってくる。 ○

A564 排泄行為の不便・不自由な状況は，相談しづらいデリケートな問題である。本人の悩みは聞き出しにくく動作方法も把握しづらい。 ×

A565 寝室からトイレの出入り口までの距離がおおむね４ｍを超えると，高齢者には遠く感じられる。高齢者は一般にトイレの使用頻度が高いことから，排泄行為の自立を促すためにも，寝室とトイレの距離はできるだけ短いほうがよい。 ×

A566 トイレ出入り口の戸は，開閉動作の容易な引き戸がよい。開き戸の場合，内開きでは，トイレから出る際に戸の動きを避けて体をかわす必要がある，トイレ内のスリッパが戸に当たって掃き寄せてしまう，トイレ内で倒れたときに外から救出しにくいなどの理由から，外開きとする。 ○

A567 トイレの出入り口の段差については，つまずきにも配慮して，出入り口下枠とトイレ床面の高低差をなくすべきである。 ×

A568 トイレでの介助が必要な場合，介助者は前傾姿勢をとることが多く臀部が突出するので，便器側方や前方に幅500mm以上の介助スペースを確保しなければならない。 ○

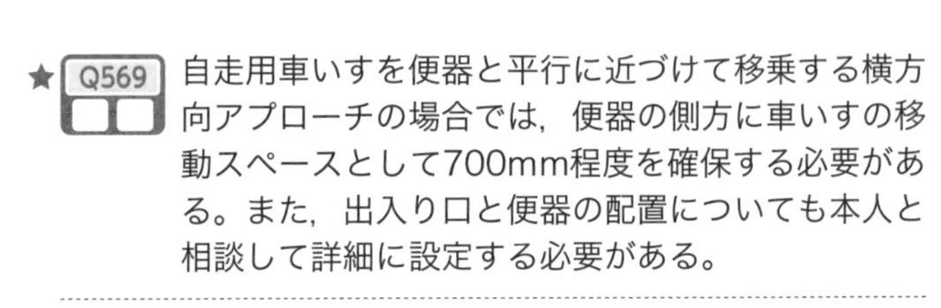

★ Q569 自走用車いすを便器と平行に近づけて移乗する横方向アプローチの場合では，便器の側方に車いすの移動スペースとして700mm程度を確保する必要がある。また，出入り口と便器の配置についても本人と相談して詳細に設定する必要がある。

Q570 便器の側方と前方の両方に介助のためのスペースを確保したトイレは，通常の木造住宅構造では，間口1,650mm×奥行き1,650mm（壁芯－芯距離で1,820mm×1,820mm）となる。

Q571 近年，便器背後の洗浄タンクがないタンクレストイレが市販されている。これを使用すると，介助スペースが確保しやすい。

★ Q572 自走用車いすを用いて自立して便器へアプローチする場合に，最も多いアプローチは便器の側方または斜め前方から車いすを便器に近づける方法である。この場合のトイレスペースは，間口1,350mm×奥行き1,350mm（壁芯－芯距離で1,515mm×1,515mm）が標準的な広さである。

Q573 介助用車いす使用の場合のトイレスペースは，車いすと介助者のスペースを考慮して，間口2,100mm×奥行き2,100mm（壁芯－芯距離で2,275mm×2,275mm）以上が必要である。

★ Q574 車いすを使用する場合のＬ型手すりの取付高さは，横手すりを車いすのアームサポートの高さにそろえることを基本とし，便座の先端から縦手すりの芯までを200～300mm程度とする。

便器への横方向アプローチの場合では，便器の側方に車いすの移動スペースとして800mm程度を確保する必要がある。 ×

便器の側方と前方に介助スペースを確保したトイレは，通常の木造住宅構造では，間口1,350mm×奥行き1,350mm（壁芯ー芯距離で1,515mm四方）となる。

A571

便器背後の洗浄タンクがないタンクレストイレは，従来のタイプより奥行きが短く，介助スペースが確保しやすい。

A572

便器の側方または斜め前方から自走用車いすを便器に近づける場合のトイレスペースは，間口1,650mm×奥行き1,650mm（壁芯ー芯距離で1,820mm×1,820mm）が標準的な広さである。

A573

介助用車いす使用の場合のトイレスペースは，車いすと介助者のスペースを考慮すると，間口1,650mm×奥行き1,650mm（壁芯ー芯距離で1,820mm×1,820mm）あることが望ましい。

A574

L型手すりは，立ち座り用の縦手すりと座位保持用の横手すりの機能をあわせもったものであり，長さ800mm×600mm（縦×横），直径28～32mmを目安とする。

建築

Q575 トイレの立ち座り用の縦手すりは，便器の先端から250～300mm程度前方の側面の壁に取り付ける。

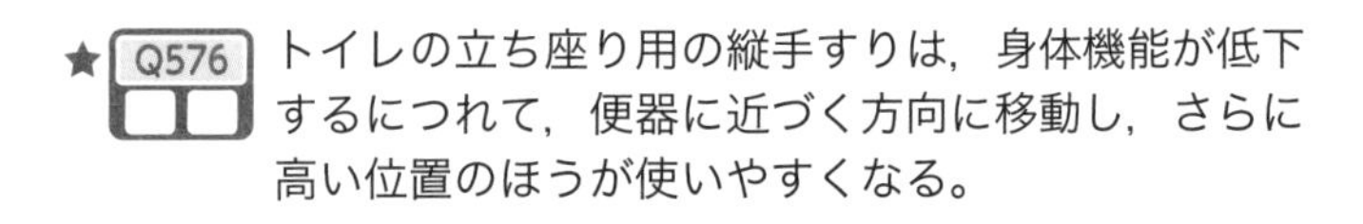

★ Q576 トイレの立ち座り用の縦手すりは，身体機能が低下するにつれて，便器に近づく方向に移動し，さらに高い位置のほうが使いやすくなる。

★ Q577 座位保持用の横手すりは，便器の中心線から左右に250mm振り分けた位置（手すりの芯－芯距離で500mm）で左右対称に設置するのが基本である。

Q578 高齢者の場合，便座に座った際に踵が浮く程度の高さがあると，立ち上がりが容易になるので，便座を温水洗浄便座に交換して座面を通常より高くしたり，立ち上がりが容易になる座面高さの便座を選択するとよい。

★ Q579 車いすを使用する場合，便器の形状は前方下部が突き出ているものを選択する。便器下部がくびれているものや，壁から持ち出されたものはアプローチが容易であるものの，車いすのフットサポートが便器の下に入り込んで車いすが前方に傾きやすくなり，移乗に危険が伴う。

★ Q580 関節リウマチや骨折などにより股関節の関節可動域に制限がある場合や，膝関節・股関節などの下肢関節に痛みがある場合には，下肢を屈曲させにくいため，便器の座面高さを高く設定することがある。

A575 また，縦手すりの上端は利用者の肩の高さより100mm程度上方まで，下端は横手すりの高さまでとし，長さの目安は800mm程度とする。

A576 トイレの立ち座り用の縦手すりは，身体機能が低下するにつれて，便器から離れる方向に移動し，さらに低い位置のほうが使いやすくなる。

A577 座位保持用の横手すりは，便器の中心線から左右に350mm振り分けた位置（手すりの芯ー芯距離で700mm）で左右対称に設置するのが基本である。また，壁とは反対側の横手すりは可動式にすると邪魔にならず使いやすい。

A578 高齢者の場合には，立ち上がりの容易さよりも，座位姿勢の安定性を優先する。便座に座ったときに，踵や足底が床面に着いていることを確認して座面高さを決定する。

A579 車いす使用の場合，車いすで十分に近づける形状の便器を選ぶ。前方下部がくびれたものは，車いすのフットサポートが入り込めてアプローチしやすい。壁から持ち出されたものもアプローチが容易で，床の掃除がしやすい。前方下部が突き出ているものは，車いすでアプローチしにくく，適していない。

A580 便座面を高くする場合は，床面に踵や足底が着きにくくなるので，手すりの設置など座位姿勢の安定を図ることが必要になる。

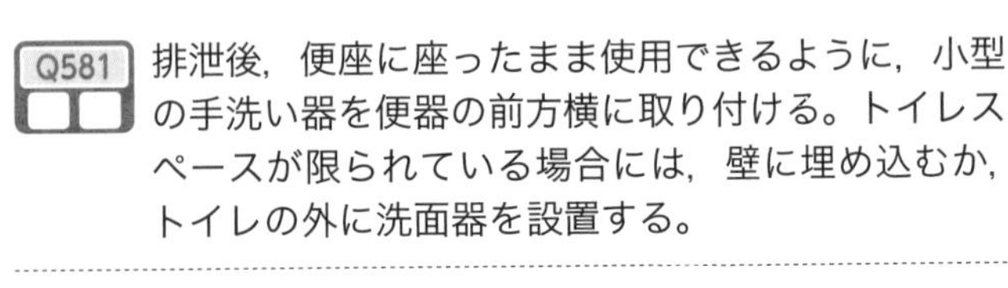

Q581 排泄後，便座に座ったまま使用できるように，小型の手洗い器を便器の前方横に取り付ける。トイレスペースが限られている場合には，壁に埋め込むか，トイレの外に洗面器を設置する。

Q582 温水洗浄便座は排泄後の清拭が楽で，高齢者や障害者に適している。ただし，下半身に麻痺があると，肛門や陰部に温湯がよく当たらないことがあるため，適切な位置の確認が必要になる。

Q583 汚物流しは，差し込み便器やポータブルトイレなどの排泄物を処理するための専用流しであり，尿器や差し込み便器などを下洗いするための水栓金具が付いている。

Q584 トイレ内の照明は，一般的に居室よりも照度が低いが，高齢者の場合，照度が低いと夜間の使用時には使いづらいので，できるだけ照度を上げるようにするとよい。

Q585 夜間のトイレの温度は，冬季は相当に低くなるが，最近では暖房付きの便座が一般的になり，高齢者が急激な温度変化にさらされることがなくなったため，トイレ全体を暖められるような暖房機器は不要となった。

Q586 ペーパーホルダーの取付位置は，一般には便座先端部分よりも100～150mm程度前方で，高さは便座面から250～300mm程度上方がよい。

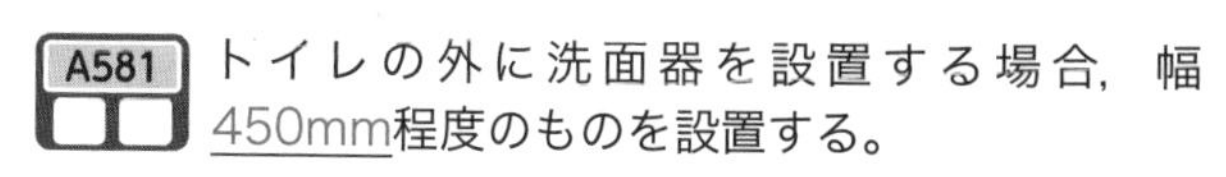

A581 トイレの外に洗面器を設置する場合，幅450mm程度のものを設置する。

A582 なお，温水洗浄便座を導入する際には，利用者がスイッチを操作できるかどうかの確認と，使いやすいスイッチの取り付け位置の検討が必要となる。

A583 家庭で使用する汚物流しは，幅500mm，奥行き300mm程度の壁かけ型で，通常の洗面台よりも低い650mm程度の高さに設置すると作業がしやすい。

A584 トイレ内の照明は，廊下や階段より明るい設定とするが，照度が高すぎると，夜間に暗い寝室や階段・廊下から移動してきた際に突然明るくなり，高齢者がまぶしさを感じることがあるので注意が必要である。JISではトイレの推奨照度を75ルクスとしている。

A585 冬季の夜間に居室からトイレへ行くと，短時間に急激な温度変化にさらされることで，高齢者はヒートショックを起こすおそれがある。冬季には，パネルヒーターといった輻射暖房器などを通電し，日頃からトイレ全体を暖かくしておく。

A586 ペーパーホルダーの取付位置が手すりと重なる場合には，手すりの取付位置を優先する。その場合，ペーパーホルダーは手すりの使用やトイレットペーパーの交換に支障がないように配慮し，横手すりの上方または下方に取り付ける。

重要ポイント まとめて CHECK!!

Point30 車いすの使用に適した便器下部の形状

○ ✕ ○

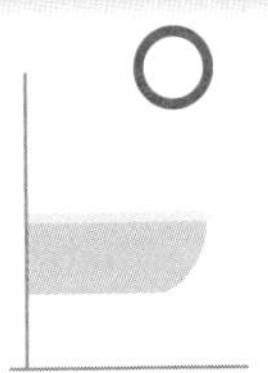

車いすがなるべく便器に近づけるように，便器の前方下部がくびれているものにする。

壁付けのものもあるが，一般家庭では付けられない場合が多い。

Point31 可動式手すりの例

○水平可動手すり

介助動作のじゃまにならない可動式の横手すり。

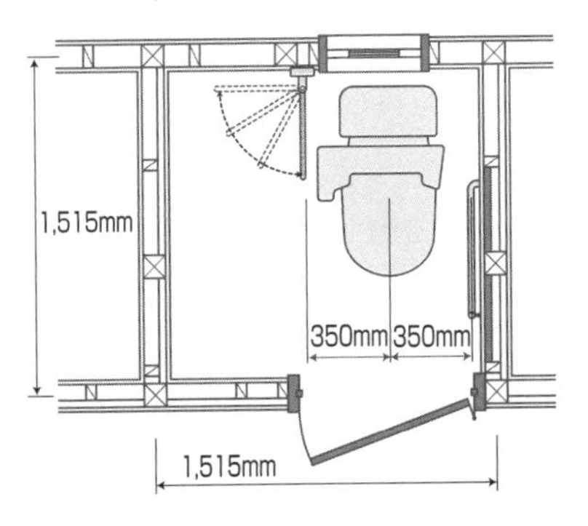

○はね上げ式手すり

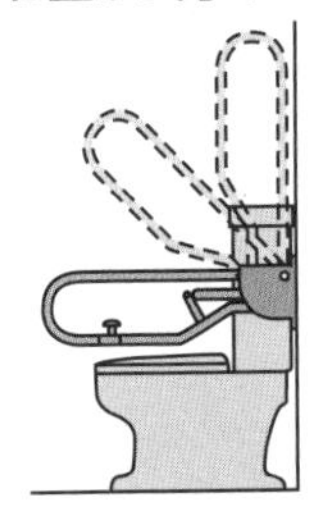

垂直方向に可動するはね上げ式手すりは，トイレの側面にスペースがない場合に有効である。

Point32 トイレの住環境整備

●必要なトイレのスペース

		間口×奥行き（壁芯－芯距離）※留意点等
自立歩行		750mm×1,200mm（910mm×1,365mm） ※ゆったりとした立ち座り動作に配慮した場合の奥行きは1,650mm（1,820mm）程度。
介助歩行		1,350mm×1,350mm（1,515mm×1,515mm） ※便器側方および前方に幅500mm以上の介助スペースが必要。
自走用車いす	側方アプローチ	1,650mm×1,650mm（1,820mm×1,820mm）
	前方アプローチ	※奥行き1,800mm以上が必要。
	横方向アプローチ	※便器の側方に800mm程度のスペースが必要。
介助用車いす		1,650mm×1,650mm（1,820mm×1,820mm）の確保が望ましい。

●トイレの手すり

○L型手すり

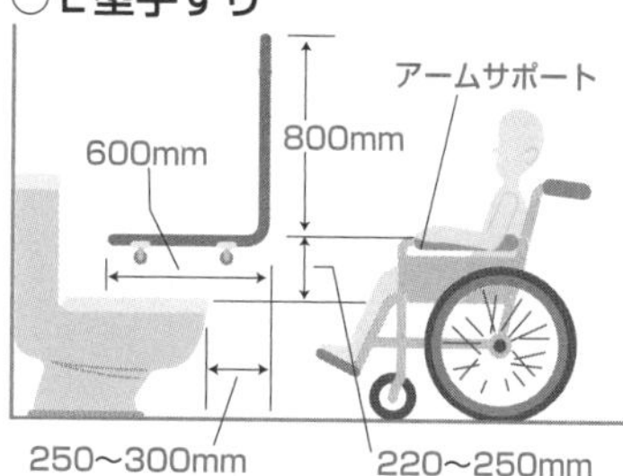

車いす使用の場合は,横手すりをアームサポートの高さに合わせる。直径は28〜32mm程度。

○縦手すり

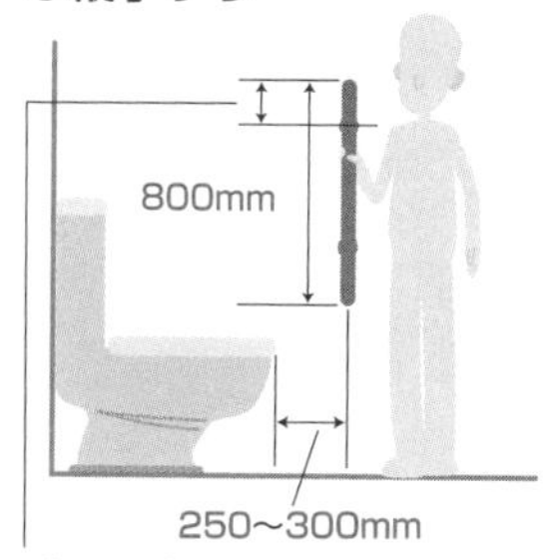

手すり上端は立位の利用者の肩より100mm程度上方まで。

41 浴室

★ Q587

浴室の戸は，洗面・脱衣室側に水滴がたれないように内開き戸が一般的であるが，開閉動作のしやすい３枚引き戸にすることが望ましい。

Q588

浴室の建具には強化ガラスや，ポリカーボネイト，アクリル系の半透明板などを用いた製品が適している。

★ Q589

浴室出入り口の開口部の有効幅員は，高齢者等配慮対策等級の最高水準である等級５においても800mm以上とされており，この幅員では車いすを利用したり，介助を必要とする場合には通行が難しいため，開口部の幅員の拡張が必要となる。

★ Q590

一般的に浴室の出入り口には段差があるが，自立歩行で浴室に移動する場合は段差を５mm以下とし，介助歩行の場合は段差を20mm以下とする。

★ Q591

洗い場と洗面・脱衣室の床面が同じ高さとなるよう工事を行うときは，出入り口の洗い場側または開口部下枠の下部に排水溝を設け，その上にグレーチングを敷設する。

Q592

浴室出入り口の段差を解消する最も簡便な方法は，工事が不要な浴室内すのこの設置である。

Q593

浴室の広さは，高齢者等配慮対策等級の等級５，４の基準によると，内法寸法の短辺が1,300mm以上でかつ面積は２m^2以上となっている。

A587 なお，内開き戸は，洗い場で倒れた場合に外からの救助が困難になりやすい。折れ戸は，高齢者や障害者には開閉動作が難しい場合がある。 ○

A588 ガラス入りの建具は，転倒時に破損してけがをすることもあるので，浴室ではぶつかっても破損しない強化ガラスなどを使用する。 ○

A589 浴室開口部の取付寸法（柱芯－芯距離）が1,820mm程度確保できれば，３枚引き戸が使える。この場合，1,000mm以上の有効幅員が得られ，車いすや介助者の通行が容易になる。 ○

A590 浴室の出入り口の段差は，高齢者等配慮対策等級では，介助の有無にかかわらず，歩行の場合は20mm以下，シャワー用車いす等を使用する場合は５mm以下にすると定められている。 ×

A591 なお，グレーチングは湯水が浴室の外に出ないようにする補助的な排水溝であるため，浴室内の水勾配は湯水が出入り口とは反対側に流れるように設け，主排水溝から排水する。 ○

A592 洗い場床面にすのこを設置する場合，すのこを小割りにすると取り外しが容易になり，清掃や日干しなどのメンテナンスがしやすくなる。 ○

A593 浴室の広さは，高齢者等配慮対策等級の等級５，４の基準では，内法寸法の短辺が1,400mm以上でかつ面積は2.5m²以上となっている。 ×

★ Q594 □□ 介助を想定した場合に必要な浴室スペースは，間口1,600mm×奥行き1,600mm（壁芯－芯距離で，間口1,820mm×奥行き1,820mm），もしくは間口1,800mm×奥行き1,400mm（壁芯－芯距離で，間口2,020mm×奥行き1,620mm）程度である。

★ Q595 □□ 車いすで浴室内に入り，入浴用いすに移乗する場合には，間口1,600mm×奥行き1,600mm（壁芯－芯距離で，間口1,820mm×奥行き1,820mm）以上の浴室スペース確保が望ましい。

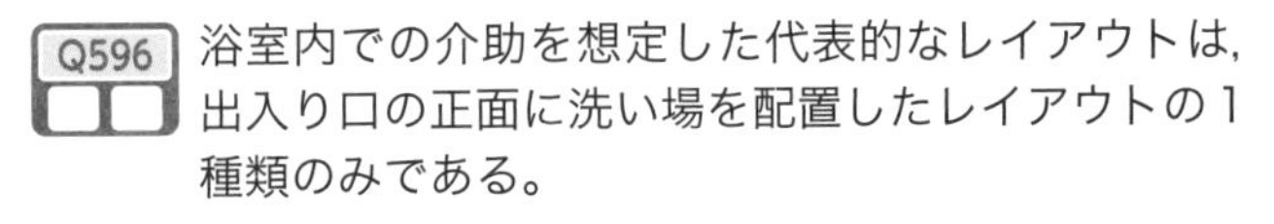

Q596 □□ 浴室内での介助を想定した代表的なレイアウトは，出入り口の正面に洗い場を配置したレイアウトの1種類のみである。

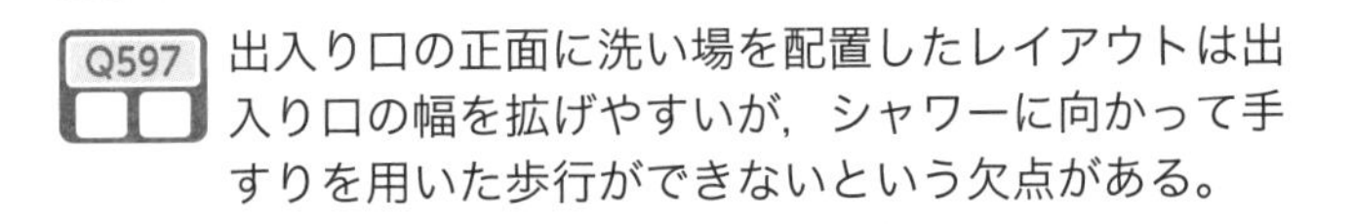

Q597 □□ 出入り口の正面に洗い場を配置したレイアウトは出入り口の幅を拡げやすいが，シャワーに向かって手すりを用いた歩行ができないという欠点がある。

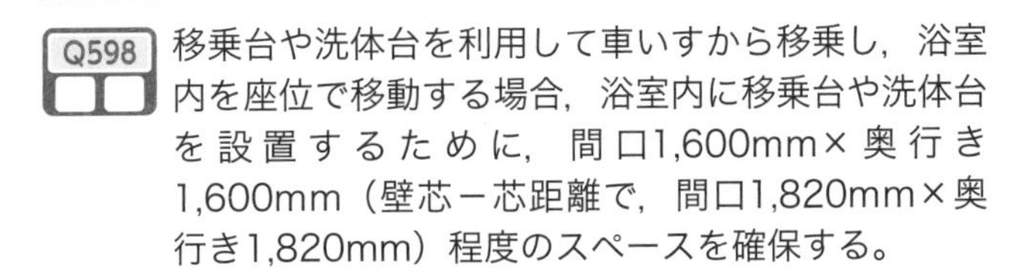

Q598 □□ 移乗台や洗体台を利用して車いすから移乗し，浴室内を座位で移動する場合，浴室内に移乗台や洗体台を設置するために，間口1,600mm×奥行き1,600mm（壁芯－芯距離で，間口1,820mm×奥行き1,820mm）程度のスペースを確保する。

Q599 □□ 一般的に，洗い場移動用には縦手すりが，洗い場立ち座り用には横手すりが用いられる。

★ Q600 □□ 浴槽縁にはめ込んで取り付ける浴槽用手すりは，固定性が高く，手すりに大きな力が加わってもずれることはない。

A594 介助者を２名想定した場合や洗い場をより広く確保したい場合の浴室については，間口1,600mm×奥行き2,100mm（壁芯ー芯距離で，間口1,820mm×奥行き2,275mm）程度のスペースを確保するとよい。 ○

A595 この場合，出入り口の正面に浴槽があるレイアウトにする。 ○

A596 浴室内での介助を想定した代表的なレイアウトとして，出入り口の正面に洗い場を配置したレイアウトのほか，出入り口の正面に浴槽を配置したレイアウトの２種類が考えられる。 ×

A597 出入り口の正面に浴槽を配置したレイアウトのほうが出入り口の幅を拡げやすいが，シャワーに向かって手すりを用いた歩行ができないという欠点がある。 ×

A598 浴室内を座位で移動する場合には，褥瘡予防のために，できるだけずれにくい浴室用マットを浴室床面に敷きつめるとよい。 ○

A599 一般的に，洗い場移動用には横手すりが，洗い場立ち座り用や浴槽出入り用，浴室出入り用には縦手すりが用いられる。浴槽内での立ち座りや姿勢保持用にはL型手すりが適している。 ×

A600 浴槽用手すりは，固定性が低く，大きな力が加わるとずれることもある。また，座位によるまたぎ越しの際に，障害物となりやすい。 ×

★Q601

浴槽の長さは，高齢者や障害者が入ったときに，足底が浴槽壁に届くことが重要である。届かないと体が湯に沈み込んで，溺れるおそれがある。

★Q602

立位でのまたぎ越しや座位で浴槽へ出入りする場合には，浴槽縁高さを500mm程度になるように埋め込む。また，浴槽は浴槽縁（エプロン部分）の幅が厚いと，またぎ越すときの動作が安定しやすい。

Q603

洗い場から浴槽を座位でまたぐ場合は，本人の身体機能や浴室のスペースを考慮して座位位置を検討する。座位位置としては，浴槽上，浴槽の長辺方向，洗い場側の３つが考えられる。

Q604

対象者が車いすから座位移動で自立入浴できる場合は，移乗する際に必要な移乗台，浴槽縁，洗い場床面の高さを車いすの座面高さと揃える。

Q605

浴室では，体に直接湯をかけるため，誤って熱湯や冷水をかけないよう，シャワー水栓は，確実に温度調節ができるサーモスタット付き水栓がよい。

Q606

床面と浴槽の色が同じ場合，浴槽付近でつまずき，転倒する原因となりかねない。

★Q607

居室から浴室や洗面・脱衣室へと移動する場合，急激な室温の変化が身体的負担となる。浴室には，床暖房の設置が適している。

Q608

浴室の換気扇には，熱交換型換気扇を用いるのが適切である。

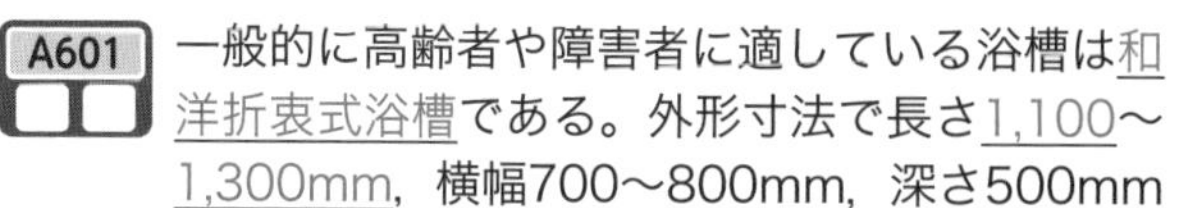

A601 一般的に高齢者や障害者に適している浴槽は和洋折衷式浴槽である。外形寸法で長さ1,100～1,300mm，横幅700～800mm，深さ500mm程度が使いやすい。 ○

A602 立位でのまたぎ越しや座位で浴槽へ出入りする場合の浴槽縁高さは400～450mm程度が使いやすい。また，浴槽は浴槽縁（エプロン部分）の幅が厚いと，またぎ越すときの動作が不安定になりやすいため，できるだけ薄くする。 ×

A603 座位位置を浴槽上にする場合はバスボードを使用する。移乗台を用いて浴槽の長辺方向に座位位置を確保すると浴槽の出入りが安定する。移乗台を用いて洗い場側に座位位置を確保する場合は浴槽の底面に足が届きにくくなる。 ○

A604 浴室が対象者専用の場合は，洗い場の床面全体をかさ上げし，車いすの座面高さと揃える。家族と共用の場合は，洗い場を部分的にかさ上げし，対象者用と家族用に分けるとよい。 ○

A605 サーモスタット付き水栓は，温度調節ハンドルの操作により希望する湯温を安定して吐水でき便利である。 ○

A606 浴室の壁，床面，浴槽などは，色彩やコントラスト比で，はっきり区別をつけるようにする。 ○

A607 短時間しか使わない浴室での床暖房は経済的ではないので，浴室用暖房乾燥機などで入浴前に浴室を暖めておくとよい。 ×

A608 熱交換型換気扇は，浴室内の暖気を逃がすことなく換気できる。 ○

42 洗面・脱衣室

★ Q609

高齢者や障害者の利用を考慮した洗面・脱衣室のスペースは，間口1,650mm×奥行き1,650mm（壁芯−芯距離で，間口1,820mm×奥行き1,820mm）程度が必要である。

Q610

洗面・脱衣室を車いすで使用する場合には，間口1,650mm×奥行き1,650mm（壁芯−芯距離で，間口1,820mm×奥行き1,820mm）程度のスペースが最低限必要である。

★ Q611

洗面･脱衣室は，濡れても滑りにくい床仕上げとし，床下地には耐水合板などを用いる。

Q612

洗面台の壁に掛ける鏡は，いすに座っていても，立位姿勢でも胸から上が映せる範囲（床面より1,000～1,500mm程度の範囲）をカバーする大きさのものを，斜めに傾けた状態で設置する。

★ Q613

洗面台の水栓金具は，片手で吐水や止水ができ，水温調節もできるシングルレバー混合水栓が適している。水栓金具の操作レバーは，短い形状のものが使いやすい。

Q614

JISでは，浴室と洗面・脱衣室の全体については推奨照度を100ルクスとしている。ただし，ひげそり，化粧，洗面では300ルクスとしており，洗面部分には別途照明が必要となる。

A609

高齢者や障害者の利用を考慮した洗面・脱衣室のスペースは，いすに腰かけながらの洗面や着脱衣動作ができる広さを確保する必要がある。

○

A610

洗面・脱衣室を車いすで使用する場合には，車いすの方向転換に配慮する必要がある。カウンター式洗面台を出入り口の正面に配置して，カウンター下部を回転スペースに取り込むと車いすスペースを確保しやすい。

○

A611

洗面・脱衣室には，水に強い床仕上げ材として推奨されている耐水性加工を施したフローリング材，Ｐタイル，塩化ビニルシートやリノリウム床などが一般的に用いられている。

○

A612

壁に掛ける鏡は，いす座でも立位でも胸から上が映せる範囲（床面より800～1,750mm程度の範囲）をカバーする大きさのものを設置する。さらに，鏡を斜めに傾けた状態は，いずれの姿勢でも見づらくなり，適切ではない。

×

A613

水栓金具の操作レバーは，長い形状のものが使いやすい。また，車いすの使用者や手指の可動域に制限がある障害者には，操作レバーは，洗面器奥よりも横に付いているほうが使いやすい。

×

A614

なお，洗面台の鏡などの脇に内蔵されている照明器具は，光源を正面に設置してあるため，高齢者にとってはまぶしく感じられる。そのため，補助光源は，鏡の上か洗面カウンターの左右の壁などに取り付けることを検討する。

○

重要ポイント まとめて CHECK!!

Point33 浴室の住環境整備

必要な浴室のスペース

		間口×奥行き	（壁芯－芯距離）
自立入浴		1,600mm×1,200mm	（1,820mm×1,365mm）
要介助	介助者が必要	1,600mm×1,600mm	（1,820mm×1,820mm）
		1,800mm×1,400mm	（2,020mm×1,620mm）
	介助者が2名必要	1,600mm×2,100mm	（1,820mm×2,275mm）
車いす使用	屋内移動に車いすを使用	1,600mm×1,600mm	（1,820mm×1,820mm）
	車いすで浴室に入る場合	1,600mm×1,600mm	（1,820mm×1,820mm）
座位移動	浴室内を座位で移動	1,600mm×1,600mm	（1,820mm×1,820mm）
	屋内移動はすべて座位移動であるが入浴は自立	1,600mm×1,200mm	（1,820mm×1,365mm）

※浴室内の移動距離を短くするための選択

浴室内の手すりの位置

①浴室出入り用縦手すり
②洗い場移動用横手すり
③浴槽内立ち座り・姿勢保持用L型手すり
④浴槽出入り用縦手すり
⑤洗い場立ち座り用縦手すり

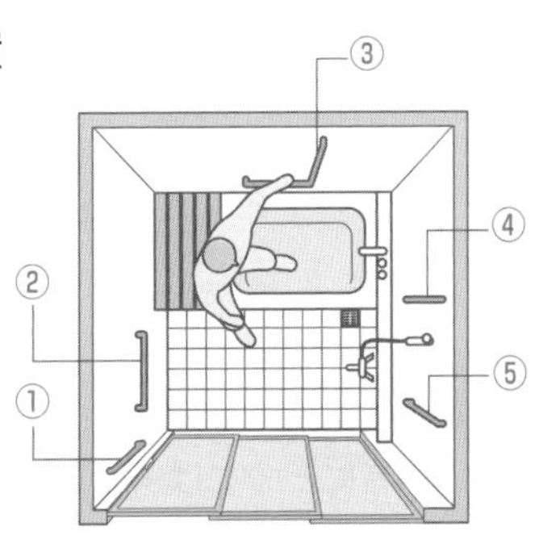

浴槽を座位でまたぐ場合の座位位置

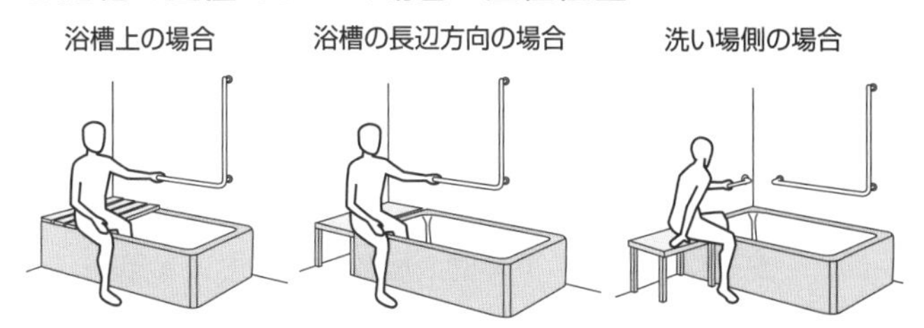

Point34 洗面・脱衣室の住環境整備

住環境整備の主な留意点

スペース	腰かけての**着脱衣動作**や**洗面動作**，**車いすの使用**などを考慮した場合，間口・奥行きとも1,650mm（壁芯ー芯で1,820mm）が必要である。
床仕上げ	水に強い洗面・脱衣室用の床仕上げ材として推奨されている耐水性加工を施したフローリング材，Pタイル，塩化ビニルシートやリノリウム床などが用いられる。
洗面カウンター	床面より720～760mm程度の高さに取り付ける。また，排水管は壁排水とするか，床排水の場合には左右のすみの壁面に寄せて設置する。
鏡	床面より800～1,750mm程度の範囲をカバーできる大きさが必要。防露型を選ぶとよい。
水栓金具	シングルレバー混合水栓が適している。操作レバーが長い**形状**の水栓金具が使いやすい。
洗濯機・乾燥機	ドラム式の全自動洗濯乾燥機などの利用を検討する。
暖房設備	温風吹き出し式よりも**パネルヒーター**などの輻射暖房が適している。

JISによる推奨照度①

浴室と洗面・脱衣室の全体は100ルクスだが，**ひげそり**，**化粧**，**洗面**では300ルクスとなっており，別途**補助光源**が必要である。

建築

43 キッチン

★Q615 キッチンと食堂・居間は，ハッチやカウンターなどで適度に視線をさえぎる程度に仕切ると，来客にもキッチン内を見せずにすむ。また，ハッチやカウンターは，調理の下準備や配膳にも利用できる。

Q616 調理機器を食堂側に向かって配置する対面式キッチンは，調理しながら家族とコミュニケーションがとれ，食堂や居間に目を配ることができる。

Q617 キッチン内の調理機器類の配置には，Ｉ型配置とＬ型配置がある。Ｉ型配置は，キッチンの規模が大きくなると移動距離が長くなるという特徴がある。

★Q618 キッチン内の調理機器類の配置のうち，Ｉ型配置は，Ｌ型配置と比較して動線が単純で，車いすでの移動に適しているという特徴がある。

Q619 通常のキッチンカウンター高さは，小柄な高齢者やいす座での調理には高すぎるため，足もとの幅木部分を小さくすることで調節する。

★Q620 車いす対応型キッチンの高さは，床面から850mm程度を目安とする。

Q621 収納棚の高さの上限は，上肢に障害がない場合でも利用者の目線の高さまでとする。

A615 ハッチは，キッチンと食堂などを仕切る壁に設けられた開口部で，ここから物の受け渡しなどを行うことができる。 ○

A616 調理機器を食堂側に向かって配置する対面式キッチンは，調理をしながら食堂や居間に目を配れるので，子どものいる家庭にも適している。 ○

A617 キッチン内の調理機器類の配置には，一直線上に配置する形式（I型配置）と，直角に配置する形式（L型配置）がある。 ○

A618 キッチン内の調理機器類の配置のうち，車いすでの移動に適しているのは，L型配置である。ただし，キッチンの室形状が四角くなるため，I型配置よりもスペースが必要になる。 ×

A619 キッチンカウンター高さは，足もとの台輪部分（キッチンカウンター下部の収納部分下方にある高さ100mm程度の下枠）で調節する。 ×

A620 車いす対応型キッチンは，通常のキッチンカウンター（床面から800mm，850mm，900mmの３種類が標準的）よりも低いほうが使いやすく，床面から740～800mm程度を目安とする。シンクの深さは120～150mm程度の浅いものに変更し，水栓金具は泡沫水栓にするとよい。 ×

A621 収納棚の高さの上限は，上肢に障害がない場合でも利用者の目線の高さ（アイレベル）までとする。立位の場合では1,400～1,500mm程度の高さとなる。 ○

★ Q622 □□ 家庭用のガスコンロは，すべてのバーナーに「コンロ・グリル消し忘れ消火機能」の搭載が義務付けられている。

★ Q623 □□ 電気コンロの一種である電磁調理器は，天板がフラットで発熱はしないが，鍋を下ろした直後の加熱部分は鍋からの余熱で熱くなっているため，やけどには注意が必要である。

Q624 □□ 換気扇のスイッチが上方のレンジフードに付いていると，操作の際に不便なので，手元で操作できるよう新しいスイッチを増設するか，リモコンで操作できる換気扇を選択するとよい。

Q625 □□ 食卓テーブルの大きさは，通常４人がけの場合，幅1,200mm×奥行き700mm程度が最低限必要である。車いすを使用する場合には，さらに広いスペースが必要となるため，幅は1,500mm以上を確保する。

Q626 □□ 調理台では，手もとを明るく照らせるように，上吊り戸棚や目の高さほどの位置にあるオープン収納の下などに照明を取り付ける。その場合，光源が直接利用者の目に入らないような器具を選び，取り付ける位置にも留意する。

Q627 □□ 食卓テーブルに使用されるペンダント型照明器具は，上部にほこりがたまりにくく，清掃が楽なので，高齢者に適している。

家庭用のガスコンロは，すべてのバーナーに「調理油過熱防止装置」と「立ち消え安全装置」の装着が義務付けられている。

×

電気コンロには，天板の加熱部分が熱せられる電気調理器と，電磁気を利用して鍋底に渦電流をつくり，その電気抵抗により鍋自体が発熱する電磁調理器（IHヒーター）がある。両者とも，鍋を置く五徳の突出がないため，鍋の滑らし移動や清掃が容易である。

A624

なお，マンションなどでは構造上，「建築基準法」に基づいて24時間換気システムが設置されている場合もある。この場合は，電源を勝手に落とさないように配慮する必要がある。

○

A625

車いすを使用する場合には，食卓テーブルの幅を1,500mm以上確保する。中央部で天板を支えるタイプの脚にすると，車いす使用時にテーブルの脚が妨げとならない。

○

A626

なお，JISによる推奨照度は，食堂は50ルクス，台所は100ルクスである。ただし，食卓や調理台，流し台などでは300ルクスとなっており，これらの部分には別途照明が必要となる。

○

A627

ペンダント型照明器具は，上部にほこりがたまり汚れやすく高齢者世帯には清掃がしにくいので，天井直付けのシーリングライトにするとよい。

44 寝室

Q628 居間と寝室を隣接させる場合，寝室の出入り口はなるべく開口を広くし，建具に引き分け戸を使用すると，家族とのコミュニケーションを図りやすい。

★Q629 ベッドの使用を考える場合，夫婦用の寝室であれば最低でも６～８畳の広さを確保する。

Q630 洋室の寝室に畳スペースを設けると，車いすへの移乗に使用できるほか，介助者の就寝スペースとしても使用できる。

★Q631 車いすで寝室から庭へと直接出入りするためには窓を掃き出し窓とし，必要な有効幅員を確保できるサッシを選択する。

★Q632 寝室の窓を大きくとると内外の熱の透過が大きく，冷暖房の効率がよくなるため，高齢者も過ごしやすい。ただし，厳寒地などではあまり大きな窓をとれないこともある。

★Q633 寝室の床仕上げは，洋室の場合はフローリング（板張り）が主流となっているが，コルク床は弾力性があり，断熱性も高く，高齢者や障害者に適している。コルク材は，できるだけ薄いものを選ぶとよい。

Q634 寝室と居間が近接していても，緊急時に備えて家族と会話できるインターホンやコールスイッチを設けておくようにする。現在は必要としない健康な高齢者にとっても「安心感」があるうえ，緊急時にも対応できる。

A628 居間と寝室を隣接させる場合の寝室の出入り口は，広い開口（開口有効幅員1,600mm以上）とし，建具は引き分け戸にするとよい。 ○

A629 ベッドを使用するのであれば，１人用の寝室では最低６～８畳，夫婦用の寝室では最低８～12畳の広さを確保する。 ×

A630 洋室の寝室に畳スペースを設ける場合は，床面から400～450mm程度の高さとし，畳スペースの下部に車いすのフットサポートが入るよう，深さ200mm程度の空きスペースを設ける。 ○

A631 掃き出し窓の外に屋内床面と同じ高さのデッキを設け，さらにデッキからスロープを設置することで，車いすを使用しての寝室から庭への出入りがしやすくなる。 ○

A632 寝室の窓を大きくとると内外の熱の透過が大きく，冷暖房の効率が悪くなるため，できるだけ断熱性の高い二重ガラスを選び，併せて結露を防止する。 ×

A633 コルク床は弾力性があり，断熱性も高いため，高齢者や障害者に適している。コルク材は，厚さ３～10mm程度の製品が市販されており，できるだけ厚いものを選ぶようにする。 ×

A634 最近では，コールボタンのある子機側と，居間などに置いた親機を無線でつなげるものもある。配線工事も不要であるため，導入を検討するとよい。 ○

45 建築設計と施工の流れ

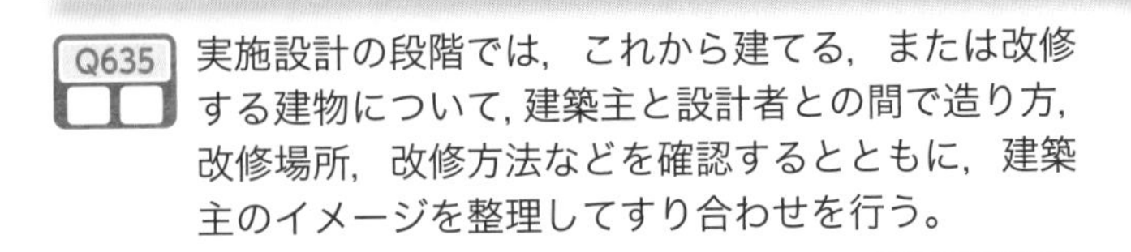

Q635 実施設計の段階では，これから建てる，または改修する建物について，建築主と設計者との間で造り方，改修場所，改修方法などを確認するとともに，建築主のイメージを整理してすり合わせを行う。

Q636 実施設計は，計画建築物の全体概要を意匠的，技術的，法規的に画定する作業である。

Q637 建築主の要望を具体的にするために，計画方針や改修方針に基づく建築的な内容をとりまとめ，図面化したものを基本設計図という。

Q638 実施設計図を作図するに当たっては，予定する工事費についても詳細に積算を行い，実際の工事費と大きな金額差が生じないよう検討する必要がある。

Q639 建築主は着工前に，建築主事，国土交通大臣または市町村長が指定した指定確認検査機関へ，建築計画の内容が法令の定めに適合しているかどうかを確認するが，これを建築確認という。

Q640 建築工事の契約では，一般に契約書のほかに基本設計図が添付される。契約に用いられるこの基本設計図には契約の証が記されるが，これを契約図と呼ぶ。

Q641 施工図は，契約図をもとにして現場作業用に描き直した図面のことである。

A635
これから建築または改修する建物につき，建築主と設計者との間で造り方，改修場所，改修方法などを確認し，建築主のイメージを整理してすり合わせを行うのは，基本設計の段階である。
×

A636
実施設計は，工事の実施や施工者による施工図作成に必要な設計内容を画定する作業である。計画建築物の全体概要を意匠的，技術的，法規的に画定する作業は基本設計である。
×

A637
基本設計図として，平面図だけでは不十分な場合には，断面図や透視図（パース）など立体的な図による検討も行う。
○

A638
実施設計図は，細部まで決められて作図された工事用の図面である。そのため，基本設計図に従い，詳細が決まっていない各部の寸法，形状，仕上げ材料，使用機材など，造るために必要な事項をすべて決定する。
○

A639
建築確認は，着工前に建築主が，建築主事，国土交通大臣または都道府県知事が指定した指定確認検査機関へ行う。工事の内容や規模によっては，確認申請を必要としない場合もある。
×

A640
建築工事の契約では，一般に契約書のほかに実施設計図（工事規模が小さい場合は改修内容を指示する図面）が添付される。契約の証が記された実施設計図を契約図という。
×

A641
施工図は，建物が比較的大きい場合に建築現場で実際に使われる図面である。なお，木造では通常作図されない。
○

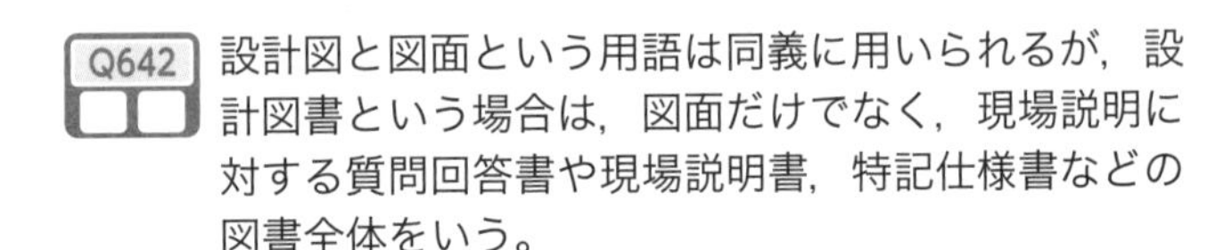

Q642 設計図と図面という用語は同義に用いられるが，設計図書という場合は，図面だけでなく，現場説明に対する質問回答書や現場説明書，特記仕様書などの図書全体をいう。

★ Q643 図面（設計図）の情報だけでは建物を建てられないため，さまざまな図書が必要となるが，記載内容に食い違いや不都合が生じる場合には，特記仕様書が最優先される。

Q644 建築図面に用いられる線は，線種が実線，破線，一点鎖線の３種類，太さが２または３種類あり，適宜使い分けられる。破線の中間の線は，一般的に敷地境界を表すのに用いる。

Q645 同じ内容を表現する場合でも，尺度が１：50の建築図面では，１：20の図面にある情報をすべて伝達することはできない。

Q646 建物を図面に表す際に用いる縮尺には，推奨尺度と中間尺度があり，できるだけ推奨尺度を用いるようにする。推奨尺度は，JISが推奨する図面を描く尺度で，推奨尺度の使用が困難な場合に用いるのが中間尺度である。

★ Q647 建築図面の表現方法には一定のルールがある。大筋では建築基準法が定める規格に沿った作図方法になっているが，国際標準規格との整合が図られる以前の旧建築基準法に基づく方法や，慣習的に用いられている方法などが混在している場合がある。

Q648 平面図で使用する表示記号のうち，材料構造（材料の断面）の表示記号は，同じ材料であっても図面の縮尺により表現方法が異なる。

設計図と図面は同義で用いられるが，設計図書という場合は，図面のほかに，さまざまな図書全体をいう。

○

一般に設計図書における優先度は，現場説明に対する質問回答書，現場説明書，特記仕様書，図面（設計図），標準詳細図集（設計図の一部），標準仕様書（または共通仕様書）の順で高い。

A644

破線は一般的に隠れて見えない部分の形状を表し，とくに強調したい部分は破線の中間の線を用いる。一般的に敷地境界を表すのは，一点鎖線の中間の線である。

A645

尺度が1：20の建築図面では枠材の構成方法やボード張りの壁であることが表現できるが，1：50では枠材があることしか表現できない。

○

A646

推奨尺度の1：2（1/2）～1：200（1/200）が通常の規模の建築物を描く縮尺であり，1：500（1/500） ～ 1：10,000（1/10,000）は配置図や案内図に限られる。中間尺度でよく使われる尺度には，1：3（部品図など），1：30（詳細図など），1：40（構造断面リストなど）がある。

A647

大筋では現在のJISが定める規格に沿った作図方法になっているが，国際標準規格（ISO）との整合が図られる以前の旧JISによる方法や，慣習的に用いられている方法などが混在している場合がある。

A648

平面図で使用する表示記号には，開口部，床面を表す平面表示，材料構造（材料の断面）などがあり，基本的にJISが用いられている。

46 建築図面の種類

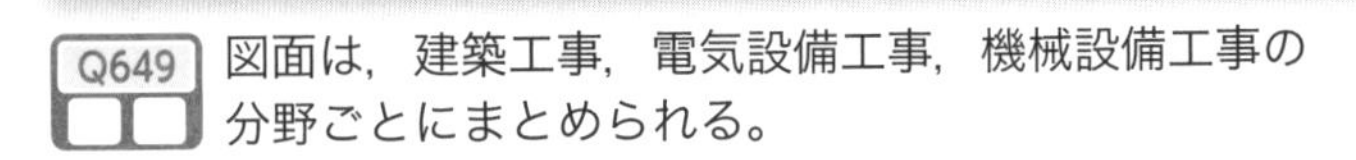

Q649 図面は，建築工事，電気設備工事，機械設備工事の分野ごとにまとめられる。

Q650 配置図は，門灯，庭園灯，植栽などの位置や種類などが示されている図面である。

★Q651 外構図は，敷地内における建物以外の外部の詳細を示す図面であり，敷地内の門扉，フェンス，通路，駐車スペース，テラスなどの形状や仕上げ材料などが読みとれる。

★Q652 平面図は，建物を窓の高さで水平に切り，壁などの切り口と床面を上から見た姿で示す図面で，建物のすべての部分（プラン）が表現されているため，全体像を把握する際に最も有効である。

Q653 平面図の全体または一部をより詳しく表現する図面は，断面図となる。

Q654 立面図は，建物の形状，仕上げ，窓の位置や形状など，建物の外観を横から見た姿を示す図面であり，東西南北それぞれ４方向から描かれる。

Q655 断面図は，全断面を縮尺１：50～１：20程度で表すものと，１：100程度の詳細に表すものに分類され，とくに後者を矩計図および断面詳細図という。

A649 屋外付帯部分の施工規模が大きい場合には，設問の記述に外構工事，植樹･植栽工事も加わる。また，電気設備工事と機械設備工事は，それぞれ屋内と屋外の各設備工事に分けられる。 ○

A650 配置図は，建物の成立にかかわる大原則である建物と敷地・道路の関係を示す図面で，敷地，道路，隣地等に高低差がある場合は，主要部分の高さが記されている。 ×

A651 外構図は，敷地内や，敷地と道路の間に高低差があって，スロープの設置や階段の改修などを検討する際，非常に重要な図面となる。 ○

A652 平面図では，床や壁，柱などの構造躯体の位置や間取りなど，建物の概略を把握し，建築主の要望などを図面上で重ね合わせ，間仕切りや間取りの変更といった全体的なプランを検討する。 ○

A653 平面図の全体または一部をより詳しく表現する図面は，平面詳細図となる。 ×

A654 立面図は，建物の外周を横から描く唯一の図面で，エントランス外部のスロープや階段など，とくに地面に接する部分については，他の図面で読み取りにくい要素を比較的容易に把握することができる。 ○

A655 断面図のうち，縮尺１：50～１：20程度の詳細に表す図を矩計図（かなばかり）および断面詳細図という。全断面を表す場合の縮尺は１:100程度となる。 ×

建築

Q656 断面図は，建物を垂直に切った切り口を横から見た姿を示し，建物全体の高さ，屋根の形状，天井高さ，窓の高さなどを表している。

Q657 屋根伏図は，建物の外観を上空から見た屋根の姿を示す図で，屋根のかかり方，勾配，屋根材などが把握できる。

Q658 展開図は，各部屋の内観を横から見た壁面の姿で示す図であり，壁の仕上げ材や開口部の位置と形状などが把握できる。

Q659 天井伏図は，天井面を室内から見上げた向きの天井の形状を示す図である。

Q660 各種設備は，電気設備図，給排水・衛生設備図，換気設備図，空気調和設備図といったように，設備分野ごとに分けて作成される。

Q661 構造図は，軸組図や構造部材伏図といった建物の構造設計に関する図面の総称である。木造の在来軸組構法，木造の枠組壁工法，鉄筋コンクリート造，鉄骨造など，建物の構造の違いにより，構造図は全く異なる図面になる。

★Q662 住環境整備で壁の撤去を検討する際には，筋かいまたは耐力壁の位置を把握しなければならない。筋かいは平面図，立面図，構造図に表記されている。筋かいを用いず，構造用合板などを張った耐力壁の場合も，平面図や立面図で確認することができる。

A656 断面図の切断方向は，東西方向と南北方向のように，通常は2方向を表現する。ただし，六角形など矩形でない平面の場合は，必要に応じた方向の断面が描かれる。 ○

A657 最上階の屋根については，その名称のとおり屋根伏図となるが，２階建ての建物の１階の屋根は，２階の平面図と一体の図となる。なお，福祉住環境コーディネーターによる屋根伏図の活用例は，屋根の形状を把握して，増築した場合の屋根のかけ方を検討することなどがある。

A658 展開図の表現方法は，平面図またはキープランに展開図の向きを示す展開記号が記入されており，展開記号によって部屋の向きが確認できる。 ○

A659 天井伏図は，天井面を室内から見上げるのではなく，床面に向けて上から透過した向きの天井の形状を示す図である。見上げ図とは向きが逆であることに注意する必要がある。 ×

A660 各種設備図は分野ごとに作成され，各種設備の位置，機器，器具のメーカー，機種，品番などが示されている。 ○

A661 なお，構造図に関しては，福祉住環境整備において，改修時に，隣室と一体化したり，出入り口の確保などのため，撤去することができない壁の表示方法を知っておくことが重要となる。 ○

A662 構造用合板や構造用パネルなどを張った耐力壁は，平面図や立面図には示されていないため，構造部材の位置を表す伏図で，その位置を確認する。

建築の基礎知識

Q663 木造住宅の耐震診断において，筋かいのない壁は耐震上評価できる要素ではないため，その壁を撤去することは問題ない。

Q664 建築材料のトルエンとキシレンの発散量は，日本産業規格（JIS）の認証または日本農林規格（JAS）の認定などを受けることにより表示できる「等級表示記号」(Ｆ☆☆☆☆など)で確認することができる。

Q665 キッチンなど火気を使用する部屋は，２階建て以上の住宅で，最上階以外の階にある場合，消防法の内装制限に関する規定により，不燃材料または準不燃材料にしなければならない。

Q666 キッチンと食事室が一体となっている空間（ダイニングキッチン）の場合，キッチン部分は内装制限を受けるが食事室はその限りではない。

Q667 賃貸共同住宅における住環境整備では，退居する時には原則として改修部分を入居時の状態に戻す必要があるので，改修計画を立てる際にはその必要性をより詳細に判断する視点が必要である。

★Q668 分譲共同住宅における専有部分については，たとえ共同生活の秩序が守られる範囲であっても，住戸の所有者が自由に住環境を整備することはできない。

Q669 一般に見積書は，総工事費を表した表紙，工事費内訳書，工事費内訳明細書で構成され，工事費内訳書は，工事費の内訳を工事費科目ごとに表している。

A663 木造住宅の耐震診断においては，筋かいや耐力壁以外にも耐震上評価できる壁であれば，耐震要素となる。そのため，筋かいの有無だけで壁の撤去を判断することは危険である。 ×

A664 ホルムアルデヒドの発散量は，JISの認証またはJASの認定などを受けることにより表示できる「等級表示記号」で確認することができる。F☆☆☆☆は，ホルムアルデヒドの発散量が最も少ない建築材料を表している。 ×

A665 火気を使う部屋は，２階建て以上の住宅で，最上階以外の階にある場合，「建築基準法」の内装制限に関する規定により，不燃材料または準不燃材料にしなければならない。 ×

A666 ダイニングキッチンでは，部屋全体が内装制限を受ける。ただし，キッチンと食事室の間に天井から50cm以上の垂れ壁を設ける場合は，内装制限はキッチンだけに適用される。 ×

A667 賃貸共同住宅の専用部分は，通常は原状回復義務が定められており，原則として退居する時に改修を行った部分を入居時の状態に戻す必要がある。 ○

A668 分譲共同住宅における専有部分については，共同生活の秩序が守られる範囲であれば，住戸の所有者が自由に住環境を整備できる。 ×

A669 なお，工事費内訳明細書は，工事費科目ごとに材料や工賃の単価および数量の詳細な数字を示したものである。 ○

重要ポイント まとめて CHECK!!

Point35 キッチン内の配置

I型配置	L型配置
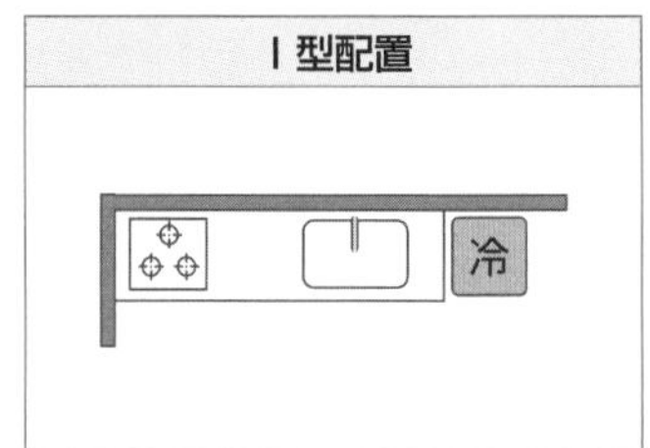	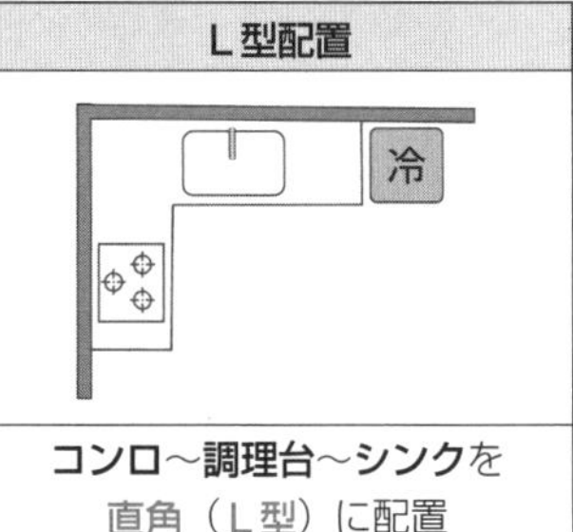
コンロ～調理台～シンクを一直線上に配置	**コンロ～調理台～シンク**を直角（L型）に配置
・動線が単純である。 ・小規模なキッチンでは移動距離が短い。 ・大きなキッチンでは移動距離が長くなる。	・体の向きを変える必要があるが移動距離が短い。 ・車いすの**移動特性**に適している。 ・**室形状**が四角くなり，より広いスペースが必要。

Point36 寝室の照明

①**間接照明により光源が見えない…○**
②**照明の光源が直接見えてまぶしい…×**
③**シェードが付いており光源が直接見えない…○**
④**位置により直接光源が見えない…○**

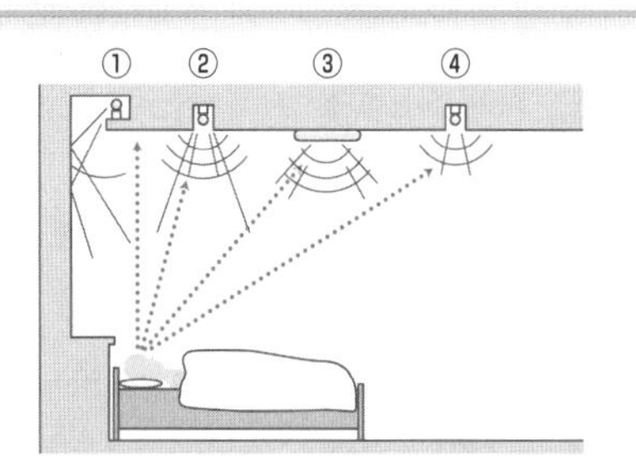

JISによる推奨照度②

寝室全体は20ルクスだが，高齢者の移動などを考慮すると居間と同じ50ルクス，**読書**や**化粧**には500ルクスが必要である。

福祉用具編

福祉用具の意味，高齢者・障害者施策における福祉用具，さまざまな福祉用具の特徴と使用方法などを学習します。
介護保険や障害者総合支援法による福祉用具の給付などは，試験で問われているよ！

48 福祉用具とは何か

★ Q670

福祉用具は，1989（平成元）年に策定された「高齢者保健福祉推進十か年戦略（ゴールドプラン）」の中で，「心身の機能が低下し日常生活を営むのに支障のある老人又は心身障害者の日常生活上の便宜を図るための用具及びこれらの者の機能訓練のための用具並びに補装具」と位置づけられている。

★ Q671

介護保険制度において給付される福祉用具は，訪問介護や通所介護などの他のサービスと同じように，福祉用具の種目ごとの公定価格があり，事業者によって価格に差が出ない仕組みが定められている。

Q672

介護保険制度における福祉用具の貸与および販売については，全国の事業者間での価格のばらつきが指摘されてきた。そのため，2018（平成30）年10月から，国は，対象となる福祉用具の貸与・販売について，全国平均貸与・販売価格の公表と上限価格の設定を行っている。

Q673

介護保険制度における福祉用具については「貸与」（レンタル）を原則とするが，比較的価格が低く，利用者の経済的負担になりにくいものは「販売」の対象となる。

Q674

ネジ等で居宅に取り付けるような簡易なものでも，取り付けに際して工事を伴う「手すり」は，介護保険制度において福祉用具貸与の対象とはならない。

Q675

ベッド用手すりと浴槽用手すりは，介護保険制度において福祉用具貸与の対象となる福祉用具であり，種目はともに手すりである。

A670

福祉用具は，「福祉用具の研究開発及び普及の促進に関する法律（福祉用具法）」第２条に定義されている。設問の記述は，同法の文言である。

×

A671

介護保険制度において給付される福祉用具は，訪問介護や通所介護などの他のサービスとは異なり，福祉用具の種目ごとの公定価格がなく，それぞれの事業者が価格を決定する。

×

A672

介護保険制度における福祉用具の貸与については，全国の事業者間での価格のばらつきが指摘されてきたため，2018（平成30）年10月から，国は，対象となる福祉用具について，全国平均貸与価格の公表と貸与価格の上限設定を行っている。

×

A673

介護保険制度における福祉用具は，「貸与」を原則とする。ただし，他人が入浴や排泄の際に用いたものを再利用することに心理的抵抗感があるもの，使用により形態や品質が変化し再利用が困難なものなどは，「販売」の対象となる。

×

A674

取り付けに際して工事を伴う手すりは，介護保険制度においては住宅改修の「手すりの取り付け」としての給付対象となる。

○

A675

ベッド用手すりは福祉用具貸与の対象となる福祉用具だが，種目は特殊寝台付属品である。浴槽用手すりは福祉用具購入費の対象となる特定福祉用具であり，種目は入浴補助用具である。

×

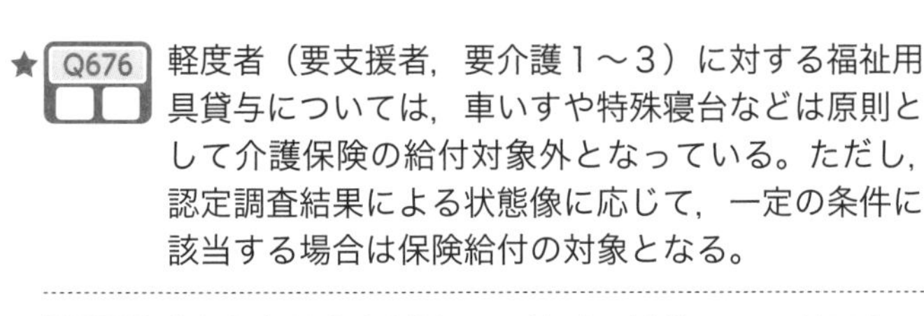

★ **Q676**
軽度者（要支援者，要介護１～３）に対する福祉用具貸与については，車いすや特殊寝台などは原則として介護保険の給付対象外となっている。ただし，認定調査結果による状態像に応じて，一定の条件に該当する場合は保険給付の対象となる。

Q677
「障害者総合支援法」に基づく補装具は，利用者の申請に基づき，補装具の購入，借受けまたは修理が必要と認められたときは，都道府県がその費用を補装具費として利用者に支給する。

Q678
補装具は借受けが原則であり，購入については，それによることが適当な場合に限られる。対象となる種目は，①義肢，装具，座位保持装置の完成用部品，②重度障害者用意思伝達装置の本体，③歩行器，④座位保持いすである。

★ **Q679**
障害者またはその保護者（障害者等）が市町村へ補装具費の支給申請を行った場合には，障害者等は市町村が選定した補装具製作（販売）業者と補装具の購入，借受けまたは修理の契約を結ぶ必要がある。

Q680
介護保険で貸与される福祉用具には，補装具と同様の種目がある。障害者であっても，介護保険の受給者である場合，共通する種目は原則として補装具としては給付されず，介護保険から給付される。

★ **Q681**
「障害者総合支援法」に基づく地域生活支援事業のメニューの１つとして「日常生活用具給付等事業」がある。国によって具体的な品目が定められており，それ以外の品目は支給できない。

Q682
日常生活用具は補装具とは異なり，障害の状況に応じて個別に適合を図るものではない。そのため，介護保険制度における給付対象となる種目については，介護保険から貸与や購入費の支給が行われる。

A676 車いす，車いす付属品，特殊寝台，特殊寝台付属品，床ずれ防止用具，体位変換器，認知症老人徘徊感知機器，移動用リフト（吊り具部分を除く）は，軽度者（要支援者，要介護1）については，原則，介護保険の給付対象外である。

A677 補装具は，利用者の申請に基づき，補装具の購入，借受けまたは修理が必要と認められた場合に，市町村がその費用を補装具費として利用者に支給する。

A678 補装具は購入が原則であり，借受けについては，それによることが適当な場合（身体の成長に伴い短期間で交換が必要な場合など）に限られる。なお，借受けの対象となる種目については，設問の記述のとおりである。

A679 支給決定は市町村が行うが，支給申請を行った障害者等は，自ら選定した補装具業者と，補装具の購入，借受けまたは修理の契約を直接結ぶ。

A680 介護保険で給付される福祉用具は標準的な既製品から選択されるため，医師などが障害者の身体状況に個別に対応することが必要と判断した場合は，例外的に補装具として給付できる。

A681 日常生活用具の対象種目は，要件，用途，形状が定められているだけで，具体的な品目については，利用者負担とともに事業の実施主体である市町村が決定する。

A682 特殊寝台や歩行器，簡易浴槽など介護保険制度の保険給付の対象となる種目については，日常生活用具としてではなく，介護保険から貸与や購入費の支給が行われる。

49　福祉用具の選択・適用

Q683 福祉用具支援では，福祉用具の必要性の判断，種目の設定，機種の選定，確認・合意，適合調整・使用方法指導，モニタリングといった適切なプロセスを経ることが大切である。

Q684 支援者が福祉用具の「種目情報」や「機能情報」を多く持っているほど，解決可能な生活上の課題が増え，提供されるサービスの質も高くなる。

★Q685 生活機能の向上は，福祉用具を使い始めてすぐに起こることもあれば，徐々に変化し数週間後に予測以上の変化が起こることもあるが，利用者の生活機能が低下することは決してない。

Q686 福祉用具の利用はプライバシーにもかかわることなので，他職種との連携はなるべく避ける。

★Q687 介護保険制度では，福祉用具貸与・販売事業者に「福祉用具サービス計画」の作成と利用者および介護支援専門員への交付を義務付けている。計画には，利用者の希望や心身の状況およびその置かれている環境を踏まえた利用目標などが記載される。

Q688 介護保険の給付対象外の「判断方法」については，現行の認定調査データに基づく方法を原則としつつも，疾病その他の原因により，福祉用具をとくに必要とする状態であることが，介護支援専門員の判断，ケアマネジメントでの判断，利用者の確認のすべての手続きを経ていれば給付できることになっている。

A683 福祉用具の支援プロセスは，①必要性の判断（生活上の課題の把握，分析），②目標設定，プランニング（福祉用具利用計画の策定），③実施，効果確認（適合，使用方法の説明），④モニタリング（福祉用具が計画どおり使用されているか確認），に分けて考えることができる。 ○

A684 福祉用具支援では，どのような製品が作られ，流通しているか（種目情報），どのような機能があるか（機能情報）などの情報が重要となる。 ○

A685 高齢者は，体調等で容易に生活機能が低下する。モニタリングで，達成できなかった課題，新たに生じた課題が明確になれば，再び福祉用具の支援プロセスの最初に戻って検討する。 ×

A686 福祉用具による支援では，利用者の生活を支援するさまざまな専門職と連携をとり，解決すべき課題を共有し，福祉用具の選定・適用を行う。 ×

A687 「福祉用具サービス計画」には，利用者の希望，心身の状況およびその置かれている環境を踏まえた利用目標とそれを達成するための具体的なサービス内容，福祉用具の機種とその選定理由等が記載される。 ○

A688 介護保険の給付対象外の「判断方法」については，現行の方法を原則としつつも，疾病その他の原因により，福祉用具をとくに必要とする状態であることが，医師の判断，ケアマネジメントでの判断，市町村の確認のすべての手続きを経ていれば給付できることになっている。 ×

重要ポイントまとめてCHECK!!

Point37 介護保険の給付対象となる福祉用具

貸与の対象か購入費支給の対象かは，種目ごとに定められている。資源の有効活用等の観点から原則は**貸与**であるが，排泄や入浴にかかわる用具は，衛生や心理面などを考慮して**購入費**が支給される。

種　目	貸与・購入費
車いす	●貸　与
車いす付属品	●貸　与
特殊寝台	●貸　与
特殊寝台付属品	●貸　与
床ずれ防止用具	●貸　与
体位変換器	●貸　与
手すり	貸　与
スロープ	貸　与
歩行器	貸　与
歩行補助つえ	貸　与
認知症老人徘徊感知機器	●貸　与
移動用リフト（吊り具の部分を除く）	●貸　与
自動排泄処理装置（尿のみを自動的に吸引する機能のものを除く）	◎貸　与
腰掛便座	購入費
自動排泄処理装置の交換可能部品	購入費
入浴補助用具	購入費
簡易浴槽	購入費
移動用リフトの吊り具	購入費
排泄予測支援機器	購入費

●…軽度（要支援者・要介護１）の場合は，原則対象とならない。
◎…要支援者および要介護１～３の場合は，原則対象とならない。

Point38 福祉用具の支援プロセス

プロセス① 必要性の判断	生活上の課題の把握，分析
プロセス② 目標設定， プランニング	福祉用具利用計画の策定
プロセス③ 実施，効果確認	適合，使用方法の説明
プロセス④ モニタリング	福祉用具が計画どおり使用されているか確認

支援者は，どのような福祉用具が製作・流通しているかといった「**種目情報**」，どのような機能を発揮するかといった「**機能情報**」を多く持っているほど，サービスの質を高めることができますね。

福祉用具の利用による生活の変化は，すぐに起こる場合もあれば，数週間後に予測以上の変化が起こる場合もあります。また，高齢者はかぜなどで体調を崩したことをきっかけに，**生活機能**が容易に**低下**することもあるので，注視することが大切です。

50　特殊寝台・付属品と体位変換器

重要度 A

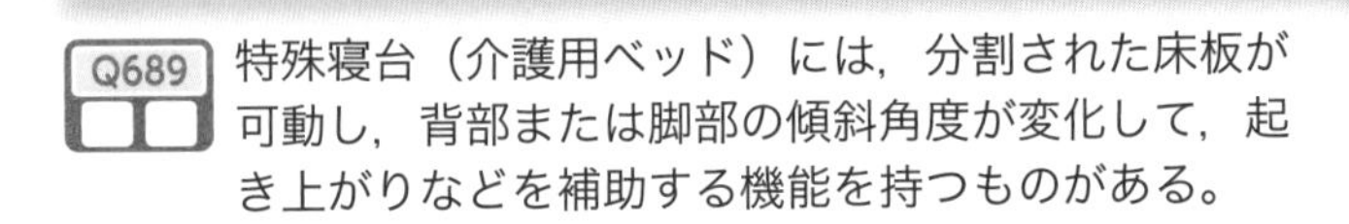

Q689 □□ 特殊寝台（介護用ベッド）には，分割された床板が可動し，背部または脚部の傾斜角度が変化して，起き上がりなどを補助する機能を持つものがある。

★Q690 □□ 特殊寝台（介護用ベッド）には，ヘッドボードにより身体を起こす，あるいはベッドを高くすることで，介助者の無理な姿勢や腰痛など，身体を痛める危険性を防止する機能がある。

Q691 □□ 特殊寝台（介護用ベッド）のキャスタに付いている駐車ブレーキは，ベッドにより４輪に付いているものと，２輪に付いているものとがある。

Q692 □□ 特殊寝台（介護用ベッド）の設置にはスペースが必要で，出入り口の位置，起き上がる方向など，生活動線を配慮して配置を決めることが大切である。

Q693 □□ 特殊寝台（介護用ベッド）の床上に置くマットレスは，一般のマットレスとは異なり，特殊寝台の背上げや脚上げの動きに追従する柔軟性が必要である。身体機能が低下した高齢者や障害者は，マットレスが柔らかいほど，寝返りや起き上がりがしやすい。

★Q694 □□ 床ずれ防止用具は，ベッド上で体圧を分散することで床ずれを防止する機能を持っている。体圧を分散するため一般のマットレスより硬く，寝返りや起き上がりなどの起居動作が容易となる。

★Q695 □□ サイドレールは，多くは特殊寝台（介護用ベッド）のフレーム（ホルダー）に差し込んで使用する。寝返り，起き上がり，立ち上がり，車いすへの移乗動作などの補助として使用する。

A689 特殊寝台（介護用ベッド）には，床板が昇降し，ベッドからの立ち上がり動作や車いすへの乗り移り動作を補助する機能を持つものもある。 ○

A690 特殊寝台（介護用ベッド）には，背上げ機能により身体を起こす，あるいはベッドを高くすることで，介助者の無理な姿勢や腰痛など，身体を痛める危険性を防止する機能がある。  ×

A691 キャスタは，ベッドの脚に取り付け，移動しやすくしたものである。なお，使用するとベッドの最低高が高くなることがあるので注意する。 ○

A692 特殊寝台（介護用ベッド）の配置を決めるに当たり，とくに6畳以下のスペースでは，家具の配置換えなども検討し，生活動線を確保する。 ○

A693 特殊寝台（介護用ベッド）に用いるマットレスには，柔軟性が必要である。ただし，好みがあることや，身体機能が低下した高齢者や障害者には，柔らかすぎると寝返りや起き上がりがしにくいことなどを，総合的に勘案して選択する。  ×

A694 床ずれ防止用具は，ベッド上で体圧を分散することで床ずれを防止する機能を持つもので，身体の下に敷いて使用する。体圧を分散するため柔らかく，マットレスと同様に，寝返りや起き上がりなどの起居動作が困難となる。  ×

A695 サイドレールは強く引きつけたり，体重を支えたりするよう設計されておらず，寝返りや車いすへの移乗動作などの補助として使用する場合は，ベッド用手すり（グリップ）を用いる。  ×

Q696 キャスタ（自在輪）が付いた脚部を持ち，ベッド上を囲って使うベッド用テーブルは，位置の移動が容易で使い勝手がよいが，収納にスペースを要する。

Q697 介助用ベルトは，いすやベッドからの立ち上がりや車いすなどへの移乗の介助に用いる。通常，利用者の腰や臀部に装着し，介助者がベルトにある介助用の握りを使って，立ち上がりや移乗動作を助ける。

Q698 体位変換器は体位の変換，保持，移動を容易に行うための用具で，スライディングマット（体位変換用シーツ），スライディングボード，体位変換用クッション，起き上がり補助装置などがある。

Q699 スライディングマットは，体とマットレスなどの間に敷いて，体を滑らせて体位の交換または体の移動を行うための用具であり，ベッド上で体の位置をずらす場合に用いる。ベッドから車いすへの移乗の際は，危険が伴うため使用が禁止されている。

Q700 介助が必要な利用者をスライディングボードでベッドから車いすに移乗させるときは，ベッドで端座位をとらせ，ボードを臀部の下に差し込む。続いて，介助者が利用者の両肩を支えてボード上を滑らせるように移乗させる。

★ **Q701** 体位変換用クッションは，背部，腰部，上肢または下肢などに差し込み，体位の変換や保持を容易に行うための用具である。ウレタンを使用したものや，袋にビーズを詰めたものなど，さまざまな大きさや形があるので，体重や嗜好に合わせて選択する。

★ **Q702** 起き上がり補助装置は，ベッド上に置いて使用する機器で，スイッチ操作により電動で背部が昇降する。筋疾患や脳性麻痺などで室内の移動を座位移動や手足移動で行う場合などに利用する。

なお，サイドレールに掛け渡すタイプのベッド用テーブルは，設置にスペースを取らず，収納が容易で，必要なときだけ取り付けて使用する。

なお，介護保険制度では，入浴用介助ベルトを除く介助用ベルトは，「特殊寝台付属品」として貸与の対象となる。入浴用介助ベルトは，特定福祉用具の「入浴補助用具」に含まれる。

○

なお，スライディングマット，スライディングボードについては，ベッド上での使用が多いことから，介護保険制度では特殊寝台付属品として貸与される。

○

A699

スライディングマットは，滑りやすい素材や構造をしたシーツで，筒状のものが多い。ベッド上で体の位置をずらす場合に用いるだけでなく，ベッドから車いすへの移乗などにも使用される。

×

スライディングボードによる車いすへの移乗では，ベッドで利用者に端座位をとらせ，ボードを臀部の下に差し込み，介助者が利用者の腋の下と骨盤の上を支えてボード上を滑らせるように移乗させる。

×

体位変換用クッションには，さまざまな大きさや形があるので，体格や目的に合わせて選択する。なお，すでに褥瘡がある場合は，使用について医師や看護師などに相談することが大切である。

起き上がり補助装置は，床上に置いて使う。筋疾患や脳性麻痺などで室内の移動を座位移動や手足移動で行う場合や，環境により特殊寝台を利用しない場合などに用いる。

51 つえ

重要度 A

★ Q703 歩行補助つえは，歩行バランス，速度，耐久性の改善を目的とするもので，心理的な支えを目的として用いられることはない。

Q704 T字型つえは，脳血管障害による片麻痺者，高齢者で膝関節症などによる下肢機能の低下のある人などに広く用いられる。介護保険制度の給付対象ではない。

★ Q705 多脚つえ（多点つえ）は，T字型つえに比べ免荷機能と体の支持性に優れていることから，歩行障害が重度の場合に適応される。

★ Q706 プラットホームクラッチは，肘から手首までの前腕部分で体重が荷重できるように前腕受けが付いたつえで，関節リウマチで手指や手関節の変形や痛みなどがある場合に使用される。

Q707 松葉づえは，握り部分の上方に腋当てを備えたつえで，両側につくと一側下肢に荷重しなくても歩行ができるため，骨折後など患側に荷重ができない場合に多用される。

★ Q708 つえの適切な高さは，つえを足先の斜め前方130mmの場所についたとき，肘が45度ほど屈曲している状態になるものである。

Q709 片麻痺がある場合の２動作歩行では，麻痺のないほう（健側）の手でつえを持ち，つえと同時に健側の足を踏み出す，麻痺のあるほう（患側）の足を出してそろえる，の順で繰り返して歩行する。

A703 歩行補助つえの目的は，①麻痺や痛みのある下肢にかかる荷重（体重）の完全免荷・部分免荷，②歩行バランス，速度，耐久性の改善，③心理的な支え，などである。 ×

A704 T字型つえは，荷重しやすく，杖を振り出しやすいように，握り部が床とほぼ平行で，一般的に外観がアルファベットの「T」のような形になっている。 ○

A705 脚部が複数（3～5本）に分岐することで，つえの支持面を広くした多脚つえ（多点つえ）は，歩行障害が重度な場合に適応される。 ○

A706 プラットホームクラッチはやや重さがあり，操作では肩関節などに負担がかかる。そのため，導入に当たっては実用性を検討する必要がある。 ○

A707 なお，松葉づえの腋当ての高さは，腋窩よりも2～3cm下にくるように調整する。歩行時は腋をしめて腋当てを挟むようにして体重を支え，痛みや麻痺が生じないように使用する。 ○

A708 つえを足先の斜め前方150mmの場所についたとき，肘が30度ぐらい軽く屈曲している状態になるもの，または，その状態で握り部が大腿骨大転子の高さにくるものがよい。 ×

A709 片麻痺がある場合の2動作歩行では，健側の手でつえを持ち，つえと同時に患側の足を踏み出す，健側の足を出してそろえる，の順で繰り返して歩行する。 ×

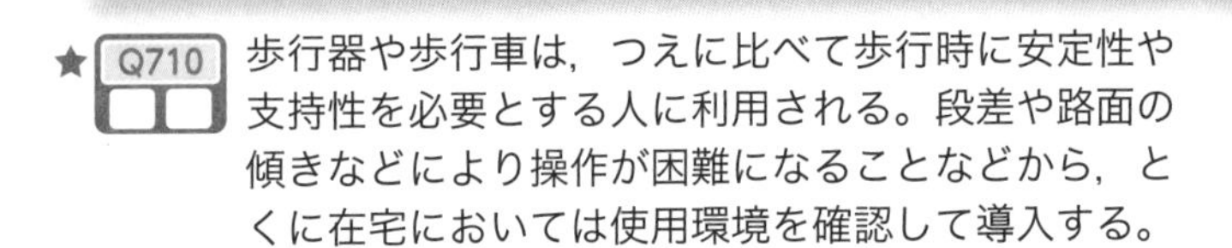

★ Q710 歩行器や歩行車は，つえに比べて歩行時に安定性や支持性を必要とする人に利用される。段差や路面の傾きなどにより操作が困難になることなどから，とくに在宅においては使用環境を確認して導入する。

Q711 固定型歩行器は，フレームが固定されており，歩行器を両手で持ち上げて移動する。握力が低下していたり，肩や肘の支持力や動きが制限されていたりしても使いやすい。

Q712 交互型歩行器は，フレームに可動性を持たせているため，全体を持ち上げる必要がない。平行棒内歩行の延長として，歩行訓練に用いることもある。

Q713 ほとんどの歩行器・歩行車は，脚部に高さ調整機能を備えており，つえの長さと同様に握り部の高さを調整して使用する。

★ Q714 歩行車は，脚部に車輪が装備された歩行支援用具である。両手で握り部を持って操作するが，肘当て付き四輪歩行車（前腕支持歩行車）は，水平の肘当てが装備されており，前腕を乗せて操作する。

★ Q715 電動アシスト歩行車とは，ロボット技術（センサーにより外界や自己の状況を感知・認識し，その結果に応じた動作を行う）を用いた電動アシスト機能付きの歩行車である。

Q716 シルバーカーは，自立歩行ができる高齢者がより安定して歩行できるよう補助的に使用するもので，ハンドル，フレーム，車輪，荷物を運ぶバッグ等で構成される。

A710 握り部（支持部），支柱フレーム，脚部からなり，脚部に車輪がないものを歩行器，２輪以上の車輪を有しているものを歩行車という。介護保険制度では歩行器で統一されている。 ○

A711 固定型歩行器は，握力が低下していたり，肩，肘の支持力や動きが制限されていると使いにくい。なお，交互型より在宅で導入しやすく，住宅内でつえ代わりに使用する場合もある。 ×

A712 交互型歩行器は，片側に重心をかけ，他方の脚部を押し出し，足を前に出すという動作を左右交互に行うことで，前方に進むことができる。 ○

A713 歩行器・歩行車の握り部の高さは，床から大腿骨大転子までの距離か，握り部を把持した際の肘の角度が約30度屈曲する程度の長さを目安に，実際に操作して調整する。 ○

A714 歩行車は，歩行器よりも機動性に優れるが，前方へ押しすぎて転倒する危険性があるため，歩行能力を勘案して利用することが重要である。 ○

A715 電動アシスト歩行車には電動アシスト機能が付いており，登坂では推進力を補助し，降坂では進みすぎないように自動的に制御するなど，歩行車の操作を容易にしている。 ○

A716 歩行器・歩行車とは異なり，シルバーカーには体を十分に支える機能がないため，手すりなどにつかまらなければ歩けない人や，歩行に介助が必要な人などには適していない。 ○

53 車いす

Q717 自走用（自操用）標準形車いすは，手押しハンドル（グリップ）を操作して自力で駆動する。介助用標準形車いすは，介助による操作と狭い場所での取り回しに配慮しているため，駆動用のグリップがない。

★Q718 JISによる手動車いすの寸法は，全長1,200mm以下，全幅700mm以下，全高1,090mm以下，フットサポート高50mm以上と定められている。

★Q719 レバー式ブレーキの車いすは，ブレーキレバーを引くことで，てこの原理を利用してブレーキをかける。レバーの根元とパイプが接する部分を支点として，車輪を押さえつけることで停止状態が保たれる。

Q720 車いすは移動のために利用する福祉用具であり，寝たきりによる廃用症候群を防止する役割を果たすことはない。

Q721 レッグサポートは，車いすに座った際に足を乗せる台のことである。外側や内側に回転するものや，取り外せるタイプだと移乗がしやすくなる。

Q722 アームサポート（肘当て）は，車いすで安楽な姿勢をとることができ，移乗や立ち上がりの際の支えともなる。着脱式や跳ね上げ式は，移乗しやすい。

Q723 自走用（自操用）標準形車いすでは，片麻痺者が健側の片手と片足で駆動する場合や，関節リウマチや進行性の筋疾患などでハンドリムを操作できない場合などの特別な操作方法がある。

A717 自走用（自操用）標準形車いすは，ハンドリムを操作して自力で駆動する。介助用標準形車いすは，介助による操作と狭い場所での取り回しに配慮し，駆動用のハンドリムがない。 ×

A718 JISが定める手動車いすの全高（ヘッドサポートを取り外せるタイプでは取り外し時の寸法）は，1,200mm以下である。その他は正しい。 

A719 トグル式は複数の軸があり，ブレーキレバーを動かすことでジョイント部分が動き，車輪を押さえて停止状態を保つ。P.P.(プッシュ・プル)式は前後いずれに倒してもブレーキがかかる。 

A720 車いすは，移動のための用具であるだけでなく，移動できる座具として離床生活を促し，寝たきりによる廃用症候群の防止にも役立つ。 

A721 設問の記述はフットサポート（足台）についてである。レッグサポートは，車いすに座った際に足が後ろに落ちるのを防ぐもので，立ち上がりができる場合は，着脱が可能なものがよい。 

A722 なお，アームサポート（肘当て）は，肘を無理なく曲げた状態の高さになるように調整することが望ましい。 

A723 自走用標準形車いすを片麻痺者が健側の片手と片足で駆動する場合や，関節リウマチや進行性の筋疾患などでハンドリムを操作できない場合には，足で床を蹴って駆動するため，下肢が十分に地面につくようにシート（座面）を低く設定し，下腿後面のレッグサポートを外す。 ○

★ **Q724** 標準形車いすのメンテナンスについては，前輪の空気圧が減少するとブレーキ制御が不十分となるため，定期的に点検が必要である。

★ **Q725** パワーアシスト形車いすには，駆動または操作する力を電動などの動力で補助する機能が付いており，長距離移動，坂道や悪路で効果を発揮する。

Q726 リクライニング式車いすは，標準形車いすより大きく，重い。この機構上，車いすの前後径が長くなり，在宅での使用には十分なスペースが必要となる。

Q727 ティルト＆リクライニング式車いすはティルト機構を備え，異常な筋緊張や筋弛緩により，座位保持が困難な人の座位姿勢を保持しやすくする。ただし，標準形車いすに比べ，取り回しは困難である。

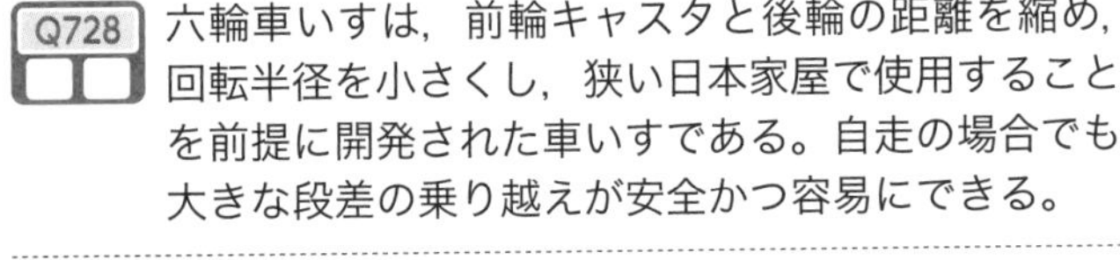

Q728 六輪車いすは，前輪キャスタと後輪の距離を縮め，回転半径を小さくし，狭い日本家屋で使用することを前提に開発された車いすである。自走の場合でも大きな段差の乗り越えが安全かつ容易にできる。

★ **Q729** 電動車いすは，フレームにバッテリーと電動モーターを搭載した車いすで，ジョイスティックレバーで操作する標準形や，前輪に連動したハンドルとアクセルレバーで操作するハンドル形などがある。

Q730 標準形電動車いすは，脳性麻痺，進行性筋ジストロフィー，頸髄損傷，関節リウマチなどの疾患により，歩行が困難なうえに上肢機能に障害がある場合に有効である。

Q731 車いす用クッションの素材は，ウレタンフォーム，ゲル，エアなどがあり，これらを複合的に構成したクッションもある。

A724 標準形車いすは，後輪の空気圧が減少するとブレーキ制御が不十分となるため，定期的な点検が必要である。

×

A725 パワーアシスト形車いすには自走用と介助用があり，前者はハンドリムにかかる力を，後者は手押しハンドル（グリップ）にかかる力を感知し，車いすを推進，停止する力を補助する。

○

A726 リクライニング式車いすは，機構上，車いすの前後径が長くなり，屋内での取り回しや段差でのキャスタ上げ操作が困難である。

○

A727 ティルト＆リクライニング式車いすは座位変換形車いすの一種である。ティルト機構により，シートとバックサポートの角度が一定のまま後方に傾斜し，傾斜角度を調整できる。

○

A728 六輪車いすは，狭い日本家屋での使用を前提に開発され，クランク状の狭い廊下などでは非常に便利である。ただし，段差の乗り越えは，敷居など2～3cm程度の段差に限られる。

×

A729 電動車いすでも，とくに標準形電動車いすとハンドル形電動車いすは，手動車いすよりも重く，かつ回転半径が大きいため，狭い室内での使用は困難で，屋外での使用が一般的である。

○

A730 標準形電動車いすは，顎や足部などで操作可能な位置にコントロールボックスが設置できるため，設問のような障害のある利用者に有効である。

○

A731 車いす用クッションは，姿勢保持や安定性の向上のほか，臀部に加わる圧力を分散することによる褥瘡の予防や疼痛の緩和を目的に用いる。

○

重要ポイント まとめて CHECK!!

Point39 つえ・歩行器の種類

つえの種類

○歩行がやや安定している人向き

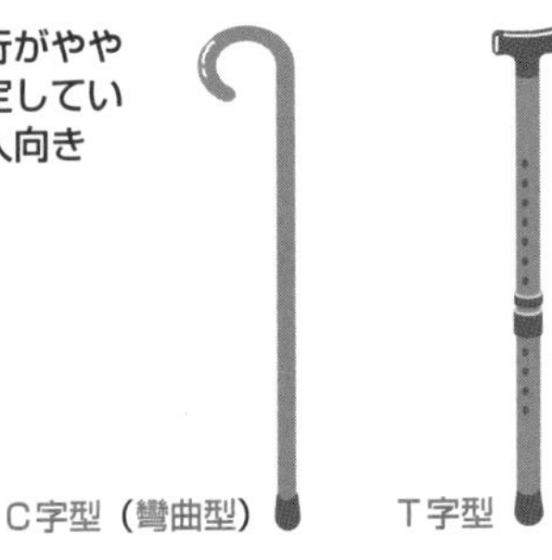

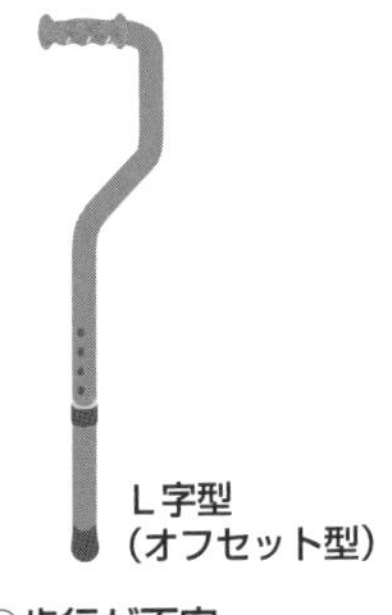

○腕の力（とくに握力）が弱い人向き

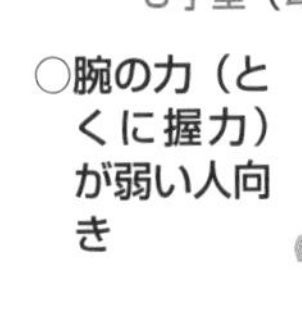

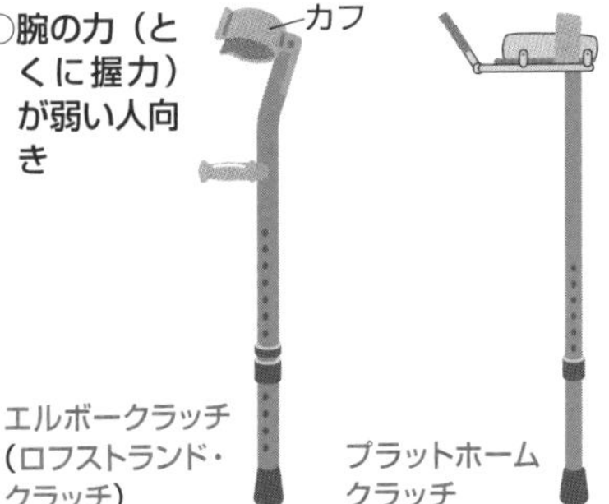

○歩行が不安定な人向き

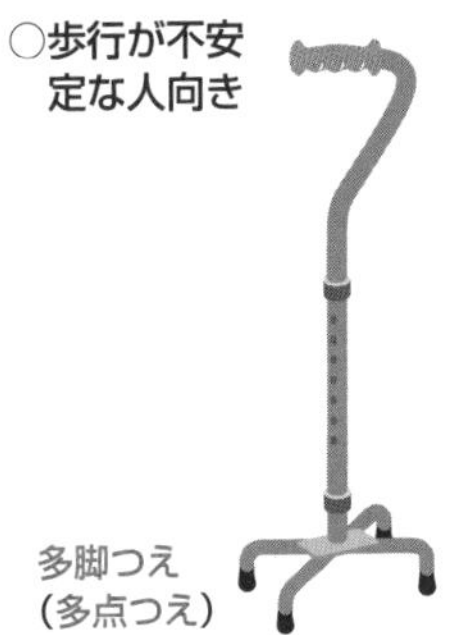

歩行器の種類

固定型歩行器
骨折，変形性関節症などで下肢に運動機能障害がある人が対象。

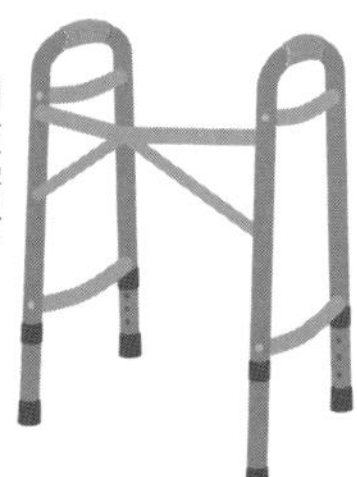

交互型歩行器
軽度の麻痺，骨折などで歩行能力が低下した人が対象。

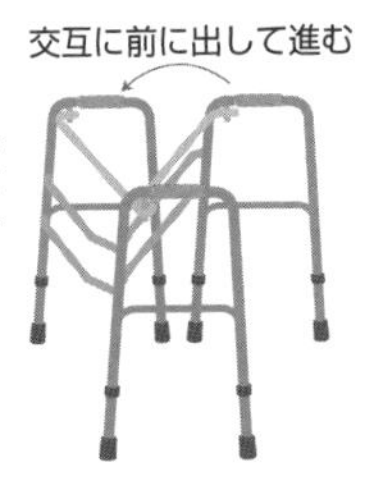

Point40 車いす

自走用（自操用）標準形車いすの構造

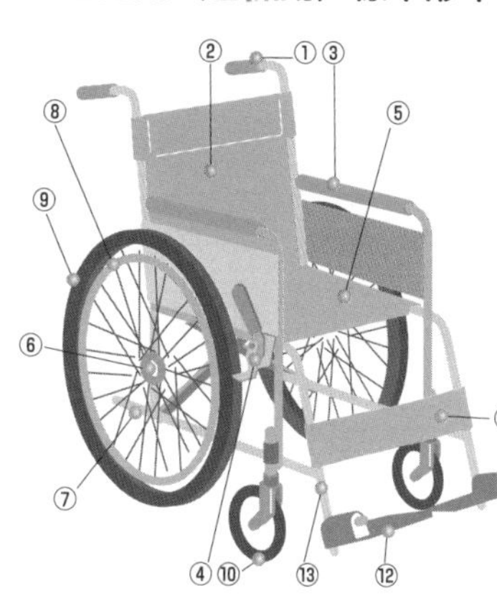

①手押しハンドル（グリップ）
②バックサポート（背もたれ）
③アームサポート（肘当て）
④ブレーキ
⑤シート（座面）
⑥車軸
⑦ティッピングレバー
⑧ハンドリム
⑨駆動輪
⑩キャスタ
⑪レッグサポート
⑫フットサポート（足台）
⑬フレーム

車いすの分類

手動車いす	電動車いす
・自走用（自操用）標準形車いす ・介助用標準形車いす ・パワーアシスト形車いす ・リクライニング式車いす ・ティルト& リクライニング式車いす ・六輪車いす	・標準形電動車いす ・ハンドル形電動車いす （電動三輪・四輪車いす） ・簡易形電動車いす

JISによる車いすの寸法

手動車いす
- 全長…1,200mm以下
- 全幅…700mm以下
- フットサポート高…50mm以上
- 全高…1,200mm以下※

電動車いす（最大値）
- 全長…1,200mm
- 全幅…700mm
- 全高…1,200mm※

※ヘッドサポートを取り外せるタイプでは取り外し時の寸法

54 段差を解消する福祉用具

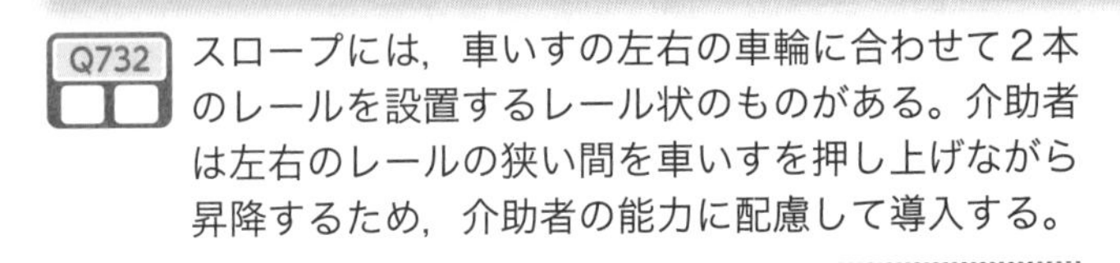

Q732 スロープには，車いすの左右の車輪に合わせて２本のレールを設置するレール状のものがある。介助者は左右のレールの狭い間を車いすを押し上げながら昇降するため，介助者の能力に配慮して導入する。

Q733 段差解消機は，人や車いすが乗るテーブルが垂直方向に昇降する機器であり，据置式，設置式，移動式に大別される。

Q734 段差解消機は，庭の掃き出し窓や玄関の上がりがまちなど，おおむね１m以内の段差で，スロープの設置が困難な場合に有効である。

★ Q735 設置式や移動式の段差解消機は数cmの段差が残るため，値段は高いものの使い勝手の点では据置式が優れている。

Q736 階段の踏面に取り付けたレールに沿っていすが階段を移動する固定型の階段昇降機は，直線階段にも曲り階段にも対応できる。

★ Q737 固定型階段昇降機には，車いすが乗るテーブルがレールに沿って階段を移動し，車いすごと昇降させるものもある。

Q738 階段などに固定されない可搬型（自走式）階段昇降機は，スペースがあまりなくても取り扱いがしやすいため，主に屋内の階段で使用される。

★ Q739 可搬型（自走式）階段昇降機は，取り扱いの習得に十分な練習が必要である。介護保険制度では，講習を受けた介護支援専門員が指導しなければならないことになっている。

A732 勾配が急すぎると使用が困難になるため，段差の高さに対するスロープの長さは，車いすを自力駆動する場合で高さの10倍程度，介助による駆動では6倍程度必要である。 ○

A733 段差解消機は，地面や床面に直接置くだけの据置式，ピット（溝）などをつくって固定する設置式，車輪などで移動する移動式に大別される。 ○

A734 段差解消機の駆動方法には手動と電動があるが，スイッチ操作により電動で昇降するものが主流となっている。 ○

A735 据置式や移動式の段差解消機は数cmの段差が残るため，値段は高いものの使い勝手の点では設置式が優れている。 ×

A736 固定型階段昇降機は，階段幅，階段角度，踏面から天井までの高さによっては設置できないことがあるので注意する。 ○

A737 車いすごと昇降させるタイプの固定型階段昇降機は，屋内では階段幅が足りず，主に屋外での設置になる。 ○

A738 可搬型階段昇降機は取り扱いにスペースを要し，集合住宅の共用階段，庭から公道までなどの屋外階段で使用されることがほとんどである。 ×

A739 可搬型階段昇降機は取り扱いを誤ると転落事故につながるため，介護保険制度では，講習を受けた福祉用具専門相談員が，安全に操作できるよう介助者を指導しなければならない。 ×

55 リフト・吊り具

Q740 リフトは，利用者の体を吊り上げて移乗や移動を支援する機器で，ベッドから車いすへの移乗などに用いる。吊り上げ，吊り下げともに手動で行う機種がほとんどである。

★Q741 床走行式リフトは，車いすより大きいことやキャスタが小さく敷居などの段差の乗り越え時に吊り上げた利用者ごと転倒する可能性があるため，ベッドのある部屋だけで使用されることが多い。

Q742 固定式（設置式）リフトは住宅の床や壁に固定するため，使用できる場所は限定される。

★Q743 レール走行式リフトの一種である据置式リフトは，フレームでやぐらを組んでレールを設置したリフトで，レールの範囲内で移動が可能である。吊り上げや吊り下げの操作および水平移動を電動で行うものが主流である。

Q744 天井走行式リフトは，天井に敷設したレールを走行するリフトである。レールを延長することにより，部屋間の移動も可能となる。

Q745 リフトの吊り具は，リフト使用時に体を支えるための用具で，シャワー用車いすのいす部分が取り外せ，吊り具となるものもある。

Q746 吊り具は，リフトを使用するときに体を支える用具である。シート状の吊り具は，脚部が分離したもの，頭部の保持機能が付いたものなどさまざまな種類があるため，身体状況と使用目的に基づき選択する。

A740 リフトは，吊り上げ，吊り下げの動力が電動式の機種がほとんどである。昇降動作の操作は，手元スイッチで行う。 ×

A741 また，床走行式リフトはベッドの下に架台が入らないと使用できないため，ベッド下のスペース，使わないときの収納場所など使用する環境を確認する必要がある。 ○

A742 固定式（設置式）リフトは，居室，玄関，浴室などに設置し，その機器の可動範囲内で，吊り具またはいすなどの台座を使って人を持ち上げる，または持ち上げ移動させるものである。 ○

A743 通常は寝室に置かれ，離床のために用いられる据置式リフトは，ほとんどが取付工事不要で，設置が容易である。吊り上げや吊り下げ操作は電動で，水平移動は介助者が手で押して行うものが主流である。 ×

A744 天井走行式リフトは，レールを天井に敷設するのに大がかりな工事が必要となるため，工事期間，費用を考慮して導入する。 ○

A745 そのほか，吊り具には，体を包み保持するシート状のものや，２本のベルトからなるものなどがある。 ○

A746 シート状の吊り具の装着作業を習得するには練習が必要で，とくに介助者の能力に配慮して使い方の指導を行うことが大切である。 ○

56 便器・便座の種類

Q747 据置式便座では，和式便器などとして使っていたときと座位姿勢を取ったときの体の向きは同じになるため，立ち座りのスペースを確保する必要はない。

★Q748 補高便座は，和式便器や両用便器の上に置いて腰かけ式に変換し，便座への立ち座りを容易にする福祉用具である。

★Q749 立ち上がり補助便座は，洋式便器からの立ち座りを補助する機器で，下肢の麻痺や筋力の低下などにより通常の便器からの立ち座りが困難な人に有効である。導入には，トイレの配管が設置の妨げにならないか，電動式であれば電源が確保できるかの確認が必要である。

Q750 ポータブルトイレは，尿や便をためる容器を組み込んだいすで，トイレまでの移動が困難な場合にベッドサイドなどで排泄するために用いる。

Q751 ポータブルトイレには，高さ調整やアームサポートの位置変更が可能なものがある。利用者の立ち座りや座位姿勢の状況に合わせることができ，機能的である。

据置式便座は，和式便器などとして使っていたときと座位姿勢を取ったときと体の向きが180度反対になるため，立ち座りのスペースが確保されるか確認する必要がある。

補高便座は，洋式便器の上に置いて補高し，立ち座りを容易にする福祉用具である。設問の記述は据置式便座である。

両用便器とは男性が小便をしやすいように，和式便器の高さを高くしたもの。両用とは大便，小便の両方ともに使えることを示します。

A749

立ち上がり補助便座は，スイッチを操作して，便座を垂直方向または斜め前上方向に移動させる機器で，下肢の麻痺，筋力の低下，痛みなどがあるために通常の便器からの立ち座りが困難な人に有効である。

ポータブルトイレは，居室などトイレ以外の場所で排泄することや，排泄後の処理が必要になることなどから，プライバシーや自尊心が保護されにくい。そのため，トイレまで移動できない，排泄機能障害でトイレが間に合わない場合などに使用する。

A751

ポータブルトイレのうち，立ち上がりのときに脚部を引き込めるスペースがあるものは立ち上がりが容易である。また，水洗機能が付いたものもある。

Q752 トイレ用手すりは，下肢の麻痺，筋力の低下，痛みや平衡機能障害のある高齢者や障害者などの立ち座りや排泄姿勢の保持を助けるものである。

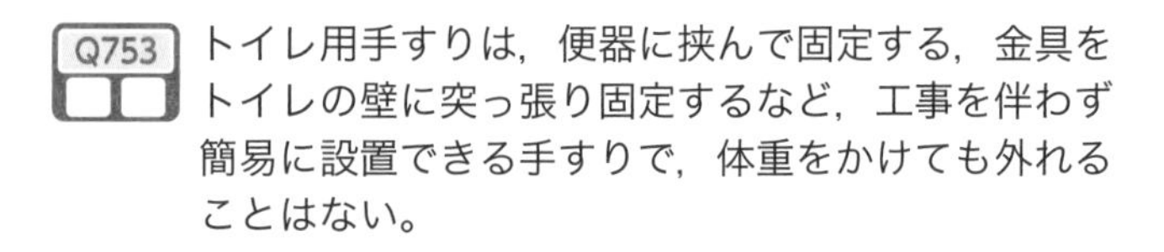

Q753 トイレ用手すりは，便器に挟んで固定する，金具をトイレの壁に突っ張り固定するなど，工事を伴わず簡易に設置できる手すりで，体重をかけても外れることはない。

Q754 トイレ用車いすは，車いすのシート部分が便座となっており，座ったまま居室などからトイレまで移動し，後方から洋式便器の上に乗り入れて排泄することができる。車高が高いため，敷居や戸枠下部等の数cmの段差でも解消しておく必要がある。

Q755 収尿器は，トイレで尿を採るための用具で，受尿部，チューブ，畜尿部（受尿容器）からなり，受尿部からチューブを通して尿を蓄尿部にためる仕組みである。

★ **Q756** 自動排泄処理装置は，センサーで尿や便を感知し，真空方式で自動的に吸引するもので，尿と便の両方を採るものと，尿のみ採るものがある。排尿と排便の両方に使用できるタイプは，自力で動ける人が継続的に使うことで，寝たきりによる廃用症候群が生じることもあるので，注意が必要である。

Q757 介護保険制度では，自動排泄処理装置の本体は貸与の対象となり，専用パッドや専用パンツなどの消耗品は販売の対象となる。

トイレ用手すりは，下肢の麻痺や筋力低下などがある高齢者や障害者などの立ち座りや排泄姿勢の保持を助けるもので，住宅改修で手すりの設置ができない借家などで使用する。

トイレ用手すりは壁や柱に強固に設置する手すりとは異なり，体重のかけ方によっては外れることもあるので，安全に使用できるかの確認が大切である。

トイレ用車いすは，シート部分に便座を装備しており，４輪キャスタによって小回りが利くようにできている介助用の車いすである。キャスタ径が小さいため，敷居や戸枠下部などの数cmの段差でも解消しておくほか，便座とフレームとが干渉しないように便器の高さに留意して導入する。

収尿器は，ベッドサイドまたは車いす上で尿を採る用具で，ベッドあるいは車いすから離れることができない場合に使用する。

自動排泄処理装置は，疾患により安静が必要な人や全身状態が悪化している人など，頻回の体位交換ができない場合に適応がある。排尿にのみ使用できるタイプでは，安眠確保や失禁を防ぐことを目的に夜間のみ使用するなど，自立支援のために使われることもある。

介護保険制度では，自動排泄処理装置の本体は貸与，尿や便の経路となるレシーバー，チューブ，タンクなどの交換可能部品は販売の対象となる。ただし，専用パッド，専用パンツなどの消耗品は，保険給付の対象外である。

重要ポイントまとめてCHECK!!

Point41 リフトの種類

固定式（設置式）リフト
限られた範囲での移動・移乗に適したリフト。

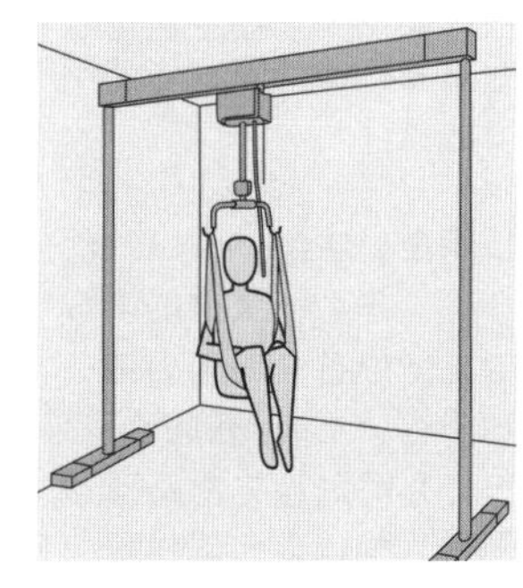

据置式リフト
やぐら型架台のレールに沿って，懸吊装置が移動するリフト。吊り上げ，吊り下げ操作は電動で，水平移動は介助者の手押し操作が主流。

床走行式リフト
床をキャスタで移動するリフトで，ベッドのある部屋の中だけで使用されることが多い。

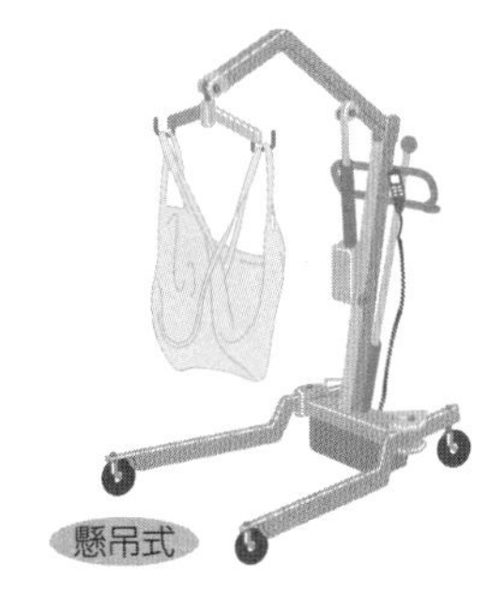

懸吊式

台座式

天井走行式リフト
天井に設置したレールを，懸吊装置が移動するリフト。

Point42 便座・ポータブルトイレの種類

据置式便座（和式用）
和式便器や両用便器の上に置き，腰かけ式にする。

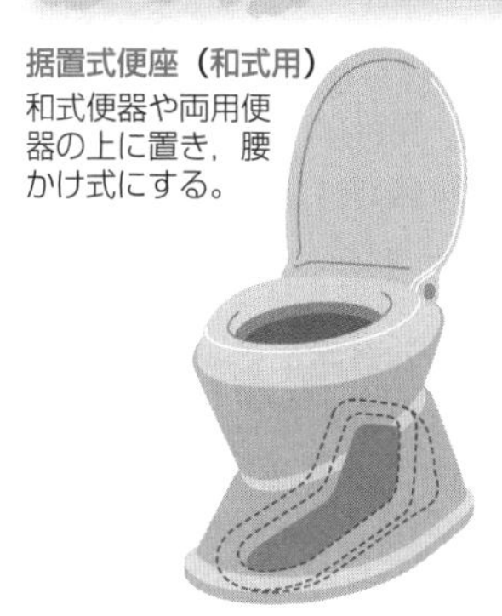

補高便座（取り外し型）
洋式便器の上に置いて座面の高さを補う。

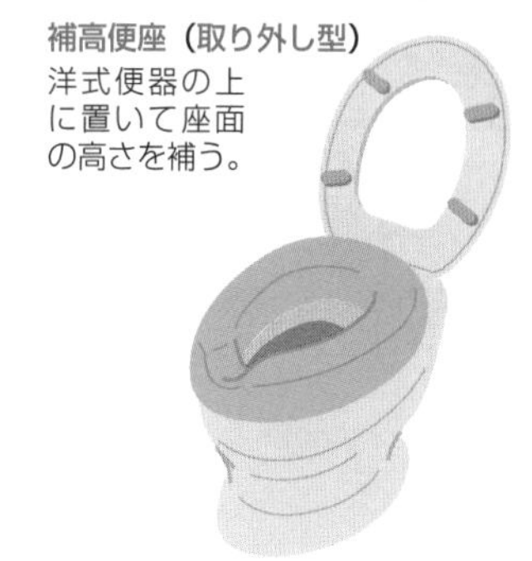

立ち上がり補助便座
電動で座面が昇降する。

ポータブルトイレ（標準形）
軽量化を図るためポリプロピレンやABS樹脂などのプラスチック製が主流である。

ポータブルトイレ（木製いす型）
使用しない時は木製のいすのようで，室内に置いてもあまり違和感がない。

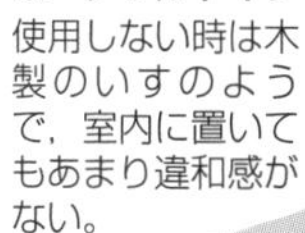

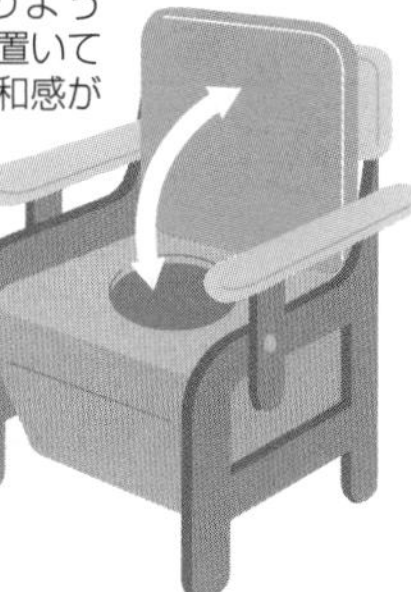

ポータブルトイレ（コモード型）
足元に空間があるため立ち座りがしやすい。

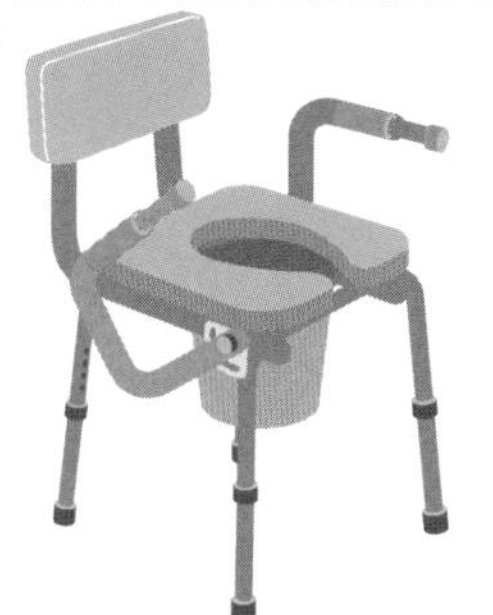

福祉用具

57 入浴を補助する用具

★ Q758

入浴補助用具の入浴用いすは，一般的に使用されている入浴用のいすよりも座面が低く，立ち座りや座位姿勢の保持を容易にし，洗体や洗髪動作を支援する。

★ Q759

福祉用具購入費の対象となる入浴用いすは，座面の高さがおおむね20cm以上のものまたはリクライニング機能を有するものとされている。

Q760

入浴用いすは，浴室内で介助者のスペースが狭められないように背もたれやアームサポートが付いていないため，座位姿勢の保持が困難な人の利用には注意を要する。

Q761

浴槽縁を挟んで固定する浴槽用手すりは，浴槽縁に固定する部分と手すり部分からなり，手すり部分が可動式のものもある。挟んで固定するため強固な固定性は得られず，体重を大きくかけると手すりがずれたり外れたりすることがある。

Q762

浴槽内いすをいすとして利用する場合は，浴槽内いすの座面の高さだけ浴槽が浅くなるため，座ったときに肩まで湯につかれないことが多い。その場合は，シャワーなどのかけ湯をしたり，湯につけたタオルを肩にかけたりするくふうが必要である。

Q763

入浴台には，台の両縁を浴槽縁に掛けるバスボードや，一方の縁を浴槽縁に掛け，もう一方の縁を脚で支える移乗台（ベンチ型シャワーいす）などの種類がある。

A758 入浴補助用具の入浴用いすは，一般的な入浴用のいすよりも座面が高い。下肢の麻痺や筋力低下，膝や股関節の痛みなどで立ち座りが困難な場合などに利用される。 ×

A759 福祉用具購入費の対象となる入浴用いすは，座面の高さがおおむね35cm以上のものまたはリクライニング機能を有するものと定められている。 ×

A760 入浴用いすには，座位姿勢の保持が困難な人のために背もたれやアームサポートが付いているものもあるが，その分場所をとるため，介助スペースが狭くなる点に注意が必要である。 ×

A761 浴槽用手すりは，立位保持は可能だが，平衡機能や筋力が低下しており，体重を少し支えるために手すりが必要な人が，主に浴槽を立ってまたぐときにバランスを保持するために用いる。 ○

A762 浴槽内いすは浴槽の中に置く台で，浴槽内で姿勢を保持するいすとして，また，浴槽の出入りの際に踏台として使用する福祉用具である。脚先に付いた吸盤で浴槽の底に吸着させて固定する吸盤式，浴槽の底に置いて使う据置式，浴槽上縁面に吊り下げる浴槽縁式がある。 ○

A763 入浴台は，浴槽縁に台を掛けて設置し，座った姿勢で浴槽の出入りを可能にする福祉用具である。下肢に関節可動域制限や痛み，筋力低下があり，立位バランスが不安定な利用者に有効である。 ○

Q764 □□ 浴室内すのこは，浴室の洗い場に設置し，浴室の入り口の段差や洗い場から浴槽縁までの高さを調整する福祉用具である。歩行が不安定で段差の昇降が困難な場合や，車いすでの浴室への移動を容易にする場合に用いる。

Q765 □□ 入浴用リフトの身体を支える吊り具には，シート状のものといす式のものがある。シート状のものは，関節保護が必要な場合や座位のバランスが悪く重度な場合に用いられることが多い。

★ Q766 □□ 浴槽縁に設置して，浴槽内での立ち座りを補助する浴槽設置式リフトは，座面を下げても機器のベース部分の高さがあるため浴槽が浅くなり，肩まで湯につかれない場合がある。

★ Q767 □□ シャワー用車いすは，トイレ用車いすと同様に，シート部分に座面があり，４輪キャスタによって小回りが利くようにできている。

A764 浴室内すのこには，天板と脚部が一体となっているもの（一体型）と，分離できるものがある。洗い場の広さや床の勾配は多様なため，設置後のずれやがたつきを防止するために，木や樹脂製の素材などで洗い場の形状に合わせて作成する。 ○

A765 入浴用リフトの身体を支える吊り具のうち，関節保護が必要な場合や座位のバランスが悪く重度な場合に用いられることが多いのは，いす式のものである。なお，シート状のものには，入浴用にメッシュ状になったものもある。

A766 浴槽設置式リフトは，肩まで湯につかれない場合があるほか，浴槽の掃除がしにくくなることなどに配慮する。

A767 シャワー用車いすは，トイレ用車いすと同様に，シート部分に座面があり，４輪キャスタにより小回りが利くようにできている。

入浴補助用具には，入浴時の体を保持するための「入浴用介助ベルト」もあるよ。浴室内での移動や浴槽の出入り，浴槽内での立ち座りのときに，ベルトに付いた介助用の握りを介助者が握って動作を介助するんだよ。

58 生活動作補助用具

★ Q768

自助具とは，できないことを自力でできるようにするためにくふうされた道具である。

Q769

固定式（台付）爪切りは，爪切りが台に固定されているもので，手に持たず置いたまま，手のひらや肘で押すことで爪を切ることができる。

★ Q770

ボタンエイドは，片手でボタンの掛け外しをしたり，手指の関節の障害でつまむことが困難であったりする人のボタンの掛け外しを助ける自助具である。

★ Q771

入浴時に使用する固定ブラシは，ブラシに長柄が付いているもので，上肢の関節の変形や痛み，筋力の低下などにより，頭や首，背中，足部など洗いたい場所に手が届かない場合に使用する。

Q772

ループ付きタオルは，タオルの端にループを取り付けたもので，ループに腕を通すことで固定して体を洗う。

Q773

バネ箸は，形を変形させることができるようになっている箸で，手元部分から先を曲げて使う。関節リウマチなどで手が口に届きにくい場合に用いる。

A768 自助具は，筋力，関節の動きの代替および補助，物の固定，姿勢の維持および補助などの機能を持つ。 

A769 固定式（台付）爪切りは，持たずに置いたままで使用できる爪切りである。また，片麻痺のある人が，片手で操作できるものもある。 

A770 ボタンエイドには，さまざまな握りがあるので，利用者が最も握りやすいものを選ぶ。 

■ **ボタンエイド**

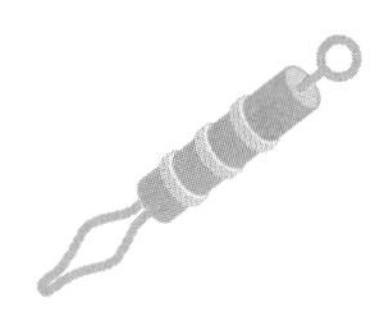

A771 設問の記述は柄付きブラシについてである。固定ブラシには吸盤が付いており，浴室内の側壁などに固定し，手や指，つま先を動かして洗う。流しに取り付ければ，手洗いや食器洗いにも利用できる。 

A772 ループ付きタオルは，タオルの端にループを取り付けたもので，タオルを握る力が十分でなかったり，片麻痺で片手では背中を洗えない場合に使用する。 

A773 バネ箸は，手元側が連結してあり，ピンセットでつまむように食物をつかめる箸である。手指の巧緻性が低下している場合や，利き手側に麻痺が生じて利き手を交換する場合の訓練の過程でも用いられる。 

Q774 太柄・曲がりスプーン（フォーク）は，握力の弱い人でも握りやすい柄になっている。柄が元のところで曲がっているものは，手と口が離れていてもスプーン（フォーク）が届くようになっている。

Q775 皿のふちを外側に湾曲させるなどの形状をくふうし，スプーンで食物をすくいやすいようにした，すくいやすい皿は，片麻痺などのため片手で食事をする場合に用いられる。

★Q776 認知症老人徘徊感知機器は，認知症の高齢者が屋外へ出ようとしたとき，ベッドや布団等から離れようとしたとき，屋内のある地点を通過したときなどにセンサーで感知し，家族や隣人などへ通報する福祉用具である。介護保険制度では，福祉用具購入費の対象となる特定福祉用具となっている。

★Q777 頸髄損傷や進行性筋疾患などによる四肢麻痺や四肢筋力低下で，上下肢の運動機能に障害のある人が，残存機能を活用して簡単なスイッチ操作により，電化製品等の操作を可能にする装置を重度障害者用意思伝達装置という。

太柄・曲がりスプーン（フォーク）は，食事動作に関する自助具の1つで，持ちやすいもの，横握りがしやすいもの，握ったときに最も力が入る部分にくぼみがついているものなど，さまざまな形状がある。曲がりスプーン（フォーク）は，関節リウマチなどにより手が口に届きにくい場合に利用する。

○

■ 太柄・曲がりスプーンとフォーク

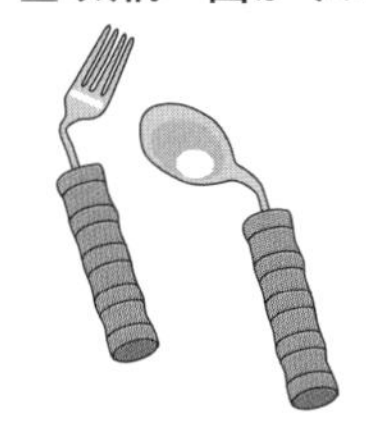

A775

すくいやすい皿は，皿のふちを内側に湾曲させるなどの形状をくふうし，スプーンで食物をすくいやすいようにした皿である。

A776

認知症老人徘徊感知機器は，介護保険制度では，福祉用具貸与の対象となっている。なお，軽度者（要支援1・2および要介護1）については，原則として保険給付の対象とはならない。

設問の記述は環境制御装置についてである。環境制御装置の操作スイッチには呼気・吸気スイッチ，まばたきを感知する光ファイバースイッチ，軽く押せる押しボタンスイッチなどがある。

59 聴覚・言語・視覚関連の用具

Q778 携帯用会話補助装置は，合成音声や録音音声などによって言葉や意思を相手に伝える装置であり，発声発語が困難な人に用いられる。

★ Q779 補聴器は，低下した聴力を補うために用いる機器であり，音のゆがみや言葉の聞き分け能力の低下についても補う効果が高い。

★ Q780 補聴器を使用している人にとって，電話での会話は聞き取りにくく，さらに補聴器と受話器の間でハウリングが生じる場合がある。これを解消するのが補聴器対応電話である。

Q781 一般的な補聴器が大きくできる音の範囲は，20～20,000Hz程度（これは言葉の聞き分けに必要な音の範囲）である。

Q782 聴覚障害者用電話には，感音難聴者向けの骨伝導式電話などがある。

Q783 会話を行う際に使われるコミュニケーション用具には，文字や言葉以外の図絵によるコミュニケーションノートやシンボルサイン，文字による筆談用具や文字盤などがある。

Q784 聴覚障害者が用いるコミュニケーション機器は補聴器が代表的であるが，軽度の難聴者は集音器や罫プレートなども利用できる。

Q785 屋内信号装置は，玄関のチャイム，ファックスや電話の着信，時計の目覚ましアラームなどを聴覚以外で知るための用具である。

A778 携帯用会話補助装置は，構音障害などのため発声発語が困難な人が用いる小型の機器で，スマートフォンのアプリとしても提供されている。 ○

A779 補聴器は，音を電気的に増幅する超小型の拡声器であるが，音のゆがみや言葉の聞き分け能力の低下について補う効果は少ない。 ×

A780 補聴器対応電話は，受話器に磁気誘導コイルが内蔵され，音声言語を磁気信号に変換して補聴器に伝えるものである。使用上，補聴器にも受信用のＴモードが内蔵されている必要がある。 ○

A781 正常な聞こえでは20～20,000Hzとされる聴取範囲のうち，一般的な補聴器が大きくできるのは，言葉の聞き分けに必要な音の範囲の200～5,000Hz程度である。 ×

A782 骨伝導式電話は聴覚障害者用電話の１つで，伝音難聴者向けのものである。 ×

A783 声が出ない人や声量が小さい人のためのコミュニケーション用具としては，人工喉頭や拡声器などがある。 ○

A784 軽度の難聴者が会話する際は，集音器や伝声管も利用できる。罫プレートは中心暗点のある視覚障害者が文章を読む際に使用する。 ×

A785 屋内信号装置は，昼間はフラッシュで，就寝時には枕の振動で知らせるため，就寝時でも利用できる。 ○

Q786 □□ 拡大鏡（レンズ・ルーペ）は，近見で文字や絵を拡大して見るための補助具で，手持ち式の拡大鏡は，凹レンズに持ち手が付いたルーペである。

Q787 □□ 卓上式の拡大鏡は，対象物の上に置くと焦点が合う「スタンド（袴）」の付いた拡大鏡である。焦点調節が必要なため，子どもや高齢者には扱いにくい。

★Q788 □□ 視覚障害者は，羞明（光がまぶしくて見にくい状態）を訴えることが多い。羞明は，目への入射光量の増加，波長の長い赤い光を多く含んだ光を受けることで生じる。その対策として，波長の長い光をカットする青系統の遮光眼鏡が処方される。

Q789 □□ 視覚障害者にとって携帯電話は，電話本来の機能のほか，音声によるメールやWeb機能による情報収集など，さまざまに活用できる補助具である。

★Q790 □□ 盲人用安全杖（白杖）には，障害物の有無など安全性の確保を行うほか，使用者が視覚障害者であることを周囲の人に知らせる役割もある。

★Q791 □□ 罫プレート（タイポスコープ）は，黒い紙を短冊状に切り抜いたもので，読みたい文章以外の部分を黒い紙でマスキングすることで視野が広がり，読みやすくなる。

Q792 □□ 近くのものをはっきり見たいときには，近用眼鏡や拡大鏡（ルーペ）などを選ぶ。健常者と異なる補助具の使用に抵抗がある視覚障害者の場合は，一般にも使われる眼鏡や拡大鏡を選ぶと受け入れやすい。

Q793 □□ 低視力者が遠くにあるものを見るときに使用する単眼鏡は，処方しようとする眼が完全矯正されていなくても，とくに問題はない。

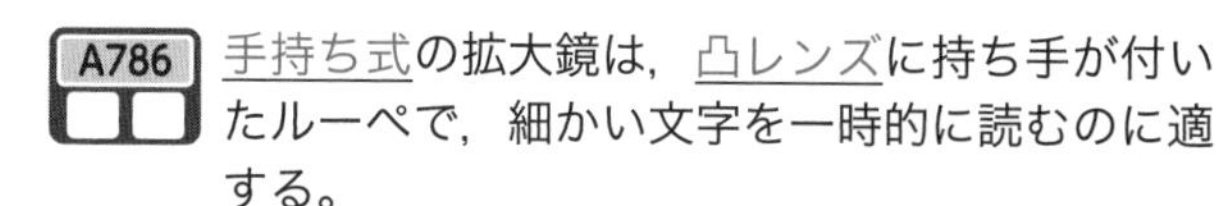

A786 手持ち式の拡大鏡は，凸レンズに持ち手が付いたルーペで，細かい文字を一時的に読むのに適する。

A787 卓上式の拡大鏡は，焦点調節の必要がなく，子どもや高齢者にも扱いやすい。

A788 羞明（しゅうめい）は，目への入射光量の増加，波長の短い青い光を多く含んだ光を受けることで生じる。その対策として，波長の短い光をカットする黄色や赤系統の遮光眼鏡が処方される。

A789 携帯電話は，記述にある機能以外にも，カメラの部分を活用することで，拡大読書器として利用することもできる。

A790 盲人用安全杖（白杖）は，歩行時，一歩先の路面の状態を知るためや，視覚障害者であることを周囲の人に知らせるために用いる。

A791 罫プレート（タイポスコープ）は，読みたい文章以外の部分を黒い紙でマスキングすることで光の反射が軽減され，読みやすくなる。

A792 一般にも使用される眼鏡や拡大鏡を選ぶ際には，視力低下の程度によって使用する補助具も異なることに注意が必要となる。

A793 低視力者が遠方のものを見るときに用いる単眼鏡は，処方しようとする眼が完全矯正されていることが大切である。また，焦点調節機能を使わなくてすむタイプを選ぶのもよい。

60 義肢と装具の役割

★ Q794
義肢は，四肢の一部を欠損した場合に，その部分に装着し，不自由を補ったり，失われた機能を代替したりする人工の機能および外観を補う器具である。

Q795
義肢は，一人ひとりの体型や障害の程度，切断端の状態・個所に合ったもの，ライフスタイルなども考慮したものが求められるため，導入に際しては，理学療法士の処方によって義肢装具士が製作を行う。

★ Q796
作業用義手の主目的は労働作業に向いた実用性で，主に農業や林業など特定の作業を行う人が用いる。装飾用義手は，欠損部位を補完し，見た目を補う目的で用いるほか，物をつかむなどの機能的動作もできる。

★ Q797
義足は下肢切断の場合に使用されるが，装着の可否は，全身状態，断端状況によって決定される。原則として，患側下肢で片足立ちができることが義足装着の可否の目安となる。

★ Q798
装具は，四肢または体幹の機能が障害を受けた場合に，固定・保持・補助，変形の予防や矯正等を目的として用いる。使用目的による分類として，治療用装具と更生用装具があり，また，装着部位によって上肢装具，体幹装具，下肢装具などに分類される。

Q799
上肢装具は，関節の安静・固定，変形の矯正，手指機能の補完などを目的とする装具である。装着期間や方法などは医師，作業療法士などと相談する。

Q800
股関節から足先にかけての部位に装着する下肢装具は，主に変形の予防や矯正，体重の支持，立位保持，歩行機能改善などを目的に用いる。

A794 義肢は，ソケット（断端を収納するもの）と手先または足部，これらをつなげる支持部で構成されている。なお，制度上は補装具ともいう。 ○

A795 義肢は，医師や理学療法士から移動能力の状況を確認し，医師の処方によって義肢装具士が製作を行う。 ×

A796 装飾用義手では，物をつかむなどの機能的動作はできない。なお，義手には，装飾性よりも，つかむ，握るといった日常生活での動作性を目的とする能動義手などもある。 ×

A797 義足装着の可否は，全身状態，断端状況によって決定される。原則として，健側下肢で片足立ちができることが装着の可否の目安となる。 ×

A798 なお，同じ疾患であっても，治療目的や使用者の身体機能によって装具は異なるため，装具導入の際は専門家に相談する。病院で立位や歩行の訓練を行う際に必要な治療用装具は，医師の処方により義肢装具士が製作する。 ○

A799 上肢装具は，上肢機能の改善のために装着するもので，手指関節，肘，肩といった部位別に多くの種類がある。 ○

A800 下肢装具は，脳血管障害や脊髄損傷などで足関節や膝関節が思いどおりに動かない人，関節が変形している人などに用いられる。 ○

重要ポイント まとめて CHECK!!

Point43 入浴補助用具

入浴用いす
(背付きタイプ)
洗体時に安定した座位をとるために使用する。

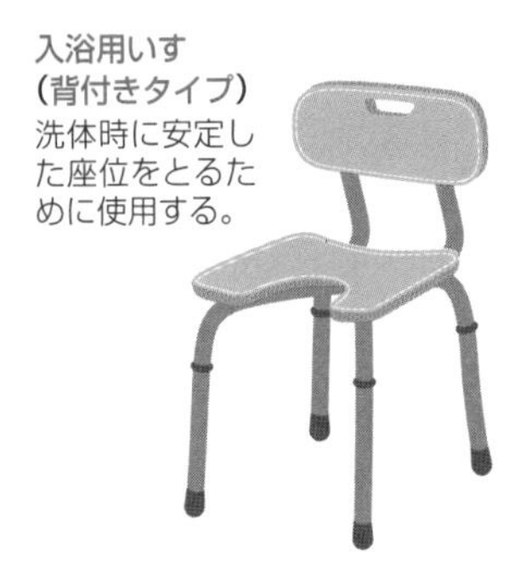

シャワー用車いす
(トイレ兼用型)
居室から浴室までの移動や浴室内の移動のほか，洗体時の姿勢保持にも使用する。

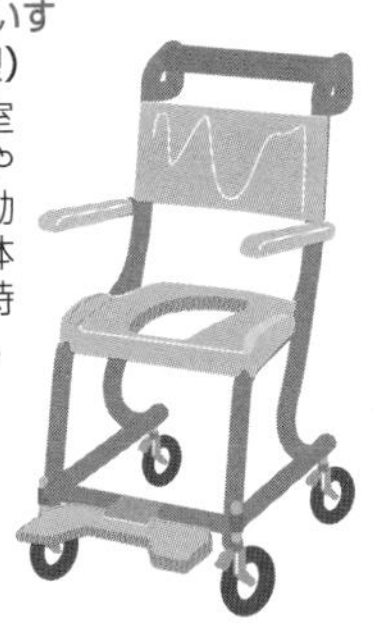

浴槽用手すり

手すりを取り付けたまま浴槽のふたを閉められる。

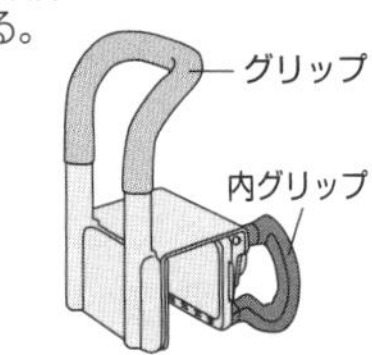

垂直グリップ型

あらゆる方向から握れてグリップの高さ調節もできる。

水平グリップ型
(高さ調整付き)

バスボード(取り外し式)

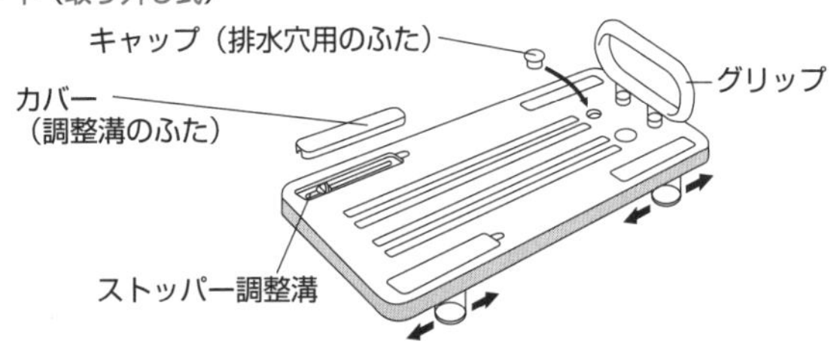

取り外し式は浴槽の両縁にボードを渡してふたのように使う。ほかに入浴中に浴槽を広く使うことができる跳ね上げ式もある。

Point44 生活動作補助用具，義肢

自助具

○整容・更衣

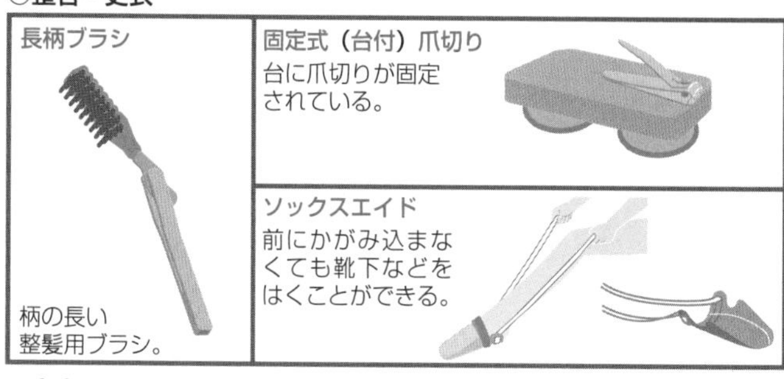

○食事

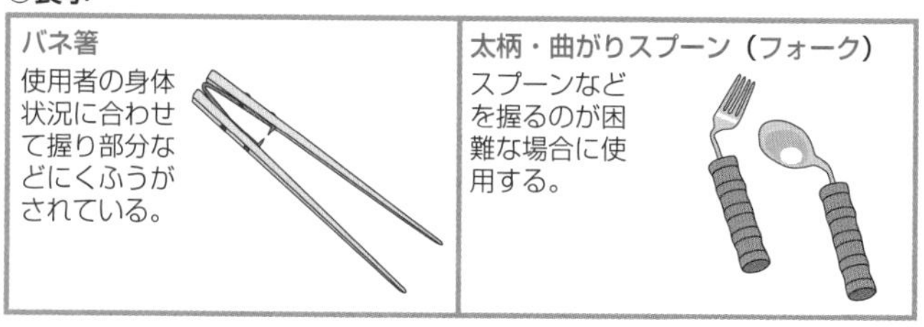

義足の種類

下肢切断の場合に用いる義足は，切断部位により，**股義足**，**大腿義足**，**下腿義足**，**サイム義足**などに分類される。

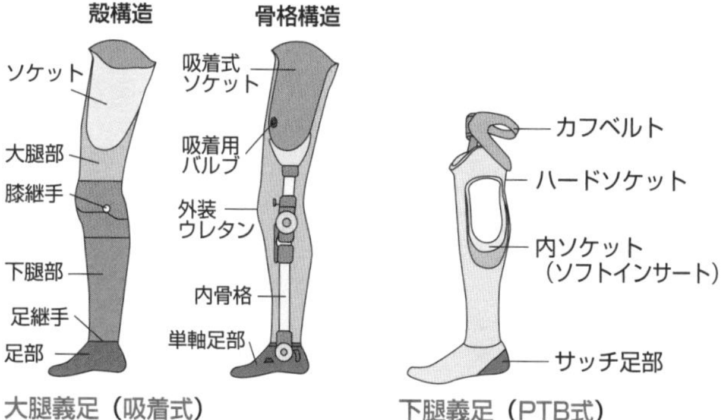

大腿義足（吸着式）

下腿義足（PTB式）

••Memo••

●**法改正・正誤等の情報につきましては，下記「ユーキャンの本」ウェブサイト内「追補（法改正・正誤）」をご覧ください。**
https://www.u-can.co.jp/book/information

●**本書の内容についてお気づきの点は**
・「ユーキャンの本」ウェブサイト内「よくあるご質問」をご参照ください。
https://www.u-can.co.jp/book/faq
・郵送・FAXでのお問い合わせをご希望の方は，書名・発行年月日・お客様のお名前・ご住所・FAX番号をお書き添えの上，下記までご連絡ください。
【郵送】 〒169-8682 東京都新宿北郵便局 郵便私書箱第2005号
ユーキャン学び出版 福祉住環境コーディネーター 資格書籍編集部
【FAX】 03-3350-7883
◎より詳しい解説や解答方法についてのお問い合わせ，他社の書籍の記載内容等に関しては回答いたしかねます。

●**お電話でのお問い合わせ・質問指導は行っておりません。**

ユーキャンの福祉住環境コーディネーター2級
○×一問一答ベスト800！

2008年6月10日 初 版 第1刷発行
2022年8月5日 第15版 第1刷発行
2023年1月10日 第15版 第2刷発行

編 者 ユーキャン福祉住環境コーディネーター試験研究会
発行者 品川泰一
発行所 株式会社 ユーキャン 学び出版
〒151-0053 東京都渋谷区代々木1-11-1
Tel 03-3378-1400
編 集 株式会社 東京コア
発売元 株式会社 自由国民社
〒171-0033 東京都豊島区高田3-10-11
Tel 03-6233-0781（営業部）

印刷・製本 望月印刷株式会社

※落丁・乱丁その他不良の品がありましたらお取り替えいたします。お買い求めの書店か自由国民社営業部（Tel 03-6233-0781）へお申し出ください。
 ISBN978-4-426-61397-6